EEN GEWAARSCHUWD MAN

CRIME DE LA CRIME

Dick Francis
Een gewaarschuwd man

Vertaald door P. H. Ottenhof

Amsterdam · Uitgeverij De Arbeiderspers

Eerste druk, 1982
Tweede druk, 1986
Derde druk, 1993

Copyright © 1981 Dick Francis
Copyright Nederlandse vertaling © 1982 P.H. Ottenhof/
b.v. Uitgeverij De Arbeiderspers, Amsterdam
Oorspronkelijke titel: *Twice shy*
Uitgave: Michael Joseph Ltd., Londen
Omslag: Will van Sambeek

ISBN 90 295 1702 6 / CIP

Voor mijn zoon Felix, een uitstekend schutter, die natuurkundeles geeft – uit dank en genegenheid

Deel een

Jonathan

Ik zei tegen de jongens dat ze zich rustig moesten houden terwijl ik mijn geweer ging halen.

Meestal hielp dat. Gedurende de vijf minuten die ik nodig had om naar de kast in de leraarskamer te lopen en terug te keren in de klas kon je erop rekenen dat de dertig veertienjarige, half getemde straatschoffies zich min of meer behoorlijk zouden blijven gedragen, enkel in toom gehouden door de belofte van een les waar ze werkelijk naar hadden uitgezien. Natuurkunde in het algemeen ondergingen ze als een onaanvaardbaar zware geestelijke inspanning, maar wat er gebeurde wanneer een geweer een kogel uitbraakte... dát was pas interessant!

In de leraarskamer werd ik een ogenblik opgehouden door Jenkins, die me met zijn zure gezicht en slecht gehumeurde snor vertelde dat ik met een krijtje op het bord veel duidelijker kon uitleggen wat stuwkracht was en dat een echt vuurwapen alleen maar toegeven was aan mijn eigen neiging tot dramatiek.

'Je hebt ongetwijfeld gelijk,' zei ik vriendelijk, terwijl ik langs hem schoof.

Hij wierp mij zoals altijd een blik vol teleurgestelde wrok toe. Hij had het land aan mijn gewoonte om het altijd met hem eens te zijn, en daarom deed ik het natuurlijk ook.

'Neem me niet kwalijk,' zei ik onder het weglopen. '4a zit te wachten.'

4a zat echter niet te wachten in de staat van zachtjes zinderende opwinding waarop ik gehoopt had. In plaats daarvan heerste er een collectief gegiechel dat snel een lichte hysterie naderde.

'Luister,' zei ik botweg, met één been over de drempel de atmosfeer al opsnuivend. 'Jullie houden je rustig, of ik laat je aantekeningen maken.'

Dit allerafgrijselijkste dreigement had geen enkele uitwerking. Ze waren niet in staat hun gegiechel te bedwingen. De ogen van de klas vlogen heen en weer tussen mij met mijn geweer en het schoolbord, dat ik door de openstaande deur nog steeds niet kon zien, en op elk van de jonge gezichten stond opgetogen verwachting te lezen.

'Oké,' zei ik, de deur dichtdoend. 'Laat maar eens zien wat jullie hebben opgeschre...'

Ik zweeg abrupt.

Ze hadden niets opgeschreven.

Een van de jongens stond daar stokstijf voor het bord – Paul Arcady, de pienterste leerling van de klas. Hij stond stokstijf omdat hij op zijn hoofd een appel in evenwicht hield.

Het gegiechel om mij heen barstte in een daverend gelach los, en zelf kon ik mijn gezicht ook niet in de plooi houden.

'Kunt u hem eraf schieten, mijnheer?'

De stemmen klonken boven het rumoer uit.

'Willem Tell wel, mijnheer.'

'Zullen we een ziekenauto laten komen, mijnheer, alleen maar voor de zekerheid?'

'Hoe lang doet een kogel erover om door Pauls schedel te dringen, mijnheer?'

'Heel leuk,' zei ik om ze weer te sussen, maar het was écht heel leuk en dat wisten ze. Als ik echter te hard lachte zou ik ze niet meer in bedwang hebben, en een dergelijke wispelturige massa in bedwang houden was altijd een hachelijke onderneming.

'Heel knap, Paul,' zei ik. 'Ga nu maar weer zitten.'

Hij was tevreden. Hij had zijn nummer perfect gebracht. Hij nam de appel met een aangeboren elegantie van zijn hoofd en liep netjes naar zijn plaats, de bewonderende grappen en het afgunstige gejoel als hem toekomend in ontvangst nemend.

'Goed dan,' zei ik, terwijl ik mij posteerde op de plaats waar hij gestaan had. 'Aan het eind van deze les weten

jullie allemaal hoe lang een kogel die zich met een bepaalde snelheid voortbeweegt erover zou doen om een bepaalde afstand af te leggen...'

Het geweer dat ik voor de les had meegebracht was een
eenvoudige luchtbuks, maar ik vertelde ze ook hoe een
echt geweer werkte en hoe het kwam dat in beide gevallen
een kogel of een hagelkorrel met grote snelheid naar buiten kwam. Ik liet ze het gladde metaal in handen nemen –
voor velen van hen was het de eerste keer dat ze een
geweer, of zelfs maar een luchtbuks, van dichtbij zagen.
Ik legde uit hoe kogels gemaakt werden en waarin ze
verschilden van de hagelkorrels die ik bij me had. Hoe
het laadmechanisme werkte. Hoe de groeven in de loop
van een geweer de kogel een roterende beweging gaven,
zodat hij draaiend naar buiten trad. Ik vertelde ze over
luchtweerstand en hitte.

Ze luisterden geconcentreerd en stelden de vragen die
altijd gesteld werden.

'Kunt u ons vertellen hoe een bom werkt, mijnheer?'

'Een andere keer,' zei ik.

'Een atoombom?'

'Een andere keer.'

'Een waterstof... een kobalt... een neutronenbom?'

'Een andere keer.'

Ze vroegen nooit hoe radiogolven zich door de ether
verplaatsten, wat voor mij een nog groter mysterie was.
Ze stelden vragen over vernietiging en niet over schep-
ping, over krachten en niet over harmonisch evenwicht.
Uit ieder gezicht sprak het in elk mannelijk kind aanwezige zaad van het geweld en ik wist hoe hun gedachten
werkten, omdat ik zelf in hun plaats was geweest. Hoe
had ik anders op hun leeftijd ontelbare uren kunnen besteden aan het trainen met een .22 oefengeweer op een
schietbaan, mijn vaardigheid verbeterend tot ik een doel
ter grootte van een duimnagel op vijftig meter negen van
de tien keer kon raken? Een vreemde, zinloze, tot uiterste
verfijning opgevoerde vaardigheid, die ik nimmer van
plan was tegen enig levend wezen te gebruiken, maar die

11

ik sindsdien nooit meer was kwijtgeraakt.

'Is het waar, mijnheer,' vroeg een van hen, 'dat u een Olympische medaille hebt gewonnen met geweerschieten?'

'Nee, zo is het niet.'

'Wat dan wel, mijnheer?'

'Ik had graag dat jullie allemaal voor jezelf de snelheid van een kogel eens vergeleken met die van andere voorwerpen waarmee je allemaal vertrouwd bent. Welnu, denken jullie dat het mogelijk is dat je in een vliegtuig zou zitten, en uit het raampje kijkend een kogel zien die gelijke tred met je hield, waardoor het zou lijken alsof hij net aan de andere kant van het raampje stilstond?'

De les draaide voort. Ze zouden die hun leven lang niet meer vergeten, vanwege het geweer. Zonder dat geweer zouden ze, hoe Jenkins er ook over mocht denken, alles alweer vergeten zijn zodra ze 's middags om vier uur hun hielen hadden gelicht. Lesgeven, zo kwam het mij dikwijls voor, was evenzeer een zaak van het prikkelen van de verbeelding als van het overdragen van feitelijke kennis. De feiten die je in grappen verpakte waren degene die ze tijdens examens goed hadden.

Ik hield van lesgeven. Meer in het bijzonder hield ik ervan natuurkundeles te geven, een vak dat ik misschien wel met hartstochtelijk plezier beoefende, hoewel ik terdege wist dat de meeste mensen er vol afschuw voor terugdeinsden. Natuurkunde was niet meer dan de wetenschap van de onzichtbare wereld, zoals aardrijkskunde die van de zichtbare was. Natuurkunde was de wetenschap van al die machtige, onzichtbare verschijnselen – magnetisme, elektriciteit, zwaartekracht, licht, geluid, kosmische straling... Natuurkunde was de wetenschap van de mysteries van het heelal. Hoe kon iemand dat saai vinden?

Ik was nu drie jaar hoofd van de natuurkundeafdeling van de East Middlesex Scholengemeenschap, met vier leraren en twee amanuenses onder mij. Met mijn drieëndertig jaar leek er in de toekomst wel een post als plaatsvervangend directeur voor mij weggelegd, hoogst waarschijnlijk gepaard gaande met een overplaatsing, en mis·

schien zelfs als directeur, hoewel ik dat indien ik het op
mijn veertigste nog niet had bereikt verder wel kon vergeten. Directeuren werden ieder jaar jonger; voornamelijk, opperden cynici, omdat hoe jonger de man was die de
autoriteiten benoemden, des te beter ze de baas over hem
konden spelen.

Ik was al met al best tevreden met mijn baan en hoopvol waar het mijn vooruitzichten betrof. Alleen thuis ver-
liepen de zaken niet zo goed.

4a leerde over stuwkracht en Arcady zat wanneer hij
dacht dat ik niet keek van zijn appel te eten. Na tien
jaar lesgeven was ik echter zo scherp van gezicht voor wat
zich aan de rand van mijn blikveld afspeelde, dat ze af
en toe dachten dat ik letterlijk ogen in mijn achterhoofd
had. Dat kon geen kwaad; het hielp ze in bedwang te
houden.

'Gooi het klokkenhuis niet op de grond, Paul,' zei ik
vriendelijk. Hem zijn appel laten opeten was één ding – hij
had het verdiend – maar hem in de waan laten dat ik het
niet gezien had was iets heel anders. Het was een doorlopend psychologisch spel de schavuiten in je greep te
houden, maar tevens prioriteit nummer één. Ik had ster-
kere mannen dan ikzelf tot een zenuwinzinking zien af-
takelen door het jachthondeninstinct van kinderen.

Toen de bel voor het eind van de les ging betoonden
ze mij de uiterste welwillendheid door mij af te laten maken wat ik aan het vertellen was alvorens in de wilde
vlucht van het naar huis gaan naar buiten te stormen. Het
was tenslotte de laatste les van de vrijdag – en god zij
geloofd voor het weekeinde.

Langzaam deed ik mijn ronde langs de vier natuur-
kundelaboratoria en de twee lokalen met apparatuur om
mij ervan te vergewissen dat alles in orde was. De beide
amanuenses, Louisa en David, waren bezig alle apparatuur die 's maandags niet nodig was uit elkaar te halen
en weg te bergen, de pogingen van 5e op het gebied van
radiocircuits uit elkaar te peuteren en de batterijen, klem-
metjes, montageplaten en transistors terug te leggen in

de ontelbare rekken en laden van de apparatuurlokalen.

'Heb je iemand op het oog?' vroeg Louisa met een blik naar het geweer dat ik bij me had.

'Ik wilde het niet onbeheerd achterlaten.'

'Is hij geladen?' Haar stem klonk haast hoopvol. Vrijdagsmiddags laat verkeerde ze altijd in een staat waarin niemand haar om een extra gunst verzocht – althans niet tenzij je bereid was tien minuten lang naar een huilerig 'je hebt er geen idee van hoeveel er aan dit werk vastzit' te moeten luisteren, wat ik in de meeste gevallen niet was. Louisa's humeurige buien vonden, dacht ik, hun oorsprong in haar geloof dat ze door het leven misdeeld was, nu ze op haar veertigste een soort magazijnbeheerder was (efficiënt, nauwgezet en behulpzaam), in plaats van een Groot Geleerde. 'Als ik naar de universiteit was gegaan...' kon ze zeggen, de sterke indruk achterlatend dat, als dat gebeurd was, Einstein een ander baantje had moeten zoeken. Mijn aanpak van Louisa bestond erin dat ik mij terugtrok bij de eerste tekenen van problemen, wat misschien zwak was, maar ik moest in mijn werk met haar optrekken en stuurse buien maakten haar traag.

'Mijn lijstje voor maandag,' zei ik, terwijl ik het haar overhandigde.

Ze bekeek het minachtend. 'Martin heeft de oscilloscopen voor het derde lesuur besteld.'

Het schaarse aantal oscilloscopen dat de school bezat was een voortdurende bron van wrijving.

'Kijk maar wat je voor elkaar kunt krijgen,' zei ik.

'Kun je je met maar twee behelpen?'

Ik zei dat ik dacht van wel, glimlachte, hoopte dat het goed weer bleef zodat ze kon tuinieren, en ging naar huis.

Ik reed langzaam, terwijl het loden gevoel van gelatenheid mij terneerdrukte, zoals altijd op de terugweg naar huis. Tussen Sarah en mij was geen sprake meer van blijdschap, noch van opwellingen van liefde. Acht jaar getrouwd, en geen andere gevoelens dan een groeiende verveling.

We hadden geen kinderen kunnen krijgen. Sarah had

erop gehoopt, ernaar verlangd, ernaar gesmacht. We waren bij alle denkbare specialisten geweest, Sarah had talloze injecties en pillen gehad, alsmede twee operaties. Mijn eigen teleurstelling, hoewel niet minder diep zittend, was nog te dragen geweest. De hare was hardnekkig gebleken en had haar geheel ontreddered, in die zin dat ze in een toestand van permanente neerslachtigheid was geraakt waaruit niets haar leek te kunnen redden.

We hadden ons door dokters die ons trachtten te bemoedigen laten vertellen dat veel kinderloze huwelijken bijzonder geslaagd waren, doordat er tussen man en vrouw door hun tegenspoed uitzonderlijk sterke banden gesmeed waren, doch bij ons was het omgekeerde het geval geweest. De hartstocht van weleer had plaats gemaakt voor beleefdheid; plannen en gelach voor een slopende uitzichtloosheid; tranen en hartzeer voor stilzwijgen.

Ik was haar niet voldoende geweest, zonder kleine kinderen. Ik was gedwongen geweest onder ogen te zien dat voor haar het moederschap het belangrijkste was, dat het huwelijk slechts de weg daarheen was geweest, dat een heleboel andere mannen goed genoeg zouden zijn geweest. Af en toe vroeg ik mij onbehaaglijk af hoe vlug ze van me gescheiden zou zijn als ik het geweest was die onvruchtbaar was gebleken, en ik schoot er evenmin iets mee op dat ik bepeinsde hoe tevreden we allebei geweest zouden zijn indien zijzelf zich maar bevredigd had gevoeld.

Ik denk wel dat het een huwelijk was als vele andere. Ruzie hadden we nooit. Redetwisten deden we zelden. Daar kon geen van ons beiden nog voldoende interesse voor opbrengen; het was ontzettend ontmoedigend als je hele leven zich op die manier moest voortslepen.

Het thuiskomen was eender als duizend andere keren. Ik parkeerde mijn wagen voor de dichte garagedeuren en ging het huis binnen met mijn armen vol met de luchtbuks en schoolschriften. Sarah, als gewoonlijk thuis van haar baan voor halve dagen als tandartsreceptioniste, zat in de huiskamer op de bank een tijdschrift te lezen.

'Hallo,' zei ik.

'Hallo. Een prettige dag gehad?'

'Ging wel.'

Ze had niet opgekeken van haar lectuur. Ik had haar geen zoen gegeven. Misschien dat het voor allebei beter was dan volkomen eenzaamheid, maar niet veel beter.

'We eten vanavond ham,' zei ze. 'Met koolsla. Goed?'

'Fijn.'

Ze las weer verder; een slanke, blonde, jonge vrouw, nog altijd verrassend knap, hoewel ze inmiddels een wrevelige trek op haar gezicht had gekregen. Ik was eraan gewend, maar had bij vlagen een ondraaglijke heimwee naar de vrolijke gretigheid van vroeger tijd. Soms vroeg ik mij af of ze er erg in had dat ook voor mij de lol eraf was, hoewel ik het soms nog wel, diep begraven in mijn binnenste, kon voelen borrelen.

Die bewuste avond deed ik (wat steeds zeldener gebeurde) een poging ons uit onze matheid los te schudden.

'Zeg, laten we alles er gewoon bij neergooien en in de stad gaan eten. Bij Florestan, bij voorbeeld, daar wordt gedanst.'

Ze keek niet op. 'Doe niet zo idioot.'

'Laten we gewoon gaan.'

'Ik heb geen zin.' Een stilte. 'Ik kijk liever naar de televisie.' Ze sloeg een bladzij om en voegde er onverschillig aan toe: 'En de prijzen die ze bij Florestan vragen kunnen wij niet betalen.'

'Als jij je zou amuseren wél.'

'Nee, dat zou ik niet.'

'Nu,' zuchtte ik, 'dan zal ik maar aan de schriften beginnen.'

Ze knikte flauw. 'We eten om zeven uur.'

'Goed.'

Ik draaide mij om om weg te lopen.

'Er is een brief voor je van William,' zei ze met verveling in haar stem. 'Ik heb hem boven neergelegd.'

'O ja? Welbedankt dan.'

Ze las weer verder en ik nam mijn spullen mee de trap op naar de derde en kleinste van onze drie slaapkamers, die ik als een soort studeerkamer annex kantoor gebruikte. De makelaar die ons het huis had laten zien had het vertrek stralend beschreven als 'net mooi voor kinderkamer' en daarmee de koop bijna laten afspringen. Ik had de kamer voor mijzelf ingepikt en hem zo mannelijk mogelijk ingericht, maar ik wist heel goed dat voor Sarah de geest van ongeboren kinderen er nog rondhing. Ze ging er maar zelden naar binnen. Het was enigszins ongewoon dat ze de brief van mijn broer op mijn bureau had gelegd.

Hij luidde:

Beste Jonathan,

Kan ik alsjeblieft dertig pond van je krijgen? Het is om in de herfstvakantie naar de boerderij te gaan. Ik heb mevrouw Porter geschreven en ze kan me hebben. Ze zegt dat ze de prijzen heeft moeten verhogen vanwege de inflatie. Het kan niet zijn voor wat ik eet, want ik krijg meestal brood met honing van haar. (Ik klaag niet.) Ik heb eerlijk gezegd ook wat geld nodig om paard te rijden, voor het geval ik geen gratis ritjes meer kan verdienen door de stallen uit te mesten, daar deden ze de laatste keer een beetje eigenaardig over, had iets te maken met de wet en de tewerkstelling van jeugdige personen, nou vraag ik je. Ik ben gauw zestien. In elk geval zou het reuze zijn als je er vijftig pond van kon maken. Als ik mijn paardrijden zelf kan verdienen stuur ik die twintig extra terug, want als je niet wilt dat je poen in deze voorname nor gegapt wordt mag je het wel in beton laten storten. De herfstvakantie begint vrijdag over een week, valt vroeg dit trimester. Zou je het dus een beetje vlug kunnen sturen?

Heb je gelezen dat Clinker inderdaad de laatste steeplechase in Stratford heeft gewonnen? Als je me geen jockey wil laten worden, wat zou je dan van tipgever zeggen?

Hoop dat het je goed gaat. En Sarah ook.
William.

P.S. *Kun je overkomen voor de sportdag, of voor de blabla-dag? Het zal je verbazen te horen dat ik een prijs heb gekregen voor twee plus twee.*

Blabla-dag was de toespraken-dag, waarop de school-prijzen werden uitgereikt. Die van William had ik om de een of andere reden geen van alle bijgewoond. Dit keer zou ik erheen gaan, dacht ik bij mezelf. Zelfs William zou zich af en toe wel eens eenzaam kunnen voelen wanneer geen van zijn naaste familieleden er ooit bij was om hem zijn prijzen in ontvangst te zien nemen, wat hij met een tonige regelmaat deed.

William zat op een particuliere kostschool, dank zij een rijke peetoom die hem een heleboel geld had nagelaten dat beheerd werd 'voor zijn opvoeding en vrijetijdsbe-steding, en dat het de kleine aap goed moge gaan'. De bewindvoerders van Williams erfenis betaalden regel-matig zijn schoolgeld en onderhoudsgeld voor kleding enzovoort aan mij, en daarvan gaf ik William weer het zakgeld dat hij nodig had. Het was een regeling die in vele opzichten voortreffelijk werkte, niet in het minst omdat het betekende dat William niet bij Sarah en mij hoefde te wonen. De luidruchtige en eigengereide broer van haar man was niet het kind dat zij zich wenste.

William bracht zijn vakanties door op boerderijen en Sarah merkte wel eens op dat het oneerlijk verdeeld was dat William meer geld had dan ik en dat William be-dorven was vanaf de dag dat mijn moeder ontdekt had dat ze op zesenveertigjarige leeftijd weer zwanger was. Sarah en William gedroegen zich wanneer ze elkaar ont-moetten meestal met behoedzame terughoudendheid en zeiden elkaar slechts een enkele keer ronduit de waarheid. William had heel vlug in de gaten gehad dat hij haar niet moest plagen, iets waartoe hij van nature geneigd was, en zij had zich erbij neergelegd dat het uitdelen van sarcastische aanmerkingen om een scherp antwoord vroeg. Ze draaiden daardoor om elkaar heen als volkomen aan elkaar gewaagde tegenstanders die ervoor terugdeinsden elkaar openlijk de oorlog te verklaren.

Zolang hij het zich kon herinneren had William zich onweerstaanbaar aangetrokken gevoeld tot paarden en hij had altijd plechtig verklaard dat hij jockey wilde worden, waar Sarah krachtig en ik lichtelijk op tegen was. Zekerheid was volgens William een vies woord. Er bestonden betere dingen in het leven dan een vaste baan. Sarah en ik waren, geloof ik, gelukkiger met een vast patroon, met regelmaat en iets bereiken in het leven. William leek naarmate hij opgroeide tot dertien, veertien, en thans vijftien jaar, in toenemende mate te hongeren naar de open lucht, snelheid en onzekerheid. Het was kenmerkend voor hem dat hij van plan was de week herfstvakantie door te brengen met paardrijden in plaats van zich voor te bereiden op de examens die hij onmiddellijk daarna zou hebben af te leggen.

Ik liet zijn brief op mijn bureau liggen om mij eraan te herinneren dat ik hem een cheque moest sturen en maakte de kast open waarin ik mijn geweren had weggeborgen.

De luchtbuks die ik mee naar school had genomen was weinig meer dan een stuk speelgoed, waarvoor geen vergunning of een veilige bergplaats nodig was, maar ik bezat ook twee Mausers 7,62, een Enfield No. 4 7,62 en twee Anschütz .22 geweren, waarvoor het wemelde van de voorschriften, en ook nog een oude Lee Enfield .303, die nog uit mijn jonge jaren dateerde en die, als je er de munitie voor te pakken kon krijgen, nog even dodelijk was als weleer. Op de weinige munitie die ik ervoor bezat was ik heel zuinig, voornamelijk uit nostalgie. Er werden geen .303-patronen meer gemaakt, omdat het leger in de jaren zestig op 7,62 mm was overgegaan.

Ik zette de luchtbuks terug in zijn rek, controleerde of alles zich op zijn juiste plaats bevond en deed de deuren, de vertrouwde olielucht opsnuivend, weer op slot.

Beneden ging de telefoon en Sarah nam hem op. Ik bekeek de stapel schoolschriften die ik allemaal zou moeten lezen en corrigeren en 's maandags weer aan de jongens uitreiken, en ik vroeg mij af waarom ik geen baantje had met vaste werktijden, dat ik niet mee naar huis hoefde te nemen. Huiswerk was niet alleen voor de leerlingen een bezoeking.

Ik kon de stem horen waarmee Sarah altijd de telefoon beantwoordde, hoog en hard.

'O, hallo, Peter. Wat leuk...'

Er volgde een lange stilte terwijl Peter sprak, en daarna een toenemend gejammer van Sarah.

'O, néé! O, mijn gód! O, nee, Peter...' Afschuw, ongeloof, doodsschrik. In elk geval genoeg om me meteen naar beneden te laten hollen.

Sarah zat stijf overeind op de bank met de telefoon helemaal aan het eind van het lange snoer. 'O nee,' zei ze net heftig. 'Het kan niet waar zijn. Dan kán gewoon niet.'

Ze staarde mij aan zonder me te zien, haar hals omhoog gestrekt, zelfs met haar ogen luisterend.

'Maar natuurlijk... dat doen we natuurlijk... O, Peter, ja natuurlijk... Ja, onmiddellijk. Ja... ja... we komen eraan.' Ze keek op haar horloge. 'Negen uur. Misschien iets later. Is dat goed?... Goed dan... En Peter, doe haar de groeten van me...'

Met trillende handen legde ze de hoorn rinkelend neer.

'We moeten erheen,' zei ze. 'Peter en Donna...'

'Vanavond niet,' protesteerde ik. 'Wat er ook is, vanavond niet. Ik ben hartstikke moe en ik heb al die schriften...'

'Ja, meteen, we moeten er meteen heen.'

'Het is honderd zestig kilometer.'

'Het kan me niet schélen hoe ver het is. We moeten er nú heen. *Nu*!'

Ze stond op en rende haast naar de trap. 'Pak een koffer,' zei ze. 'Kom mee.'

Ik volgde haar in trager tempo, half geërgerd, half onder de indruk van haar dwingende toon. 'Sarah, wacht nou eens even, wat is er nu precies met Peter en Donna aan de hand?'

Ze bleef vier treden omhoog staan en keek over de

leuning op mij neer. Ze huilde al, haar hele gezicht in gemartelde ontreddering verwrongen.

'Donna.' Ze was haast niet te verstaan. 'Donna.'

'Heeft ze een ongeluk gehad?'

'Nee... geen...'

'Wat dan?'

Door die vraag begon ze alleen maar nog harder te huilen. 'Ze... heeft... me... nodig.'

'Ga jij dan,' zei ik, opgelucht door deze oplossing. 'Ik red me wel een paar dagen zonder auto. In elk geval tot dinsdag. Maandag kan ik de bus nemen.'

'Nee. Peter heeft jou er ook bij nodig. Hij smeekte me... ons allebei.'

'Waarom?' vroeg ik, maar ze holde alweer de trap op en gaf geen antwoord.

Het is iets dat mij niet aanstaat, dacht ik opeens. Wat er ook gebeurd was, ze wist dat het mij niet zou aanstaan en dat ik mij met al mijn instincten tegen inmenging zou verzetten. Met tegenzin ging ik achter haar aan naar boven en vond haar al bezig kleren en tandpasta op het bed bij elkaar te leggen.

'Donna heeft toch ouders?' zei ik. 'En Peter toch ook? Als er dus iets verschrikkelijks gebeurd is, waarom hebben ze óns dan in godsnaam nodig?'

'Het zijn onze vrienden.' Ze holde gejaagd heen en weer, snikkend en slikkend en van alles op de grond laten vallend. Het was veel meer dan gewoon medeleven met wat Donna ook aan ergs overkomen kon zijn – het bezat een mate van overdrevenheid die me tegelijk verontrustte en de smoor in joeg.

'Om moe en hongerig naar Norfolk te racen zonder te weten waarom is de vriendschap wel wat ver gedreven,' zei ik. 'Ik ga niet.'

Sarah scheen het niet te horen. Ze ging zonder ophouden door met in het wilde weg haar koffer pakken en haar tranen namen af tot een zwak, aanhoudend gegrien.

We hadden destijds veel vrienden bezeten, maar daarvan waren nu alleen Donna en Peter nog over, ondanks het feit dat ze niet langer vijf kilometer bij ons vandaan woonden en dinsdags squash kwamen spelen. Al onze andere kennissen van voor en na ons trouwen waren of wel langzaam aan weggebleven, of hadden een gezin met kinderen gevormd; alleen Donna en Peter waren, net als wij, kinderloos gebleven. Alleen het gezelschap van Donna en Peter, die net als wij nooit over de kinderkamer spraken, kon Sarah verdragen.

Zij en Donna hadden destijds lange tijd samen een flat gehad. Peter en ik hadden elkaar voor het eerst als hun toekomstige echtgenoten ontmoet en hadden het zo best met elkaar kunnen vinden dat de vriendschap de verhuizing naar Norfolk overleefd had, hoewel het nu meer een kwestie was van verjaardagskaarten en telefoontjes dan van geregelde visites bij elkaar aan huis. Eén keer hadden we samen een watersportvakantie op de kanalen doorgebracht. 'Dat doen we volgend jaar weer,' hadden we allemaal gezegd, maar het was er niet van gekomen.

'Is Donna ziek?' vroeg ik.

'Nee...'

'Ik ga niet,' zei ik.

Het klagelijke gegrien verstomde. Sarah zag er verschrikkelijk uit, zoals ze daar stond met waterige rode ogen en een slordig opgevouwen nachtjapon. Ze staarde naar het luchtige, bleek groene geval dat ze droeg om zich de kilte van gescheiden bedden van het lijf te houden en eindelijk kwam het rampzalige nieuws naar buiten.

'Ze is gearresteerd,' zei ze.

'Donna... gearresteerd?' Ik was stomverbaasd. Donna was een onopvallend vrouwtje. Keurig. Zachtaardig. Zich altijd verontschuldigend. Last met de politie was wel het laatste wat je van haar zou verwachten.

'Ze is nu weer thuis,' zei Sarah. 'Ze is... Peter zegt dat ze... nu ja... in staat is zichzelf wat aan te doen. Hij zegt dat hij niet weet wat hij ermee aan moet.' Ze verhief haar stem. 'Hij zegt dat hij ons nodig heeft... nú... terstond. Hij weet niet wat hij moet beginnen. Hij zegt dat wij de enigen zijn die kunnen helpen.'

Ze was weer begonnen te huilen. Wat het ook was, het was haar te veel.

'Wat heeft Donna gedaan?' vroeg ik langzaam.

'Ze ging winkelen,' zei Sarah, terwijl ze eindelijk probeerde zich duidelijk uit te drukken. 'En toen stal ze... Ze stal...'

'Nu, in hemelsnaam,' zei ik. 'Ik snap wel dat het ellendig voor ze is, maar duizenden mensen plegen winkeldiefstallen. Waarom moet daar zo'n overdreven drama van gemaakt worden?'

'Je luistert niet,' schreeuwde Sarah. 'Waarom lúíster je niet?'

'Ik...'

'Ze heeft een *baby* gestolen!'

2

We gingen naar Norfolk.

Sarah had gelijk gehad. De reden voor onze reis stond mij niet aan. Ik voelde een hevige weerzin tegen het mee-gesleept worden in een uiterst emotioneel geladen situatie waaraan ik met geen mogelijkheid iets constructiefs zou kunnen bijdragen. Mijn gevoelens van vriendschap voor Peter en Donna waren bij lange na niet sterk genoeg. Voor Peter misschien nog wel. Voor Donna zeer beslist niet.

Wanneer ik dacht aan de enorme krachten waaraan dat arme kind onderhevig moest zijn geweest om tot een der-gelijke daad te komen, kwam het niettemin bij mij op dat het onzichtbare heelal misschien niet stilhield bij het soort elektro-magnetisme dat ik onderwees. Iedere levende cel wekte per slot van rekening zijn eigen elektrische lading op, in het bijzonder hersencellen. Indien ik het gappen van een baby op gelijke hoogte stelde met een elektrische storm kon ik mij er beter bij neerleggen.

Het grootste deel van de rit zat Sarah zwijgend naast mij, te bekomen, haar gedachten te ordenen, zich voor te bereiden. Slechts één keer zei ze waar we allebei aan moesten hebben zitten denken.

'Het had mij ook kunnen overkomen.'

'Nee,' zei ik.

'Jij weet niet... wat het is.'

Daarop kon ik geen antwoord geven. Omdat ik nu een-maal niet als vrouw – en bovendien een die onvruchtbaar was – geboren was, kon ik dat allicht niet weten. Het was mij in de loop der jaren al wel vijfhonderd keer in ver-schillende toonaarden, van smartelijk tot hatelijk, gezegd dat ik niet wist wat het was, en net als de eerste keer kon ik daar nog steeds geen antwoord op geven.

De lange, talmende meiavond maakte het rijden gemakkelijker dan anders, hoewel het altijd een helse reis was om Londen te midden van de vrijdagavonduittocht in noordelijke richting te verlaten.

Aan het eind van de reis lag het keurige, nieuwe, kubusvormige huis met zijn grote ramen met onopvallende vitragegordijnen ervoor en zijn nette rechthoekige gazons. Een schitterend huis in een straat met vrijwel eendere woningen. Het trotse bewijs dat Peter een bepaald salarispeil bereikt had en naar nog verdere verbeteringen streefde. Een huis en een manier van leven die ik begreep en waar ik geen kwaad in zag – waarin William zou verstikken.

De beroering die achter de nietszeggende vitragegordijnen heerste was in vele opzichten zoals verwacht, en in andere veel erger.

Het gewoonlijk griezelig nette interieur verkeerde in grote wanorde, met niet afgewassen kopjes en bekers die natte kringen maakten op elk oppervlak en overal in het rond slingerende kleren en kranten. De nasleep, kreeg ik in de gaten, die de in en uit lopende overheidsdienaren de laatste twee dagen hadden veroorzaakt.

Peter begroette ons met holle ogen en de gedempte stem van een dode in de familie; waarschijnlijk greep wat er gebeurd was hem en Donna meer aan dan een dode. Donna zelf zat stilletjes ineengedoken op het uiterste eind van de grote groene zitbank in de huiskamer en deed geen poging te reageren toen Sarah op haar toe vloog en haar armen in een haast waanzinnige bevlieging van genegenheid om haar heen sloeg.

Peter zei hulpeloos: 'Ze wil niets zeggen... en eten doet ze ook niet.'

'Gaat ze wel naar de wc.?'

'*Wat?*'

Sarah keek me in woedend verwijt aan, maar ik zei onschuldig: 'Het is ongetwijfeld een goed teken als ze naar de wc. gaat wanneer ze behoefte voelt. Het is zo'n normále handeling.'

'Eh, ja,' zei Peter lusteloos. 'Ze gaat wel.'

'Dat is dan goed.'

Sarah was duidelijk van mening dat dit weer zo'n eersteklas voorbeeld was van wat zij mijn volslagen harteloosheid noemde, maar ik had het alleen maar als geruststelling bedoeld. Ik vroeg Peter wat er precies was voorgevallen, en omdat hij het me niet wilde vertellen waar Donna bij was verhuisden we naar de keuken.

Ook daar hadden de politie en de ziekenbroeders en de justitieambtenaren en de maatschappelijk werkers zelf koffie gezet en de afwas laten staan. Peter scheen de rotzooi die in vroeger tijd Donna en hem fluks aan het opruimen zou hebben gezet niet te zien. We gingen aan tafel zitten, terwijl het laatste restje daglicht tot schemering vervaagde, en bij dat zachte licht liet hij de verschrikkelijkheden stukje bij beetje op mij los.

Het was de ochtend tevoren geweest, zei hij, dat Donna de baby uit zijn kinderwagen had gepakt en ermee was weggereden in haar auto. Ze was een goede honderd kilometer in noordoostelijke richting naar de kust gereden en had op een gegeven moment de auto met de baby erin achtergelaten en was zelf langs het strand weggelopen.

De auto met de baby was binnen een paar uur achterhaald en Donna zelf had men gevonden terwijl ze half verdoofd en sprakeloos in de stromende regen in het zand zat.

De politie had haar gearresteerd, haar mee naar het bureau genomen en haar na een nacht in de cel 's ochtends voor de politierechter geleid. De rechter had om een psychiatrisch rapport verzocht, de datum voor de zitting vastgesteld, over een week, en Donna, ondanks de protesten van de moeder van de baby, vrijgelaten. Iedereen had Peter gerustgesteld dat ze alleen maar voorwaardelijk veroordeeld zou worden, maar desondanks deinsde hij terug voor de verschrikkelijke schande die hun via de pers en de buren te wachten stond.

Na een poosje zei ik, denkend aan de trance waarin

Donna haast leek te verkeren: 'Je zei tegen Sarah dat ze in staat was zichzelf wat aan te doen.'

Hij knikte diep ongelukkig. 'Vanmiddag wilde ik haar een beetje warm laten worden. Haar naar bed brengen. Ik liet het bad voor haar vollopen.' Het duurde even voor hij in staat was verder te gaan. Het bleek dat ze in alle ernst geprobeerd had zelfmoord te plegen – hij had haar op het laatste moment kunnen tegenhouden vóór ze zich met haar ingeschakelde haardroger in het water had laten zakken. 'Met al haar kleren aan,' zei hij.

Het kwam mij voor dat Donna dringend behoefte had aan deskundige en ononderbroken psychiatrische zorg in een of ander comfortabel particulier verpleegtehuis, maar niets daarvan zou ze waarschijnlijk krijgen.

'Laten we ergens wat gaan drinken,' zei ik.

'Maar dat kan ik niet doen.' Hij trilde voortdurend een beetje, alsof er een aardbeving aan zijn fundering schudde.

'Met Sarah bij zich kan Donna niets gebeuren.'

'Maar ze zou kunnen proberen...'

'Sarah houdt haar wel in de gaten.'

'Maar ik durf de mensen niet...'

'Nee,' zei ik. 'We kopen een fles.'

Nog net voor sluitingstijd kocht ik een fles Scotch en twee glazen van een filosofische caféhouder, en in een stille straat met bomen aan weerskanten op vijf kilometer van Peters huis bleven we in mijn wagen zitten drinken. Tussen de schimmige bladeren door sterren en straatlantaarns.

'Wat moeten we beginnen?' vroeg hij wanhopig.

'De tijd heelt alles.'

'Dit komen we nooit te boven. Hoe zouden we? Het is iets... onmogelijks.' Het laatste woord kwam er gesmoord uit en hij begon te huilen als een kind. Een loskomen van ondraaglijk, opgekropt, half boos verdriet.

Ik nam het dansende glas uit zijn hand. Ik zat te wachten, maakte vage geluiden van medeleven en vroeg mij af wat ik in godsnaam zou hebben gedaan als het, zoals ze had opgemerkt, Sarah geweest was.

'En dat dit nu moet gebeuren,' zei hij ten slotte, naar een zakdoek zoekend om zijn neus te snuiten. 'Juist nu.'

'Eh... o?' zei ik.

Hij haalde met lange uithalen zijn neus op en veegde zijn wangen af. 'Neem me niet kwalijk.'

'Helemaal niet.'

Hij zuchtte. 'Jij bent altijd zo kalm.'

'Mij is nog nooit zo iets overkomen.'

'Ik zit in de knoei.'

'Ach, het gaat wel over.'

'Nee, ik bedoel afgezien van Donna. Ik wist niet wat ik moest doen... voor het gebeurde... en nu, hierna, ben ik zelfs niet in staat na te denken.'

'In welk opzicht in de knoei? Financieel?'

'Nee. Nou ja, niet precies.' Hij zweeg onzeker, had een duwtje nodig.

'Wat dan?'

Ik gaf hem zijn glas terug. Hij keek er even in en dronk het toen in vrijwel één teug leeg.

'Vind je het niet erg dat ik je ermee lastigval?' vroeg hij.

'Natuurlijk niet.'

Hij was een paar jaar jonger dan ik, van dezelfde leeftijd als Donna en Sarah; ze zagen mij alle drie, had het mij wel eens toegeschenen, niet alleen als Williams oudere broer, maar ook als die van hen. In elk geval kwam het mij even normaal voor als hem dat hij zijn hart bij mij uitstortte.

Hij was van een middelmatige lengte en omvang, en had de laatste tijd een grote snor gekweekt die hem toch niet het overweldigend mannelijke voorkomen had verschaft waar hij mogelijk op gemikt had. Hij zag er nog altijd uit als een doodgewone, onschuldige, betrouwbare vent die door de week rondreisde om zijn kennis op computergebied aan kleine ondernemingen te verkopen en zondags aan zijn boot prutste.

Hij veegde zijn ogen weer af en zat verscheidene minuten langzaam en diep adem te halen om zichzelf te kalmeren.

'Ik ben ergens in verzeild geraakt waar ik liever buiten was gebleven,' zei hij.

'Wat voor iets?'

'Het begon min of meer bij wijze van grap.' Hij leegde het laatste bodempje uit zijn glas en ik strekte mijn arm uit om het opnieuw vol te schenken. 'Ik ontmoette een snuiter. Ongeveer van onze leeftijd. Hij kwam uit Newmarket en we raakten aan de praat in datzelfde café waar je die whisky hebt gekocht. Hij zei dat het reusachtig zou zijn als je rensportuitslagen uit een computer kon krijgen. Daar moesten we allebei om lachen.'

Er volgde een stilte.

'Wist hij dat je wat met computers te maken had?' vroeg ik.

'Dat had ik hem verteld. Je weet hoe dat gaat.'

'En wat gebeurde er toen?'

'Een week later kreeg ik een brief. Van diezelfde vent. Hoe hij aan mijn adres gekomen is weet ik niet. Van het café, denk ik. De barman weet waar ik woon.' Hij nam een slok uit zijn glas en was even stil, en toen ging hij verder: 'In de brief werd gevraagd of ik er iets voor voelde iemand te helpen met het uitwerken van een computerprogramma om de handicap van renpaarden te bepalen. Ik dacht, waarom niet? Alle handicaps voor paardenrennen worden met behulp van computers uitgewerkt en de brief maakte een heel officiële indruk.'

'Maar dat was niet het geval?'

Hij schudde zijn hoofd. 'Een privé-ondernemerinkje. Niettemin dacht ik, waarom niet? Het staat iedereen vrij zijn eigen programma uit te werken. Er bestaat niet zo iets als een júíste vaststelling van een handicap, tenzij de paarden de eindstreep passeren in precies dezelfde volgorde waarin de computer ze klasseerde, wat nooit het geval is.'

'Je weet er een hoop van,' zei ik.

'Dat heb ik de laatste paar weken geleerd.' Er gleed

weer een schaduw over zijn gezicht. 'Ik merkte zelfs niet dat ik Donna veronachtzaamde, maar volgens haar heb ik een hele tijd nauwelijks tegen haar gesproken.' Hij kneep zijn keel dicht en slikte hoorbaar. 'Misschien dat ik, als ik niet zo druk bezig was geweest...'

'Hou op met die schuldgevoelens,' zei ik. 'Ga door met die handicaps.'

Na een poosje was hij ertoe bij machte.

'Hij gaf me bladzijden vol gegevens. Tientallen. Allemaal in een hels handschrift geschreven. Hij wilde het gerangschikt hebben in programma's die iedere sufferd op een computer kon afdraaien.' Hij zweeg. 'Jij hebt verstand van computers.'

'Meer van micro-chips dan van programmeren, maar dat zegt nog niet veel.'

'Toch een groot verschil met de meeste mensen.'

'Dat neem ik aan,' zei ik.

'In elk geval heb ik ze uitgewerkt. Het waren er nogal wat. Het bleek dat ze allemaal zo'n beetje hetzelfde waren. Eigenlijk niet zo erg moeilijk, zodra je door had wat die aantekeningen inhielden. Die te ontcijferen was nog het moeilijkste. In elk geval heb ik die programma's dus uitgewerkt en er contant voor betaald gekregen.' Hij zweeg en zat somber fronsend rusteloos in zijn stoel heen en weer te schuifelen.

'Wat zit er dan scheef?' vroeg ik.

'Nu, ik zei dat het beste zou zijn dat ik de programma's een paar keer zou afdraaien op de computer die hij ging gebruiken, omdat heel veel computers van elkaar verschillen en je, hoewel hij me het merk van de computer die hij ging gebruiken verteld had en ik daar rekening mee had gehouden, nooit met zekerheid kunt zeggen dat er geen fouten in zitten totdat je de zaak in de praktijk op het desbetreffende type apparaat hebt uitgeprobeerd. Daar wilde hij echter niet van horen. Ik zei dat hij zijn verstand moest gebruiken en hij vertelde me dat ik me met mijn eigen zaken moest bemoeien. Ik heb dus maar mijn schouders opgehaald en gedacht dat het zijn zaak was als hij zo stom wilde zijn. En toen kwamen er ineens twee andere lui op de proppen.'

'Wat voor andere lui?'

'Weet ik niet. Ze grijnsden alleen maar toen ik naar hun naam vroeg. Ze zeiden dat ik ze de programma's moest geven die ik van de paarden gemaakt had. Ik zei dat ik daarmee klaar was. Ze zeiden dat ze niets uitstaande hadden met degene die ervoor betaald had, maar dat ze niettemin de programma's van me wilden hebben.'

'En dat heb je gedaan?'

'Nu, ja... in zekere zin.'

'Maar, Peter...' zei ik.

Hij viel me in de rede. 'Ja, ik weet het, maar ze waren zo verdomd angstaanjagend. Ze waren hier eergisteren – het lijkt alweer jaren geleden – 's avonds. Donna was een wandeling gaan maken. Het was nog licht. Een uur of acht, zou ik denken. Ze gaat dikwijls wandelen...' Hij dwaalde weer af en ik gaf met de fles een duwtje tegen zijn glas. 'Wat?' zei hij. 'O nee, niet meer, dank je. In elk geval kwamen ze hier en ze deden zo *arrogant*, ze zeiden dat ik er spijt van zou krijgen als ik ze de programma's niet gaf. Ze zeiden dat Donna een knap vrouwtje was, niet waar, en ze wisten wel zeker dat ik wilde dat ze dat bleef.' Hij slikte. 'Ik zou nooit geloofd hebben... ik bedoel, zulke dingen gebéúren toch niet...'

Het bleek echter van wel.

'Nu,' zei hij, zich herstellend. 'Ik heb ze alles gegeven wat ik in huis had, maar het waren enkel de eerste versies, zo te zeggen. Heel schematisch. Ik had drie of vier proefprogramma's gewoon met de hand uitgeschreven, zoals ik vaak doe. Ik weet dat een heleboel mensen op de schrijfmachine werken, of zelfs meteen op de computer, maar mij lukt het beter met potlood en vlakgom, en wat ik ze gegeven heb zág er daarom wel goed uit, zeker wanneer je de beginselen van het programmeren niet kende, waar ik ze niet voor aanzag, maar zoals het er stond zou er niet veel van terechtkomen. Ik had er trouwens de namen van de bestanden niet bij gezet en ook geen

REM's of zo ingevoegd, dus zelfs al zouden ze de fouten uit de programma's halen, dan zouden ze nog niet weten waarop ze betrekking hadden.'

Wanneer je de feiten losmaakte van het jargon kwam het erop neer dat wat hij gedaan had was dat hij mensen die mogelijk gevaarlijk konden worden een hoop waardeloze rommel in hun maag had gesplitst, heel goed wetende wat hij deed.

'Ik snap wat je bedoelde met in de knoei zitten,' zei ik.

'Ik had het plan opgevat een paar dagen met Donna weg te gaan, alleen maar voor de zekerheid. Ik wilde het haar gisteren toen ik van mijn werk thuiskwam als een leuke verrassing vertellen, maar toen verscheen de politie bij me op kantoor en vertelden ze me dat ze... dat ze... O, god, hoe kon ze zo iets dóén?'

Ik schroefde de dop op de fles en keek op mijn horloge. 'Het loopt tegen twaalven,' zei ik. 'We kunnen maar beter teruggaan.'

'Ik denk het ook.'

Met mijn hand op het contactsleuteltje bleef ik zitten. 'Heb je tegen de politie niets gezegd over die twee onplezierige bezoekers van je?' vroeg ik.

'Nee, niets. Ik bedoel, hoe zou ik dat hebben moeten doen? Ze liepen in en uit, er was ook een vrouwelijke agent bij, maar het ging allemaal om Donna. Ze zouden niet geluisterd hebben, en trouwens...'

'Trouwens wat?'

Hij haalde onbehaaglijk zijn schouders op. 'Ik heb contant betaald gekregen. Niet zo'n beetje. Ik ga het niet voor de belasting opgeven. Als ik het tegen de politie zou zeggen... nou ja, dan zou ik daar wel min of meer toe verplicht zijn.'

'Het zou misschien beter zijn,' zei ik.

Hij schudde zijn hoofd. 'Het zou me een hoop geld kosten als ik het aan de politie vertelde, en wat zou ik ermee opschieten? Ze zouden noteren wat ik zei en verder afwachten tot Donna een mep in haar gezicht kreeg voor ze iets zouden ondernemen. Ik bedoel maar, ze kunnen iedereen die in vage termen bedreigd wordt toch niet dag en nacht gaan bewaken? En wat het bewaken van Donna betreft... wel, ze waren niet erg vriendelijk tegen haar, weet je. Het merendeel van hen deed uitgesproken rot tegen haar. Ze schonken thee voor elkaar in en spraken over haar hoofd heen alsof ze een stuk hout was. Je zou gedacht hebben dat ze de ogen van de baby had uitgestoken, zoals ze haar behandelden.'

Het leek mij niet onbegrijpelijk dat de sympathie van de autoriteiten in de eerste plaats naar de buiten zichzelf zijnde moeder van het kind was uitgegaan, maar dat zei ik maar niet.

'Misschien dat het dan inderdaad het beste zou zijn als je meteen na het verhoor een tijdje met Donna wegging,' zei ik. 'Kun je vrij krijgen?'

Hij knikte.

'Wat ze echter nodig heeft is behoorlijke psychiatrische verzorging. Desnoods een poosje in een psychiatrische kliniek.'

'Nee,' zei hij.

'Ik weet het nog niet zo zeker. Ze boeken tegenwoordig een hoog percentage genezingen bij geesteszieken. Moderne geneesmiddelen, hormonen en dat soort dingen.'

'Maar ze is niet...' Hij zweeg.

De oude taboes bezaten een taai leven. 'Het verstand vormt een deel van het lichaam,' zei ik. 'Het is niet iets afzonderlijks. En soms gaat er iets fout mee, net als met alle andere dingen. De lever, bij voorbeeld. Of de nieren. Als het iets met haar nieren was geweest zou je niet aarzelen.'

Hij schudde echter zijn hoofd en ik drong niet verder aan. Iedereen moest die dingen voor zichzelf uitmaken. Ik startte de auto en reed terug naar het huis. Toen we de korte, betonnen oprit inreden zei Peter dat Donna zich altijd uitzonderlijk gelukkig voelde op hun boot en dat hij haar daarmee naar buiten zou nemen.

Het weekeinde kroop om. Zo af en toe probeerde ik stiekem de onverbiddelijke schoolschriften na te zien, maar de telefoon rinkelde min of meer aan één stuk door en omdat het opnemen ervan het huishoudelijke karweitje scheen waarvoor ik het meest geschikt was, verviel ik tot de sleur van kletspraatjes te moeten verkopen. Familie, kennissen, de pers, autoriteiten, bemoeials, zonderlingen en smeerlappen, ik stond ze allemaal te woord.

Sarah had zich met uitzonderlijke tederheid en toewijding over Donna ontfermd en werd beloond met aanvankelijk flauwe glimlachjes en geleidelijk aan met op zachte toon gevoerde gesprekken. Daarna werden er hysterische tranen gestort, haren geborsteld, aarzelend wat gegeten, andere kleren aangetrokken en nam haar houding van afhankelijkheid steeds meer toe.

Wanneer Peter met Donna sprak gebeurde dat in een miserabele mengeling van liefde, schuld en verwijt, en vond hij telkens weer gelegenheid naar de tuin te ontvluchten. Op zondagmorgen verdween hij tegen de tijd dat de cafés opengingen in zijn auto en kwam te laat voor de lunch, en zondagsmiddags zei ik met persoonlijke opluchting dat ik nu naar huis terug moest, wilde ik 's maandags op tijd op school zijn.

'Ik blijf hier,' zei Sarah. 'Donna heeft me nodig. Ik zal mijn baas opbellen en het hem uitleggen. Ik heb trouwens toch nog een week vakantie te goed.'

Donna wierp haar de inmiddels hyper-afhankelijke glimlach toe die ze de afgelopen twee dagen ontwikkeld had en Peter knikte met gretige instemming.

'Oké,' zei ik langzaam, 'maar wees voorzichtig.'

'Waarvoor?' vroeg Sarah.

Ik keek Peter aan, die geagiteerd met zijn hoofd schudde. Het leek me niettemin verstandig om eenvoudige voorzorgen te nemen.

'Laat Donna niet alleen de deur uit gaan,' zei ik.

Donna kreeg een geweldige kleur en Sarah stond meteen op haar achterste benen, maar ik zei hulpeloos: 'Dat bedoelde ik niet... Ik bedoelde dat je haar moet beschermen... tegen mensen die misschien hatelijk tegen haar willen doen.'

Daar zag Sarah het nut van in en ze kalmeerde, en even later was ik klaar om te vertrekken.

Ik nam in huis afscheid van ze, omdat er aldoor mensen op straat leken te zijn die met gretige ogen naar de vensters staarden, en net op het laatste moment drukte Peter mij drie cassettes in handen om in de auto af te spelen voor het geval ik me onderweg naar huis mocht vervelen. Ik bekeek ze vluchtig – *The King and I*, *Oklahoma* en *West Side Story*. Nauwelijks de laatste hits, maar ik bedankte hem niettemin, gaf Sarah een zoen voor de show, zoende Donna dito en ging er met een betreurenswaardig opgelucht gemoed vandoor.

Pas tijdens het laatste stuk naar huis wilde ik voor de gezelligheid *Oklahoma* afspelen en ontdekte dat wat Peter me gegeven had helemaal geen muziek was, maar iets totaal anders.

In plaats van 'Oh what a beautiful morning' kreeg ik een luid bibberend, snerpend gejank te horen, doorspekt met korte stukjes gejank op één toonhoogte. Met een schouderophalen draaide ik het bandje een stukje verder en probeerde het nog eens.

Hetzelfde liedje.

Ik nam de cassette uit het apparaat, draaide hem om en probeerde het nogmaals. Idem dito. Ik probeerde *The King and I* en *West Side Story*. Allemaal eender.

Ik kende het geluid van een hele tijd terug. Als je het eenmaal gehoord had vergat je het niet meer. Het snerpende gejank werd veroorzaakt door twee zeer snel wisselende tonen, zo snel dat het oor nauwelijks in staat was de bovenste toon van de onderste te onderscheiden. Het enkeltonige gejank gaf eenvoudig een tussenruimte aan waarin niets gebeurde. Op *Oklahoma* duurden de tweetonige gedeelten heel typerend ergens tussen de tien seconden en de drie minuten.

Ik zat te luisteren naar het geluid dat een computer voortbracht wanneer de programma's ervan op gewone cassettebandjes werden opgenomen.

Cassettes waren handzaam en alom in gebruik, in het bijzonder bij kleinere computers. Men kon een hele menigte verschillende programma's op cassettebandjes opslaan en eenvoudig alleen die eruit kiezen die men op dat moment nodig had; het bleven niettemin heel doodgewone cassettes en als je het bandje zonder meer op de normale wijze op een cassettespeler afdraaide, zoals ik gedaan had, hoorde je het bibberende gejank.

Peter had me drie zestigminutenbandjes met computerprogramma's gegeven – en het viel niet moeilijk te raden waar die programma's over gingen.

Ik vroeg mij af waarom hij ze me op zo'n geheimzinnige manier gegeven had. Ik vroeg me in feite af waarom hij ze juist aan míj gegeven had. Met een innerlijk schouderophalen frommelde ik de bandjes en hun misleidende doosjes in het handschoenenvak en zette in plaats daarvan de radio aan.

De maandagse schooldag was een feestdag na de broeikasachtige emoties in Norfolk, en de moeilijkheden die Louisa, de amanuensis, veroorzaakte leken vlindervleugels naast die van Donna.

's Maandagsavonds, terwijl ik naar het programma van mijn eigen keuze op de televisie zat te kijken en cornflakes met room zat te eten met mijn voeten op de salontafel, belde Peter op.

'Hoe gaat het met Donna?' vroeg ik.

'Ik zou niet weten wat ze moest beginnen zonder Sarah.'

'En jij?'

'O, gaat wel. Luister, Jonathan, heb je een van die bandjes afgespeeld?' Zijn stem klonk aarzelend en half verontschuldigend.

'Een klein stukje van elk,' zei ik.

'O. Nu, ik neem aan dat je weet wat het zijn?'

'Je programma's voor die paardenhandicaps?'

'Ja... eh... Wil jij ze voorlopig bij je houden?' Hij gaf me niet de gelegenheid antwoord te geven en ging haastig verder: 'Zie je, we hopen vrijdag meteen na de zitting naar de boot te gaan. Nu, we mogen wel aannemen dat Donna een voorwaardelijke straf krijgt, zelfs de ellendigste van die ambtenaren zei dat dat in zo'n geval gebruikelijk was, maar je kunt wel begrijpen dat ze ontzettend overstuur zal zijn doordat ze naar de rechtbank moet en dat alles, en daarom gaan we weg zodra we kunnen, en het idee die cassettes op kantoor rond te laten slingeren stond me niet aan, dus ben ik ze gisterochtend op wezen halen zodat ik ze aan jou kon geven. Ik bedoel, ik heb het eigenlijk niet goed overdacht. Ik had ze ook bij de bank kunnen deponeren, of ergens anders. Ik denk dat het me er eigenlijk om ging die bandjes helemaal uit mijn leven te bannen, zodat ik als die twee schoften terugkwamen en naar de programma's vroegen zou kunnen zeggen dat ik ze niet had en dat ze ze maar van degene voor wie ik ze gemaakt had moesten zien los te krijgen.'

Het was niet de eerste keer dat het mij opviel dat Peter voor een computerprogrammeur geen licht was in het logisch denken, maar misschien dat de circuits door de omstandigheden gestoord werden.

'Heb je nog wat van die lui gehoord?' vroeg ik.

'Nee, goddank niet.'

'Misschien hebben ze het nog niet ontdekt.'

'Dank je wel,' zei hij verbitterd.

'Ik zal de bandjes veilig bewaren,' zei ik. 'Zo lang je maar wilt.'

'Waarschijnlijk gebeurt er verder niets. Per slot van rekening heb ik niets onwettigs gedaan. Of zelfs maar in de verte verkeerd.'

Het 'Als-we-niet-naar-het-monster-kijken-gaat-hij-vanzelf-weg'-syndroom, dacht ik bij mezelf. Maar misschien had hij gelijk.

'Waarom heb je me niet verteld wat het was dat je me gaf?' wilde ik weten. 'Waarom die camouflage van *The King and I* en zo?'

'Wat?' Zijn stem klonk haast of hij niet wist waar ik het over had, maar toen ging hem een licht op. 'O, dat was alleen omdat jullie toen ik van kantoor kwam allemaal aan tafel zaten en ik geen enkele keer kans zag je bij de vrouwen vandaan te krijgen, en ik wilde er niet over beginnen waar ze bij waren, dus daarom stopte ik ze maar in die doosjes om ze aan je te geven.'

Heel even voelde ik iets van onbehagen, maar dat onderdrukte ik. Peters wereldje had zich, sinds Donna de baby gestolen had, nauwelijks gekenmerkt door gezond verstand en normaal gedrag. Al met al had hij zich voor iemand op wie van alle kanten tegelijk wordt ingebeukt redelijk goed gehouden en gedurende het weekeinde was ik een groeiend respect voor hem beginnen te voelen, geheel losstaand van het feit dat ik hem mocht.

'Als je die programma's wilt afdraaien,' zei hij, 'zul je een Grantley-computer nodig hebben.'

'Ik denk niet...' begon ik.

'Misschien dat William er aardigheid in zou hebben. Hij is gek op paardenrennen, hè?'

'Ja, dat wel.'

'Ik heb er zoveel tijd aan besteed. Ik zou echt wel eens willen weten of ze het in de praktijk doen. Van iemand die verstand heeft van paarden, bedoel ik.'

'Goed,' zei ik. Grantley-computers lagen niet achteloos door het landschap gestrooid en William had zijn examens voor de boeg, waardoor het vooruitzicht de programma's in de praktijk te gebruiken een heel eind weg leek te liggen.

'Ik wou dat je nog hier was,' zei hij. 'Al die telefoontjes, daar kan ik echt niet tegenop. Heb jij ook van die afschuwelijke, giftig scheldende stemmen aan de lijn gehad die hun gal tegen Donna uitspuwden wanneer je de telefoon opnam?'

'Ja, verscheidene.'

'Maar ze hebben haar zelfs nog nooit gezién.'

'Het zijn onevenwichtige types. Gewoon niet naar luisteren.'

'Wat zei jij tegen ze?'

'Ik raadde hun aan met hun problemen naar een dokter te gaan.'

Er volgde een enigszins onbehaaglijke stilte, en toen barstte hij uit: 'Ik wou dat Donna maar naar een dokter was gegaan.' Hij slikte. 'Ik wíst het zelfs niet... Ik bedoel, ik wist wel dat ze kinderen wilde hebben, maar ik dacht, nou ja, we konden ze niet krijgen, dus daarmee basta. Geen háár op mijn hoofd... Ik bedoel, ze is altijd zo kalm en zou geen vlieg kwaad doen. Ze heeft nooit iets laten merken... We zijn echt gek op elkaar, weet je. Dat dacht ik althans...'

'Peter, hou op.'

'Ja...' Een pauze. 'Allicht, je hebt gelijk. Maar het valt niet mee om aan iets anders te denken.'

We praatten nog wat verder, maar bleven nog maar steeds over hetzelfde doorgaan, en toen we de verbinding verbraken had ik het gevoel dat ik misschien toch wel meer voor hem had kunnen doen.

Twee avonden later ging hij naar de rivier om aan zijn tweepersoons kajuitkruisertje te werken – de tanks met water en brandstof bij te vullen, nieuwe gascylinders voor het kooktoestel te installeren en te controleren of alles werkte voor zijn tochtje met Donna.

Hij had mij eerder verteld dat hij vreesde dat de boordaccu zijn beste tijd gehad had en dat hij een nieuwe op de kop moest zien te tikken omdat ze hem 's avonds met de verlichting volkomen leeg zouden trekken, met als gevolg dat ze 's ochtends niet in staat zouden zijn de motor te starten. Dat was hem al eens eerder gebeurd, zei hij.

Hij wilde nakijken of de accu nog voldoende fut had.

Dat bleek het geval.

Bij de eerste vonk die hij veroorzaakte vloog de achterste helft van de boot in de lucht.

3

Het was Sarah die het mij vertelde.

Sarah aan de telefoon met van uitputting strakke, over-beheerste stem.

'Ze denken dat het gas geweest is, of benzinedamp. Ze weten het nog niet.'

'Peter...'

'Hij is dood,' zei ze. 'Er waren mensen in de buurt. Ze zagen hem bewegen... met zijn kleren in brand. Hij sloeg overboord in het water... maar toen ze hem eruit hadden gehaald...' Een plotselinge stilte, en toen, langzaam: 'We waren er niet bij. God zij dank waren Donna en ik er niet bij.'

Ik voelde me een beetje slap en misselijk. 'Moet ik overkomen?' vroeg ik.

'Nee. Hoe laat is het?'

'Elf uur.' Ik had me al uitgekleed om naar bed te gaan.

'Donna slaapt. Sterke slaapdruppels.'

'En hoe... hoe is ze eronder?'

'Jezus, wat zou je denken?' Sarah sprak haast nooit op die manier; een zekere maatstaf voor het verschrikkelijke van de toestand. 'En dan vrijdag,' zei ze. 'Overmorgen. Dan moet ze voor de rechtbank verschijnen.'

'Ze zullen haar ontzien.'

'Er is al een telefoontje geweest, nu net, de een of andere afschuwelijke vrouw die me vertelde dat het haar verdiende loon was.'

'Ik kan maar beter overkomen,' zei ik.

'Dat kun je niet. Er is school. Nee, maak je maar niet ongerust, ik red het wel. De dokter zei tenminste dat hij Donna verscheidene dagen zwaar onder de slaapmiddelen zou houden.'

'Geef me dan een seintje als ik kan helpen.'

'Ja,' zei ze. 'Voorlopig tot ziens. Ik ga naar bed. Er is morgen een hoop te doen. Dag.'

In bed lag ik lang wakker en dacht aan Peter en het oneerlijke van de dood; 's ochtends ging ik naar school en moest de hele dag door bij tussenpozen aan hem denken.

Toen ik naar huis reed zag ik dat de cassettes nog altijd tussen de rommel in het handschoenenvak lagen. Nadat ik de auto in de garage had gezet deed ik de bandjes weer in hun doosjes, stopte ze in de zak van mijn jasje en droeg mijn gebruikelijke lading schriften naar binnen.

Vrijwel onmiddellijk ging de telefoon, doch het was niet Sarah, wat mijn eerste gedachte was, maar William.

'Heb je mijn cheque verstuurd?' vroeg hij.

'Verdórie, dat ben ik vergeten.' Ik vertelde hem hoe het kwam en hij moest toegeven dat onder die omstandigheden mijn vergeetachtigheid begrijpelijk was.

'Ik schrijf hem meteen uit en stuur hem rechtstreeks naar de boerderij.'

'Oké. Zeg, dat van Peter spijt me. Het leek me een aardige vent, die keer dat we elkaar ontmoet hebben.'

'Ja.' Ik vertelde William over de computerbandjes en dat Peter zijn mening erover had willen horen.

'Nou toch te laat.'

'Misschien dat je ze desondanks interessant zou vinden.'

'Ja,' zei hij, niet al te enthousiast. 'Waarschijnlijk een of ander idioot goksysteem. Er staat hier op de wiskunde-afdeling ergens een computer. Ik zal eens vragen wat voor een dat is. En zeg, zou je het erg vinden als ik niet naar de universiteit ging?'

'Heel erg.'

'Ja. Daar was ik al bang voor. Ik zou er in elk geval maar rekening mee houden, grote broer. We hebben dit semester een hoop gezwam gehad over een carrière kiezen, maar volgens mij is het de carrière die jóú kiest. Ik word jockey. Ik kan er niets aan doen.'

We namen afscheid en ik legde de hoorn neer met de gedachte dat het weinig zin had iets met klem uit het hoofd te praten van iemand die al op vijftienjarige leeftijd het gevoel had dat hij door een roeping bij zijn nekvel was gegrepen.

Hij was tenger gebouwd; de puberteit achter de rug, maar lichamelijk nog helemaal een jongen, die zich nog tot een mannelijke gestalte moest ontwikkelen. Misschien dat de natuur hem, dacht ik hoopvol, tot mijn lengte van één meter tachtig zou laten uitgroeien en zijn hart breken.

Vrijwel meteen daarop belde Sarah, op energieke toon sprekend met haar tandartsassistentestem. De schok voorbij, evenals de uitputting. Ze sprak op scherpe, bazige toon tegen me, een overblijfsel, veronderstelde ik, van een dag die zeer veel van haar gevergd had.

'Het schijnt dat Peter voorzichtiger had moeten zijn,' zei ze. 'Iedereen die een boot met ingebouwde motor bezit wordt bij herhaling gewaarschuwd dat hij de motor niet moet starten voor hij er zeker van is dat zich geen gas, benzine of benzinedamp onder in het schip heeft verzameld. Ieder jaar vliegen er boten de lucht in. Hij kon het toch weten. Je zou niet gedacht hebben dat hij zo dom zou zijn.'

Ik zei zwak: 'Hij had een hele hoop andere dingen aan zijn hoofd.'

'Dat zal wel, maar niettemin zegt iedereen...'

Indien je iemand de schuld kon geven van zijn eigen dood, dacht ik, was je in elk geval verlost van het voelen van medeleven. 'Het was zijn eigen schuld...' Ik hoorde nog de scherpe stem van mijn tante toen ze het over de dood van haar buurman had... 'Hij had met die kou niet de deur uit moeten gaan.'

'De kans bestaat,' zei ik tegen Sarah, 'dat de verzekeringsmaatschappij op alle mogelijke manieren zal proberen onder uitbetaling uit te komen.'

'Wat?'

'Het is een bekend trucje van ze om het slachtoffer de schuld te geven.'

'Maar hij had toch ook voorzichtiger moeten zijn?'

'O, jawel. Maar dat zou ik omwille van Donna niet rondbazuinen.'

Er volgde een stilte die verwijtend op mij overkwam. Toen zei ze: 'Donna wilde dat ik je zou zeggen... Ze had liever niet dat je dit weekeinde hier kwam. Ze zegt dat ze alles beter zou kunnen dragen als ze met mij alleen is.'

'Ben jij het daarmee eens?'

'Nu, eerlijk gezegd wel, ja.'

'Oké dan.'

'Vind je het niet erg?' Er klonk verbazing in haar stem.

'Nee. Ik ben ervan overtuigd dat ze gelijk heeft. Ze steunt op jou.' Te veel, dacht ik. 'Zit ze nog steeds onder de verdovende middelen?'

'Kalmérende middelen.' Het was als een berisping bedoeld.

'Kalmerend dan.'

'Ja, allicht.'

'En tijdens de rechtszitting van morgen?' vroeg ik.

'Zenuwstillers,' zei Sarah heel beslist. 'En daarna slaaptabletten.'

'Succes ermee.'

'Ja,' zei ze.

Bijna bruusk verbrak ze de verbinding, mij achterlatend met het verlichte gevoel dat ik van een onplezierige opgave was vrijgesteld. In een ver verleden zouden we waarschijnlijk de handen ineen hebben geslagen om Donna te helpen. Destijds zouden onze reacties eerlijker zijn geweest, minder gecompliceerd, minder verdraaid door onze eigen malaise. Ik treurde om de voorbije tijden, maar was ongetwijfeld in mijn schik dat ik het weekeinde niet met mijn vrouw hoefde door te brengen.

Toen ik vrijdags naar school ging had ik de computerbandjes nog altijd in mijn jaszak, en omdat ik het gevoel had dat ik het aan Peter verschuldigd was op zijn minst te proberen of ik ze af kon draaien, schoot ik een van de wiskundeleraren aan in de leraarskamer. Ted Pitts, bijziend, pienter van kop en tweetalig – Engels en algebra.

'Die computer die jullie ergens in een hokje op de wiskundeafdeling weggestopt hebben staan,' zei ik. 'Dat is jouw troetelkind, is het niet?'

'We gebruiken hem allemaal. We geven er de kinderen les op.'

'Maar jij bent degene die hem bespeelt als Beethoven, terwijl de rest nog met twee vingers zit te tingelen?'

Op zijn rustige manier glom hij van het compliment. 'Misschien wel,' zei hij.

'Kun je me ook zeggen wat voor merk het is?' vroeg ik.

'O jawel. Het is een Harris.'

'Ik veronderstel,' zei ik zonder veel hoop, 'dat je er geen bandje op zou kunnen afdraaien dat met een Grantley is opgenomen?'

'Dat hangt ervan af,' zei hij. Hij was ernstig en bedachtzaam, zesentwintig jaar oud, met weinig gevoel voor humor, maar vol goede bedoelingen en idealen van eerlijk spel. Hij had veel te verduren van de zure, verfoeilijke Jenkins, die hoofd was van de wiskundeafdeling en van zijn assistenten de eerbiedige houding afdwong die hij van mij nooit hoefde te verwachten.

'De Harris bezit geen ingebouwde taal,' zei Ted. 'Je kunt hem met iedere computertaal laden – Fortran, Cobol, Algol, z-8ò, Basic, wat je maar wilt, de Harris verwerkt het. Daarna kun je ongeacht welk programma laten uitvoeren dat in een van die talen geschreven is. De Grantley is echter een kleiner ding dat kant en klaar voorgeprogrammeerd met zijn eigen vorm van Basic wordt geleverd. Indien je een taalband met Grantley-Basic had, zou je die in het geheugen van onze Harris kunnen opslaan en dan kon je Grantley Basic-programma's laten uitvoeren.' Hij zweeg even. 'Eh, kun je me volgen?'

'Min of meer.' Ik dacht na. 'Is het erg moeilijk om aan een taalband met Grantley-Basic te komen?'

'Weet ik niet. Het beste zou zijn rechtstreeks naar de firma te schrijven. Misschien sturen ze je er dan een. En misschien ook niet.'

'Waarom niet?'

Hij haalde zijn schouders op. 'Ze zouden kunnen zeggen dat je maar een van hun computers moet aanschaffen.'

'Maak het nou,' zei ik.

'Ja. Weet je, die computerfabrikanten doen altijd erg vervelend. Alle kleinere huiscomputers gebruiken Basic, omdat dat de makkelijkste taal is en ook een van de beste. Maar de fabrikanten bouwen allemaal hun eigen variaties in, zodat je indien je je programma's vanuit hun apparaten op de band zet, je ze niet door die van een ander merk kan laten uitvoeren. Daarmee blijf je hún in de toekomst trouw, want als je op een ander merk zou overstappen zouden al je banden waardeloos zijn.'

'Wat een ellende,' zei ik.

Hij knikte. 'Het gezonde verstand moet plaats maken voor winstbejag.'

'Net als bij al die video-recorders, die je hels kunnen maken omdat de banden onderling niet afspeelbaar zijn.'

'Precies. Je zou echter denken dat computerfabrikanten verstandiger waren. Ze kunnen hun eigen klanten dan wel onder dwang aan zich binden, maar ze kunnen op hun vingers natellen dat het ze ook niet zal lukken anderen op hún merk te laten overschakelen.'

'In elk geval bedankt,' zei ik.

'Tot je dienst.' Hij aarzelde. 'Heb je inderdaad een bandje waarmee je iets zou willen doen?'

'Ja.' Ik zocht in mijn zak en haalde *Oklahoma* voor de dag. 'Dit en nog twee andere. Laat je niet in de war brengen door het doosje, er staat heus computergeluid op.'

'Zijn ze opgenomen door iemand die er verstand van had of door een amateur?'

'Door iemand die er verstand van had. Maakt dat enig verschil?'

'Soms.'

Ik legde uit dat Peter de bandjes vervaardigd had voor een klant die een Grantley bezat en voegde eraan toe dat de klant niet wilde hebben dat Peter de programma's uitprobeerde op het apparaat waarvoor ze ontworpen waren.

'Werkelijk?' Die mededeling leek Ted Pitts plezier te doen. 'In dat geval is het heel goed mogelijk dat hij, als het een gewetensvolle vent was die zorgvuldig te werk ging, zelf de taal van het apparaat op het eerste bandje heeft opgenomen. TOM's kunnen heel erg gevoelig zijn. Hij zou het zekere voor het onzekere genomen kunnen hebben.'

'Ik kan je niet meer volgen,' zei ik. 'Wat zijn TOM's?'

'Computers.' Hij grinnikte. 'De afkorting van Totaal Onderdanige Minkukel.'

'Nou maak je een grapje,' zei ik ongelovig.

'Heus niet zelf bedacht.'

'Maar waarom zou dat dan zekerder zijn?'

Hij keek mij verwijtend aan. 'Ik dacht dat je meer verstand had van computers dan blijkbaar het geval is.'

'Het is minstens tien jaar geleden dat ik er meer van afwist. Ik ben een hoop vergeten en ze zijn een stuk veranderd.'

'Het zou zekerder zijn,' zei hij geduldig, 'omdat je vriend voor het geval de klant zou opbellen om te klagen dat het programma het niet deed, ze kon vertellen hoe ze een splinternieuwe versie van zijn eigen taal in hun computer konden stoppen, waarmee de programma's van je vriend wél uit te voeren waren. Vergeet niet,' voegde hij er met kennis van zaken aan toe, 'dat je voor het inbrengen van de taal een verschrikkelijke hoop computerruimte in beslag zou nemen. Je zou daarna niet genoeg ruimte over kunnen hebben voor de eigenlijke programma's.'

Hij keek naar het gezicht dat ik trok en zuchtte.

'Oké,' zei hij. 'Laten we aannemen dat een Grantley een 32K-geheugen heeft, wat een vrij normale maat is. Dat betekent dat hij ongeveer negenenveertigduizend geheugenruimten bezit, waarvan waarschijnlijk de eerste zeventienduizend gebruikt worden om ervoor te zorgen dat de juiste circuits als Basic functioneren. Daarmee zou je ongeveer tweeëndertigduizend geheugenruimten overhouden om je programma's in te ponsen. Ja?'

Ik knikte. 'Ik geloof je op je woord.'

'Maar als je de taal helemaal overnieuw in zou voeren, had je daar nog eens zeventienduizend geheugenruimten voor nodig, waardoor je minder dan vijftienduizend geheugenruimten zou overhouden om mee te werken. En daar je voor elke letter die je tikt één geheugenruimte nodig hebt, en een voor elk cijfer, en een voor elke spatie en komma en elk haakje, zou je niet veel hoeven te doen voor alle geheugenruimten opgebruikt waren en het hele geval vol was. Op dat moment zou de computer ermee uitscheiden.' Hij glimlachte. 'Veel mensen denken dat een computer een bodemloze put is. Het zijn eerder bonenzakken. Als ze vol zijn zul je de bonen eruit moeten schudden voor je ze weer opnieuw kunt vullen.'

'Vertel je het ook zo aan de kinderen?'

Hij keek een beetje verlegen. 'Eh... jawel. Het wordt een sleur.'

De bel luidde voor het begin van de middaglessen en hij stak zijn hand uit naar het bandje. 'Als je wilt zou ik het eens kunnen proberen,' zei hij.

'Ja. Als het niet te veel moeite is.'

Hij schudde aanmoedigend zijn hoofd en ik gaf hem *The King and I* en *West Side Story* op de koop toe.

'Ik kan niet beloven dat het vandaag nog lukt,' zei hij. 'Ik heb de hele middag lessen en Jenkins wil me om vier uur spreken.' Hij maakte een grimas. 'Jenkins. Waarom kunnen we hem geen Ralph noemen en daarmee basta!'

'Er is geen haast bij die bandjes,' zei ik.

Donna kreeg inderdaad een voorwaardelijke straf.

Sarah vertelde, en ze klonk wederom zeer vermoeid, dat zelfs de moeder van de baby bedaard was door de dood van Peter, en dat Donna zachtjes gehuild had in de rechtszaal, en dat zelfs enkelen van de politieagenten vaderlijk hadden gereageerd.

'Hoe is het met haar?' vroeg ik.

'Ellendig. Het dringt nu pas tot haar door, denk ik, dat Peter er voorgoed niet meer is.' Haar stem klonk zusterlijk, moederlijk, beschermend.

'Geen zelfmoordplannen meer?' vroeg ik.

'Ik geloof het niet, maar de arme schat is zo kwétsbaar. Zo gemakkelijk pijn gedaan. Ze zegt dat het net is als zonder huid leven.'

'Heb je genoeg geld?' vroeg ik.

'Dat is weer net iets voor jou!' riep ze uit. 'Altijd zo vervloekt praktisch.'

'Maar...'

'Ik heb mijn bankpasje.'

Ik had niet langer in Donna's emoties willen zwelgen en dat had haar geërgerd. Dat wisten we allebei. We kenden elkaar te goed.

'Laat je niet te veel uitputten door haar,' zei ik.

Haar stem klonk terug, nog altijd scherp: 'Ik voel me uitstekend. Er is geen sprake van uitputten. Ik blijf hier nog minstens een week of twee. Tot na de lijkschouwing en de begrafenis. En ook daarna nog, als Donna me nodig heeft. Ik heb het tegen mijn baas gezegd en hij begrijpt het.'

Ik vroeg mij heel even af of de kans niet bestond dat het alleen wonen mij te goed zou bevallen als zij een hele maand wegbleef. Ik zei: 'Ik ben graag bij de begrafenis.'

'Ja. Nu, ik zal het je laten weten.'

Er werd mij bits en weinig teder welterusten gewenst, maar ook mijn eigen nachtwens aan haar was niet erg liefdevol geweest. We zouden niet door kunnen gaan, dacht ik, als de beleefdheid ook nog afbrokkelde.

Het gebouw had lange tijd onbewoond gestaan en we waren nog maar een stapje van de totale ineenstorting verwijderd.

Zaterdags legde ik de Mausers en de Enfield No.4 in de auto en reed naar Bisley, waar ik een heleboel kogels op de Surrey-schietbanen verschoot.

Tijdens de laatste paar maanden waren mijn bezoeken daar minder geregeld geworden, ten dele natuurlijk omdat het in de winter geen pretje was je buik tegen de koude grond te drukken, maar voornamelijk omdat mijn intense liefde voor de sport leek af te nemen.

Ik was verscheidene jaren lid van het Engelse geweerschuttersteam geweest, maar droeg thans nooit meer een van de insignes ten bewijze daarvan. Na het schieten hield ik mij stil in de bar en luisterde hoe anderen hun prestaties stonden te ontleden en opgewonden uitweidden over hun methode. Ik sprak niet graag over mijn eigen prestaties, in het heden noch uit het verleden.

Enkele jaren terug had ik een zijsprong gemaakt door mij op te geven voor de Olympische Spelen, wat een wedstrijd voor individuele deelnemers was en totaal verschillend van mijn normale verrichtingen. Zelfs de geweren waren anders (in die tijd allemaal van klein kaliber) en alle afstanden gelijk (300 meter). Het was een wereld die gedomineerd werd door de Zwitsers, maar ik bleek uiteindelijk goed en gelukkig geschoten te hebben en eindigde voor een Brit hoog in de rangschikking; het was reusachtig geweest. De dag van je leven, die echter in mijn herinnering was weggezonken en in de loop der jaren vervaagd.

In het Engelse team, dat voornamelijk tegen de oude Gemenebestlanden uitkwam en dikwijls won, werd met 7,62 mm-geweren geschoten over afstanden die varieerden – 300, 500, 600, 900 en 1000 yard. Ik had altijd een onnoemelijk genoegen geschept in nauwkeurigheid, in het beoordelen van de windsnelheid en de luchttemperatuur en het precies juist inschatten van de veranderlijke grootheden die met het weer verband hielden. Thans was de zin van een dergelijke vaardigheid, door oorzaken zowel van binnenuit als van buitenaf, aan het verflauwen.

De gladde, sierlijke Mausers die ik zo liefdevol koesterde stonden al op het punt verouderd te raken. Tegenwoordig schenen alleen vanaf grote afstand opererende sluipmoordenaars nog behoefte te hebben aan nauwkeurige geweren, en díé gebruikten telescopische vizieren, die voor sportschutters niet toegestaan en een vies woord waren. Moderne legers leken eerder geneigd in het wilde weg kogels rond te sproeien. Geen enkel legergeweer schoot absoluut zuiver, waarbij nog kwam dat iedere stap vooruit waar het de effectieve vuurkracht betrof een concessie aan de schoonheid inhield. Het tegenwoordig als standaarduitrusting verstrekte automatische geweer met zijn magazijn van twintig patronen die door gasdruk in de kamer werden geschoven en zijn mogelijkheid er vuurstoten mee af te geven was al een bultig, slordig geval dat om gewicht te besparen voor een deel van plastic was vervaardigd. En nu werd er al gesproken over een geweer zonder kolf, ondubbelzinnig ontworpen om zo nodig vanaf heuphoogte te worden afgevuurd, zonder ook maar de schijn van nauwkeurig ermee te richten; een geweer met infraroodvizier voor nachtelijk gebruik, allemaal hoekige uitsteeksels. En wat kwam er na cordiet en lood? Neutronengranaten die van afvuurinrichtingen op de grond werden afgeschoten en waarmee een binnenvallend tankleger tot staan kon worden gebracht. Een nieuw soort batterij, dat uit de hand af te vuren stralingswapens mogelijk maakte.

De speciale vaardigheid van de scherpschutter kwam in de buurt van sport, zoals eertijds boogschieten of zwaardvechten, of zoals het gooien van de werpspies of de strijdhamer gedaan hadden; het alledaagse wapen van de ene eeuw werd het Olympisch nummer van de volgende.

Die middag schoot ik niet zo bijzonder goed en had na afloop weinig trek in het kameraadschappelijke gedoe in het clubhuis. Het beeld van Peter die struikelend over de zijkant van zijn brandende boot sloeg en om het leven kwam deed te veel dingen irrelevant lijken. Ik had beloofd in juli mee te doen aan de schietwedstrijden om de Queen's Prize en in augustus aan een toernooi in Canada, en onder het naar huis rijden overpeinsde ik dat ik, als ik niet wat meer oefende, mijzelf te schande zou maken.

Die reisjes naar het buitenland kwamen met vrij regelmatig tussenpozen voor, en vanwege de problemen waarmee het vervoeren van geweren van het ene land naar het andere gepaard ging had ik een draagkoffer van eigen ontwerp laten maken. Ongeveer één meter twintig lang en van buiten op een normale, extra grote reiskoffer lijkend, maar van binnen was hij bekleed met aluminium en in gecapitoneerde, schokbestendige vakken verdeeld. Alles wat ik voor wedstrijden nodig had kon erin, niet alleen drie geweren, maar ook alle andere toebehoren – scorecahiers, oorbeschermers, telescoop, geweerriem, schiethandschoenen, geweerolie, pompstok, rol flanellen lapjes, schoonmaakborsteltje, wollen kwastje voor het oliën van de loop, munitie, dikke trui tegen de kou, twee dunne, olijfgroene overalls met daarbij nog een jasje van canvas en leer. In tegenstelling tot de meeste mensen nam ik de geweren altijd helemaal in elkaar gezet en klaar voor het gebruik mee, een gewoonte die ik had overgehouden van die keer dat ik door verkeersopstoppingen, met een nog uit elkaar liggend geweer en vingers die beefden van de haast, mijn beurt voorbij had moeten laten gaan. Eigenlijk mocht ik de grendel niet op zijn plaats laten zitten, hoewel ik dat toch vaak deed. Alleen wanneer ik met de speciale geweerkoffer in het vliegtuig moest hield ik mij strikt aan de voorschriften, en in dat geval verdween hij verzegeld en met een hele hoop bureaucratische poespas in de douaneloods; misschien mede doordat hij er niet uitzag als wat hij was, was ik hem nog nooit kwijtgeraakt.

Sarah, die aanvankelijk enthousiast was geweest en vaak met me was meegegaan naar Bisley, had, zoals de meeste vrouwen, na een tijdje genoeg gekregen van het pief-paf-poef. Ze had er ook genoeg van gekregen dat ik er zoveel tijd en geld aan besteedde en had zich slechts ten dele laten vermurwen door de Spelen. Kwaad had ze erop gewezen dat de betrekkingen waarnaar ik solliciteerde zo waren gekozen dat we ervoor ten zuiden van Londen moesten wonen, dicht bij de schietbanen. 'Maar als ik het skiën machtig zou zijn,' had ik gezegd, 'zou het toch wel dwaas zijn om naar de tropen te verhuizen.'

Toch had ze wel gelijk. Schieten was niet goedkoop en ik had nooit kunnen doen wat ik allemaal deed, als ik niet langs een omweg gesponsored werd. De sponsors verwachtten daarvoor niet alleen dat ik naar de internationale wedstrijden ging, maar dat ik er geoefend en fit heen ging – voorwaarden waaraan ik tot voor kort maar al te graag voldeed. Ik begon oud te worden, dacht ik. Over drie maanden werd ik vierendertig.

Zonder haast reed ik naar huis en ging het stille huis binnen dat niet langer trilde van de onuitgesproken spanningen. Ik zette mijn koffer met een plof op de salontafel in de huiskamer zonder dat iemand mij vertelde dat ik hem meteen mee naar boven moest nemen. Ik knipte het slot open en bedacht wat een prettige verandering het was dat ik het hele gedoe van schoonmaken en oliën voor de televisie kon verrichten, zonder dat er lippen in afkeuring werden toegeknepen. Ik besloot het schoonmaken uit te stellen tot ik het erover eens was wat ik die avond zou eten en mijzelf een whisky had ingeschonken om op te kikkeren.

Ik koos een diepvries-pizza en schonk de Scotch in.

Op dat moment ging de bel van de voordeur en ik ging opendoen. Op de stoep stonden twee mannen met een zuidelijke huidkleur en zwart haar, en een van hen had een pistool in zijn hand.

Ik keek ernaar met een soort vertraagde reactie, het drong niet onmiddellijk tot mij door, omdat ik de hele dag naar vreedzame vuurwapens had gekeken. Het duurde minstens een hele seconde voor ik in de gaten had dat dit wapen op een beslist onvriendelijke manier op mijn middenrif gericht was. Een Walther .22, meende ik; alsof dat er iets toe deed.

Ik wil wel bekennen dat mijn mond open en dicht ging. Iets dergelijks verwachtte je nu eenmaal niet in een voorstad die betrekkelijk vrij van misdaad was.

'Achteruit,' zei hij.

'Wat wenst u?'

'Ga naar binnen.' Hij porde met de lange geluiddemper die op het pistool zat bevestigd in mijn richting en omdat ik beslist respect heb voor de verwoestende kracht van handvuurwapens deed ik wat hij zei. Hij en zijn makker kwamen de voordeur binnen en deden hem achter zich dicht.

'Handen omhoog,' zei de man met het pistool.

Ik deed het.

Hij keek even naar de geopende deur van de huiskamer en maakte een hoofdbeweging in die richting.

'Ga daar binnen.'

Ik liep er langzaam heen, bleef staan, draaide mij om en vroeg nogmaals: 'Wat wenst u?'

'Wacht maar af,' zei hij. Hij keek zijn maat even aan en maakte weer een beweging met zijn hoofd, naar de ramen ditmaal. Zijn maat draaide het licht aan, liep toen naar de gordijnen en trok ze dicht. Het was buiten nog niet donker. Een bundel licht van de avondzon drong zich door de kier tussen de gordijnen.

Ik dacht: waarom ben ik niet doodsbang? Ze zagen er zo vastbesloten, zo doelbewust uit. Toch dacht ik nog steeds dat ze de een of andere idiote vergissing gemaakt hadden en misschien weg zouden gaan als ik ze vriendelijk aansprak.

Ze leken jonger dan ikzelf, hoewel het moeilijk was daar zeker van te zijn. Mogelijk Italianen, uit het zuiden. Ze bezaten er de lange, rechte neus, de smalle kaak, de bruinzwarte ogen voor. Het soort gezicht dat bij het ouder worden pafferig werd, een snor liet staan en peetvader werd.

Die laatste gedachte schoot uit het niets door mijn hoofd en leek even grote nonsens als een pistool.

'Wat wenst u?' vroeg ik weer.

'Drie computerbandjes.'

Mijn mond doorliep ongetwijfeld wederom de achtereenvolgende gelaatsuitdrukkingen van een vis. Ik luisterde naar het volkomen Engelse, nonchalante accent en bedacht dat een groter tegenstelling met de figuur die de woorden uitsprak welhaast niet mogelijk was.

'Wat... wat voor computerbandjes?' vroeg ik, volslagen verbijstering voorwendend.

'Draai er maar niet om heen. We weten dat jij ze hebt. Je vrouw vertelde het.'

Jezus, dacht ik. Ditmaal hoefde ik geen verbijstering voor te wenden.

Hij bewoog heel even zijn pistool. 'Ga ze pakken,' zei hij. Zijn ogen stonden koud. Uit zijn manier van doen bleek dat hij me verachtte.

Met een opeens droge mond zei ik: 'Ik kan me niet indenken hoe mijn vrouw ertoe kwam... waarom ze dacht...'

'Hou op met tijd verknoeien,' zei hij scherp.

'Maar...'

'*The King and I* en *West Side Story*,' zei hij ongeduldig. 'En *Okla-godver-homa.*'

'Ik heb ze niet.'

'Dat is dan beroerd voor je, vriendlief,' zei hij en onmiddellijk nam zijn dreigende houding een andere vorm aan. Daarvóór had hij een beetje in de tweede versnelling gelummeld, omdat hij ongetwijfeld meende dat een pistool voldoende was. Doch nu kreeg ik tot mijn onbehagen in de gaten dat ik niet met een redelijk en ongevaarlijk iemand te doen had. Als dit die twee waren die bij Peter op bezoek waren geweest, begreep ik wat hij bedoeld had met angstaanjagend. Ze hadden iets wispelturigs, zonder de normale beheerstheid; een overweldigende niets ontziende indruk die ze gaven. Het alle-remmen-los-syndroom dat zich door geen wettelijke afschrikmiddelen liet afschrikken. Ik was het zo af en toe wel eens tegengekomen bij jongens in mijn klas, maar nog nooit in een dergelijke mate.

'Je hebt iets in je bezit waar je geen recht op hebt,' zei hij. 'En dat geef je aan ons.'

Hij bewoog de loop van zijn pistool een centimeter of vijf opzij en haalde de trekker over. Ik hoorde de kogel vlak langs mijn oor zoeven. Achter mij klonk gerinkel van brekend glas. Een van Sarahs souvenirs uit Venetië, waar ze heel zuinig op was.

'Dat was een vaas,' zei hij. 'Je televisie is het volgende.

Daarna jij. Je enkels en zo. Kun je levenslang kreupel lopen. Dat zijn die bandjes niet waard.'

Hij had gelijk. De moeilijkheid was dat ik er een hard hoofd in had of hij zou geloven dat ik ze echt niet had.

Hij richtte zijn pistool op de televisie.

'Oké,' zei ik.

Hij grijnsde even. 'Pak ze dan.'

Hij ontspande zich voldaan bij mijn capitulatie, evenals zijn onderdanige en zwijgzame helper, die een pas achter hem stond. Ik deed een paar stappen naar de salontafel en liet mijn handen uit de opgeheven positie zakken.

'Ze zitten in de koffer,' zei ik.

'Haal ze eruit.'

Ik lichtte het deksel van de koffer een klein eindje op en trok er de trui uit, die ik op de grond liet vallen.

'Schiet op,' zei hij.

Hij was er totaal niet op voorbereid een geweer op zich gericht te zien, in die kamer, in die omgeving, in handen van de man waar hij me voor hield.

Totaal ongelovig keek hij naar het langwerpige, dodelijke voorwerp en hoorde de dubbele klik toen ik de grendel overhaalde. Ik liep het risico dat het tot hem zou doordringen dat ik een dergelijk wapen nooit met een patroon in het staartstuk zou vervoeren, maar tenslotte liep hij zelf ook met een geladen blaffer rond, dus misschien ook niet.

'Laat dat pistool vallen,' zei ik. 'Als je mij neerschiet, schiet ik jullie alle twee neer, daar kun je vergif op innemen. Ik ben kampioen-schutter.' Misschien mocht je af en toe wel eens wat opscheppen, en dan was dit er het moment voor.

Hij aarzelde. Zijn helper keek benauwd. Het geweer was een uiterst benauwend wapen. De geluiddemper begon langzaam naar omlaag te wijzen en het pistool viel met een plof op het tapijt. De woede was voelbaar.

'Schop hem hierheen,' zei ik. 'Maar voorzichtig.'

Hij gaf het pistool een woedende zet met zijn voet. Het lag niet dicht genoeg bij me om het op te kunnen rapen, maar ook voor hem te veraf.

'Mooi,' zei ik. En luister nu goed naar me. Ik heb die bandjes niet. Ik heb ze aan iemand anders uitgeleend, omdat ik dacht dat er muziek op stond. Hoe kon ik nu verdorie weten dat het computerbandjes waren? Als je ze terug wilt hebben zul je moeten wachten tot ik ze weer heb. Degene aan wie ik ze geleend heb is het hele weekeinde weg en ik zou niet weten hoe ik erachter moest komen waarheen. Je kunt ze zonder al dit melodramatische gedoe krijgen, maar je zult geduld moeten hebben. Geef me je adres maar, dan stuur ik ze op. Geloof me, ik ben je liever kwijt. Ik geef geen lor om die bandjes of waarvoor je ze wilt hebben. Ik wil gewoon niet dat je me lastigvalt... of mijn vrouw. Begrepen?'

'Ja.'

'Waar moet ik ze heen sturen?'

Zijn ogen vernauwden zich.

'En het kost je twee piek,' zei ik. 'Voor verpakking en porto.'

Dat praktische detail leek hem te overtuigen. Met een ontevreden gebaar haalde hij twee pond uit zijn zak en liet ze naast zich op de grond vallen.

'Hoofdpostkantoor Cambridge,' zei hij. 'Poste restante.'

'Onder welke naam?'

Het duurde even voor hij zei: 'Derry.'

Ik knikte. 'Goed,' zei ik. Jammer, dacht ik, dat hij mijn eigen naam had opgegeven. Elke andere naam had misschien een aanwijzing opgeleverd. 'Dan kunnen jullie nu wel vertrekken.'

Beide paren ogen keken naar het pistool dat nog op het tapijt lag.

'Blijf buiten maar wachten,' zei ik. 'Ik gooi hem jullie door het raam wel toe. En kom niet terug.'

Ze schoven naar de deur met één oog op de glanzend stalen loop die hen volgde, en ik liep achter hen aan de hal in. Ze beloonden me met twee kwaadaardige blikken van teleurstelling voor ze de voordeur openden en naar buiten liepen, hem netjes achter zich dichtdoend.

In de huiskamer teruggekomen legde ik het geweer op de bank en raapte de Walther op; ik haalde de houder eruit en leegde hem in een asbak. Toen schroefde ik de geluiddemper van de loop en deed het raam open.

De beide mannen stonden op het trottoir met onheilspellende blikken over zes meter gras heen te staren. Ik wierp het pistool zo dat het in een rozenstruik niet ver van hen vandaan terechtkwam. Toen de helper hem eruit had gehaald en zich aan de doorns opengehaald, wierp ik de geluiddemper op dezelfde plaats.

De schutter vuurde, toen hij ontdekte dat hij geen kogels had, ten afscheid een paar woorden op mij af.

'Als je die bandjes niet stuurt komen we terug.'

'Je krijgt ze volgende week. En blijf verder uit mijn leven.'

Ik deed het raam met een klap dicht en keek hen na terwijl ze wegliepen, iedere lijn van hun lichamen stijf van beschaming.

Wat had Peter, vroeg ik mij ingespannen af, in hémelsnaam op die cassettebandjes geprogrammeerd?

4

'Wie heeft jou naar computerbandjes gevraagd?' vroeg ik aan Sarah.

'Wat?' Haar stem klonk zwak, een afstand van honderd zestig kilometer op deze planeet, maar in een andere wereld.

'Iemand moet jou gevraagd hebben om een paar bandjes,' zei ik ongeduldig.

'O, cassettes, bedoel je?'

'Ja, die bedoel ik.' Ik deed mijn best geen grimmige klank in mijn stem te leggen; gewoon onderhoudend te klinken.

'Maar je kunt zijn brief nog niet gekregen hebben,' zei ze verbaasd. 'Hij was hier vanochtend pas.'

'Wie was het?' vroeg ik.

'O!' riep ze uit. 'Ik veronderstel dat hij heeft opgebeld. Hij zou ons nummer van inlichtingen gekregen kunnen hebben.'

'Sarah...'

'Wie het was? Geen idee. Iemand die iets met Peters werk te maken had.'

'Wat voor iemand?' vroeg ik.

'Hoe bedoel je? Een gewoon iemand. Van middelbare leeftijd, met grijs haar, enigszins gezet.' Zoals zoveel van nature slanke mensen zag Sarah gezetheid als een morele tekortkoming.

'Vertel me eens wat hij zei,' drong ik aan.

'Als je het beslist nodig vindt. Hij zei dat het hem heel erg speet van Peter. Hij zei dat Peter een ontwerp mee naar huis had genomen waar hij voor zijn firma mee bezig was geweest, mogelijk in de vorm van met de hand geschreven aantekeningen, misschien ook in de vorm van cassettes. Hij zei dat de firma het graag allemaal terug zou hebben, omdat ze het werk aan iemand anders zouden moeten opdragen.'

Het klonk allemaal een heel stuk beschaafder dan boemannen met zwaaiende pistolen.

'En toen?' drong ik aan.

'Nu, Donna zei dat ze niets afwist van iets dat Peter in huis had, hoewel ze natuurlijk wel wist dat hij érgens aan had zitten werken. In elk geval heeft ze in een heel stel kasten en laden gekeken, en toen vond ze die drie losse cassettes, zonder doosjes, in de drankenkast weggestopt tussen de gin en de Cinzano. Verveel ik je?'

Ze klonk overbeleefd en alsof het haar bedoeling was mij te vervelen, maar ik antwoordde alleen maar vurig: 'Nee, helemaal niet. Ga alsjeblieft verder.'

Haar schouderophalen reisde haast zichtbaar langs de lijn. 'Donna heeft ze aan de man gegeven. Hij was opgetogen, tot hij ze wat beter bekeek. Toen zei hij dat het bandjes van musicals waren en niet wat hij zocht, en of we nog eens wilden zoeken.'

'En toen herinnerde jij of Donna zich...'

'Ik,' zei ze verzekerd. 'We hebben allebei gezien dat Peter ze aan je gaf, maar hij moet ze door elkaar hebben gegooid. Hij heeft jou per ongeluk de cassettes van zijn firma gegeven.'

Peters firma...

'Heeft die man je verteld hoe hij heette?' vroeg ik.

'Ja,' zei Sarah. 'Hij stelde zich voor toen hij binnenkwam. Maar je weet hoe dat gaat. Hij zei het nogal mompelend en ik ben het vergeten. Waarom? Heeft hij je zijn naam niet genoemd toen hij opbelde?'

'Geen visitekaartje?'

'Ga me nou niet vertellen dat je zijn adres niet hebt opgenomen,' zei ze geërgerd. 'Wacht even, dan zal ik het Donna vragen.'

Ze legde de hoorn op tafel neer en ik hoorde haar Donna roepen. Ik vroeg mij af waarom ik haar niets over de aard van mijn bezoekers gezegd had en kwam tot de conclusie dat het waarschijnlijk was omdat ze me dan zou proberen te bepraten om naar de politie te gaan. En daar had ik beslist geen zin in, omdat ze waarschijnlijk onvriendelijk zouden beginnen te doen over het feit dat ik in een gewoon huis met een geweer rond had lopen zwaaien. Ik kon ze niet bewijzen dat het niet geladen was geweest en het behoorde niet tot het slag voorwerpen waarvan een huisvader zich redelijkerwijze zou kunnen bedienen om zijn bezittingen te verdedigen. Met een Mauser 7,62 afgevuurde kogels sloegen niet op tien pas afstand een vaas in gruzelementen om daarna in de muurkalk te blijven steken, ze boorden zich dwars door de muur zelf en doodden mensen die buiten hun hond uitlieten.

Vuurwapenvergunningen konden vlugger afgepakt worden dan ze verstrekt werden.

'Jonathan?' zei Sarah, terug aan het toestel.

'Ja.'

Ze las het volledige adres van Peters firma in Norwich op en gaf er het telefoonnummer achteraan.

'Is dat alles?' vroeg ze.

'Behalve... gaat het nog steeds goed met jullie?'

'Met mij wel, dank je. Donna is erg neerslachtig. Maar ik red me wel.'

We namen op de gebruikelijke manier afscheid, bijna formeel, zonder warmte, dodelijk beleefd.

Door de plicht gedreven was ik de volgende dag alweer in Bisley – plicht, rusteloosheid en een afschuwelijk programma op de tv. Ik schoot beter en dacht minder aan Peter, en toen het donker begon te worden ging ik naar huis en corrigeerde de eeuwige schoolschriften; 's maandags deelde Ted Pitts mij mee dat hij nog niets aan mijn computerbandjes had gedaan, maar dat we, als ik zin had om na vieren te blijven, met zijn tweeën naar de computerruimte beneden konden gaan en eens kijken wat er te zien viel.

Toen ik bij hem kwam was hij al bezig in het zijkamertje dat met zijn mat crème wanden en streperig geboende vloer de indruk wekte ieders stiefkind te zijn. Van het plafond hing één enkele lamp zonder kap en de twee houten stoelen waren van het voorgeschreven, gehavende schoolmodel. Twee eenvoudige rechte tafels namen het grootste deel van de vloerruimte in beslag en daarop stond de prozaïsche apparatuur die een klein fortuin gekost had. Ik vroeg Ted vriendelijk waarom hij zich zo'n bekrompen, naargeestige werkruimte liet welgevallen.

Hij keek me verstrooid aan, met zijn gedachten bij zijn werk. 'Je weet hoe het is. Je moet de jongens individueel onderricht geven op dit lieverdje om een beetje resultaat te krijgen. Er zijn niet genoeg klaslokalen. Dit is het enige wat beschikbaar is. Zo slecht is het niet. En trouwens, het valt mij nooit op.'

Dat wilde ik geloven. Hij was een voettoerist, een oud-jeugdherbergtrekker, een liefhebber van ernstige ongemakken. Hij zette zich op de rand van de harde, houten stoel en ging met zijn eigen, op een computer lijkend verstand die op de tafels te lijf.

Er stonden vier verschillende apparaten. Een op een televisietoestel lijkende kubus met een schrijfmachineklavier dat onder de onderrand van het beeldscherm naar voren stak. Een cassettespeler. Een grote, moeilijk te beschrijven, rechtopstaande zwarte doos waarop enkel 'Harris' stond, en iets dat er op het eerste gezicht uitzag als een schrijfmachine, maar dat in feite geen toetsenbord bezat. Ze waren alle vier met elkaar, en elk nog eens met zijn eigen wandcontactdoos, verbonden door middel van zwarte elektrische kabels.

Ted Pitts schoof *Oklahoma* in de cassettespeler en tikte CLOAD 'BASIC' op het toetsenbord. CLOAD 'BASIC' verscheen er in kleine witte hoofdlettertjes in de linkerbovenhoek van het televisiescherm, benevens twee sterretjes, waarvan er één in snel tempo aan en uit knipperde, rechtsboven. De wieltjes van de spoelen op de cassettespeler draaiden snel rond.

'Hoeveel weet je er nog van?' vroeg Ted.

'Net genoeg om te begrijpen dat je het bandje waar

de taal op staat aan het opzoeken bent en dat CLOAD betekent: laden vanuit de cassette.'

Hij knikte en wees heel even naar de grote rechtopstaande doos. 'De computer heeft zijn eigen Basic al daarin opgeslagen zitten. Dat heb ik er tijdens het lunchuur ingestopt. Laten we nu eens kijken...' Hij boog zich over het toetsenbord, sloeg toetsen aan, de cassettespeler telkens stoppend en weer startend, en zijn bezigheden met grommende geluiden onderstrepend.

'Daar hebben we niets aan,' mompelde hij, terwijl hij het bandje omdraaide en het hele gedoe herhaalde. 'Laten we eens proberen...' Er ging een hele tijd voorbij. Zo nu en dan schudde hij zijn hoofd, en ten slotte zei hij: 'Geef me die andere twee bandjes eens aan. Logischerwijze moet het toch aan het begín van een van de kanten staan – tenzij hij het natuurlijk aan het eind heeft toegevoegd, eenvoudig omdat hij ruimte over had... of misschien heeft hij het helemaal niet gedaan...'

'Zijn die programma's niet op jouw eigen versie van Basic uit te voeren?'

Hij schudde zijn hoofd. 'Dat heb ik al geprobeerd voor je kwam. Het enige antwoord dat je krijgt is ERROR IN LINE 10. Wat betekent dat de beide versies niet op elkaar zijn afgestemd.' Weer gromde hij en probeerde *West Side Story* en tegen het eind van de eerste kant ging hij opeens rechtop zitten en zei: 'Hé, kijk eens aan.'

'Staat het erop?'

'Weet ik nog niet. Maar er is wel iets opgeslagen onder "z". Zou het eens kunnen proberen.' Hij knipte nog een paar schakelaars om en leunde vergenoegd achterover. 'We hoeven alleen maar een paar minuten te wachten, terwijl die daar...' wees hij naar de grote rechtopstaande doos '...wat er ook op het bandje onder "z" mag staan in zich opneemt, en als het toevallig Grantley-Basic mocht zijn kunnen we aan de slag.'

'Waarom geeft "z" je goede hoop?'

'Intuïtie. Misschien zit ik er helemaal naast. Maar het is een veel langere opname dan al het andere dat ik tot dusver op de bandjes heb aangetroffen, en het lijkt me de juiste lengte te hebben. Vier en een kwart minuut. Ik heb de Harris duizenden keren met Basic geladen.'

Zijn intuïtie bleek betrouwbaar te zijn. Plotseling verscheen het woord READY op het scherm, wit, helder en veelbelovend. Ted slaakte een diepe zucht van voldoening en knikte drie keer.

'Verstandige snuiter, die vriend van je,' zei hij. 'Nu kunnen we dus eens zien wat je daar hebt.'

Toen hij opnieuw *Oklahoma* afdraaide verschenen de namen van de bestanden duidelijk naast het knipperende sterretje in de rechterbovenhoek van het scherm, en hoewel sommige ervan mij raadselachtig voorkwamen, waren een paar ervan dat toch zeer beslist niet.

DONCA EDINB EPSOM FOLKE FONTW GOODW HAMIL HAYDK HEREF HEXHM.

'Plaatsnamen,' zei ik. 'Plaatsen waar een renbaan is.'

Ted knikte. 'Welke zou je willen proberen?'

'Epsom.'

'Oké,' zei hij. Met behendige vingers wond hij de band terug en typte op het toetsenbord CLOAD 'EPSOM'. 'Daarmee komt het onder EPSOM opgeslagen programma in de computer, maar dat weet je natuurlijk, ik vergeet het aldoor.'

Het bemoedigende woord READY verscheen weer en Ted zei: 'Wat van de twee wil je doen, het programma afdraaien of het laten uitvoeren?'

'Uitvoeren,' zei ik.

Hij knikte en typte RUN op het toetsenbord, waarop het scherm in heldere lettertjes informeerde WELKE RACE IN EPSOM? TYP NAAM VAN RACE EN DRUK 'ENTER' IN.

'Goeie god,' zei ik. 'Laten we de Derby proberen.'

'Allicht,' zei Ted, en hij typte DERBY. Het scherm reageerde prompt met TYP NAAM VAN PAARD EN DRUK 'ENTER' IN.

Ted typte JONATHAN DERRY en drukte weer de tweemaal zo grote toets 'Enter' in op het toetsenbord,

waarop het scherm zo vriendelijk was te antwoorden met:
EPSOM: DE DERBY
PAARD: JONATHAN DERRY
ANTWOORD OP ALLE VRAGEN MET JA OF NEE
EN DRUK 'ENTER' IN.

Een centimeter of vijf daaronder stond een vraag:
HEEFT PAARD EEN WEDSTRIJD GEWONNEN?
Ted typte JA en drukte 'Enter' in. De eerste drie regels
bleven staan, maar de vraag werd vervangen door een
andere.
HEEFT PAARD DIT JAAR GEWONNEN?
Ted typte NEE. Het scherm reageerde met:
IS PAARD OP RENBAAN UITGEKOMEN?
Ted typte JA.

Er waren vragen over de vader van het paard, over
zijn moeder, zijn jockey, zijn trainer, het aantal dagen sinds
hij voor het laatst gelopen had en zijn opbrengst aan prij-
zengeld; en één vraag tot slot:
STAAT PAARD ANTE-POST 25 } OF LAGER GE-
NOTEERD?
Ted typte JA en het scherm zei enkel:
NOG MEER PAARDEN?
Ted typte weer JA en we kwamen weer terug op:
TYP NAAM VAN PAARD EN DRUK 'ENTER' IN.
'Dat heeft niets met het bepalen van handicaps te ma-
ken,' zei ik.
'Zou het dat moeten zijn?' Ted schudde zijn hoofd.
'Lijkt meer op kansberekening, zou ik zeggen. Laten we
het nog eens doorlopen en op NOG MEER PAARDEN?
antwoorden met NEE.

Hij typte TED PITTS als naam van het paard en veranderde de antwoorden, en onmiddellijk na zijn laatste
NEE werd het scherm schoongeveegd en kregen we een
nieuw schermbeeld te zien.

NAAM VAN PAARD	WINSTFACTOR
JONATHAN DERRY	27
TED PITTS	12

'Je maakt géén kans,' zei ik. 'Je kunt net zo goed op

stal blijven staan.'

Hij keek een beetje onthutst en begon toen te lachen. 'Ja. Dat is het. Een richtlijn voor gokkers.'

Hij typte LIST in plaats van RUN, en onmiddellijk verscheen het schema van het programma, te snel echter over het scherm schuivend om te kunnen lezen, zoals op een vliegveld de veranderende vluchtinformatie bekend wordt gemaakt. Ted zat enkel wat te neuriën en typte LIST 10–140, en na enig onoverkomelijk geknipper leverde het scherm het gevraagde af.

LIST 10–140

10 PRINT 'WELKE RACE IN EPSOM? TYP NAAM VAN RACE EN DRUK "ENTER" IN'

20 INPUT A$

30 IF A$ = 'DERBY' THEN 330

40 IF A$ = 'OAKS' THEN 340

50 IF A$ = 'CORONATION CUP' THEN 350

60 IF A$ = 'BLUE RIBAND STAKES' THEN 360

De lijst liep op deze manier door tot aan de onderkant van het beeldscherm, en Ted wierp er één goedkeurende blik op en zei: 'Doodsimpel.'

Het dollarteken, meende ik mij te herinneren, betekende dat de invoer van gegevens in de vorm van letters diende te gebeuren. INPUT A, zonder dollarteken, zou om cijfers hebben gevraagd.

Ted leek volkomen in zijn schik. Hij typte LIST 300–380 en kreeg weer een stel opdrachten.

Bij 330 vermelde het programma: LET A = 10; B = 8; C = 6; D = 2; DI = 2.

De regels 332, 334 en 336 leken eender, met aan letters toegekende cijferwaarden.

'Dat is de waardering,' zei Ted. 'De waarde die aan elk antwoord wordt toegekend. Tien punten voor de eerste vraag, die luidde... eh... heeft het paard een wedstrijd gewonnen. Enzovoort. Ik zie dat er ook 10 punten worden gegeven voor de laatste vraag, die over... eh... antepostinzetten ging, was het niet?'

Ik knikte.

'Alsjeblieft!' zei hij. 'Ik geloof vast dat er voor iedere race een andere puntenwaardering bestaat. Er zouden natuurlijk ook voor iedere race andere vrágen kunnen zijn. Heeho. Wil je het zien?'

'Als je er tijd voor hebt,' zei ik.

'O jawel. Voor TOM's heb ik altijd tijd. Ik ben er gek op, weet je.'

Hij typte telkens weer LIST, gevolgd door diverse nummers en kwam voor juweeltjes te staan als:

520 IF N$ = NEE THEN GOTO 560; X = X + B
530 INPUT N$: AB = AB + I
540 IF N$ = NEE THEN GOTO 560; X = X + M
550 T = T + 62
560 GOSUB 4000

'Wat betekent dat allemaal?' vroeg ik.

'Ahum... tja. Het is veel makkelijker een programma te schrijven dan dat van een ander te lezen en te begrijpen. Programma's zijn waanzinnig persoonlijk. Je kunt langs allerlei verschillende wegen tot hetzelfde resultaat komen. Ik bedoel, als je van Londen naar Bristol reist ga je langs de M4, die dat hele eind M4 heet, maar op een computer kun je de weg op ieder punt van je reis net zo noemen als je wilt, en jijzélf weet dan misschien wel dat op verschillende momenten laten we zeggen L2, of RQ3 of B7(2) gelijk is aan M4, maar verder niemand anders.'

'Vertel je het ook zo aan de kinderen?'

'Eh, jawel. Sorry, dat is een gewoonte.' Hij wierp een blik op het scherm. 'Ik vermoed dat die bovenste regels iets te maken hebben met sommige vragen die kunnen worden overgeslagen als eerdere antwoorden ze overbodig maken. Een sprong maken naar een volgend stukje van het programma. Als ik het hele geval op papier afdrukte zou ik misschien wel kunnen achterhalen wat er precies de bedoeling van is.'

Ik schudde mijn hoofd. 'Laat maar. Laten we een andere renbaan proberen.'

'O jawel.'

Hij spoelde het bandje naar het begin terug en typte

CLOAD 'DONCA', en daarna, toen er READY op het scherm verscheen, RUN.

Terstond werd ons gevraagd WELKE RACE IN DONCASTER? TYP NAAM VAN RACE EN DRUK 'ENTER' IN.

'Oké,' zei Ted, terwijl hij enkele schakelaars indrukte. 'Zullen we het eens een stukje verder op het bandje proberen? Bij GOODW bij voorbeeld?'

We kregen WELKE RACE IN GOODWOOD? TYP NAAM VAN RACE EN DRUK 'ENTER' IN.

'Ik ken geen enkele race in Goodwood,' zei ik.

Ted zei: 'Makkelijk zat,' en typte LIST 10–140. Toen de paar seconden van geknipper waren afgelopen kregen we:

```
LIST 10–140
10 PRINT 'WELKE RACE IN GOODWOOD? TYP
NAAM VAN RACE EN DRUK "ENTER" IN'
20 INPUT A$
30 IF A$ = 'GOODWOOD STAKES' THEN 330
40 IF A$ = 'GOODWOOD CUP' THEN 340
```

Alles bij elkaar werden er vijftien races opgesomd.

'Wat gebeurt er als je de naam van een race intypt waarvoor geen programma bestaat?' vroeg ik.

'Laten we maar eens kijken,' zei hij. Hij typte RUN, en we kwamen terug bij WELKE RACE IN GOODWOOD? Hij typte DERBY, waarna het scherm ons inlichtte: VOOR DEZE RACE IS GEEN INFORMATIE BESCHIKBAAR.

'Handig en eenvoudig,' zei Ted.

We liepen steekproefsgewijs alle kanten van de drie bandjes door, maar de programma's waren allemaal eender. WELKE RACE IN REDCAR? WELKE RACE IN ASCOT? WELKE RACE IN NEWMARKET?

Voor zo ongeveer vijftig renbanen waren er programma's aanwezig, met bij elk daarvan een opsomming van een variërend aantal races. Verscheidene lijstjes bevatten geen werkelijke namen van races, maar categorieën in het algemeen, zoals '7/8 RECHTE MIJL VOOR 3-JA-

RIGEN EN OUDER', of 'DRIE MIJL GEWICHT-NAAR-LEEFTIJD STEEPLE-CHASE'; nogal laat drong het tot mijn grote vermaak tot mij door dat er geen enkele handicaprace bij was. Er waren in het geheel geen vragen over met hoeveel lengten een paard had gewonnen, terwijl hij zo-en-zoveel aan gewicht droeg.

Al met al was er in voorzien dat je voor net zoveel paarden als je wilde de kansen kon berekenen in elk van meer dan achthonderd met name genoemde races, en in een onbekend aantal niet met name genoemde. Elke race had zijn eigen puntenwaardering en heel vaak zijn eigen serie vragen. Het was wel een kolossaal karwei geweest.

'Het moet hem dagen gekost hebben,' zei Ted.

'Weken, denk ik. Hij moest het in zijn vrije tijd doen.'

'Het zijn natuurlijk geen ingewikkelde programma's,' zei Ted. 'Niet iets waar echt een expert bij nodig was. Meer een kwestie van systematische indeling. Niettemin heeft hij niet veel ruimte verspild. Amateurs schrijven ellenlange programma's uit. Deskundigen komen in een derde van de tijd tot hetzelfde resultaat. Gewoon een kwestie van oefening.'

'Het lijkt mij het beste dat we noteren aan welke kant van welk bandje het Grantley-Basic staat,' zei ik.

Ted knikte. 'Het staat ergens aan het eind. Na York. Opgeslagen onder "z".' Hij controleerde of hij het juiste bandje had en schreef iets met potlood op het etiket.

Zonder dat ik er een bijzondere reden voor had pakte ik de beide andere bandjes op en keek even naar de woorden die ik al eerder terloops had opgemerkt – de paar woorden die Peter op een van de etiketten geschreven had.

'Programma's samengesteld voor C. Norwood.'

Ted keek op en zei: 'Dat is de eerste kant die je daar bekijkt. Ascot enzovoort.' Hij zweeg even. 'We kunnen de kanten net zo goed nummeren, van één tot zes. Voor de goede orde.'

Orde was voor hem, net zo goed als voor mij, een gewoonte. Toen hij met het nummeren klaar was deed hij de cassettes in hun opzichtige doosjes terug en gaf ze mij. Ik bedankte hem uit de grond van mijn hart voor zijn geduld en nam hem mee om een biertje te pakken; met zijn glas in de hand vroeg hij: 'Ga je ze uitproberen?'

'Wat uitproberen?'

'Die races natuurlijk. In de loop van de volgende maand is de Derby. Als je wilt kunnen we de kansen berekenen voor alle paarden die aan de Derby meedoen en kijken of het programma met de winnaar te voorschijn komt. Ik zou het eigenlijk dolgraag willen doen. Jij niet?'

'Ik zou in de verste verte de antwoorden niet weten op al die vragen.'

'Nee.' Hij zuchtte. 'Jammer. Die informatie moet toch wel érgens te vinden zijn, maar het kon wel eens niet meevallen eraan te komen.'

'Ik zal het mijn broer vragen,' zei ik, en ik vertelde hem over William. 'Hij heeft het wel eens over rensportgidsen. Ik zou zeggen dat daar de antwoorden in moeten staan.'

Het leek Ted plezier te doen dat te weten, en ik vroeg hem niet meteen waar hij meer op gebrand was, de nauwkeurigheid van de programma's testen of winst maken. Hij vertelde het mij echter.

Aarzelend zei hij: 'Zou het je veel kunnen schelen... ik bedoel... zou je het erg vinden als ik een kopie van die bandjes maakte?'

Ik keek hem een beetje verbaasd aan en hij glimlachte onbeholpen.

'De kwestie is, Jonathan, dat ik best een financiële opsteek zou kunnen gebruiken. Ik bedoel, als die bandjes werkelijk met de goede uitslag op de proppen komen, waarom dan geen gebruik ervan gemaakt?' Hij zat een beetje op zijn stoel heen en weer te schuifelen en toen ik niet meteen antwoord gaf ging hij verder: 'Je weet zelf wat voor een rotsalaris we hebben. Het valt niet mee daar drie kinderen van te eten te geven, en hun kleding en schoeisel kost ook een bom geld, en de kleine krengen groeien er praktisch gesproken uit voor je het hebt afbetaald. Ik zit nooit onder de limiet van mijn credietkaarten, weet je, nooit.'

'Neem nog een biertje,' zei ik.

'Voor jou valt het wel mee,' zei hij triest, het aanbod aannemend. 'Jij hebt geen kinderen. Voor jou is het niet zo'n toer om met zo'n hongerloontje uit te komen. En jij verdient trouwens meer, als afdelingshoofd.'

Peinzend zei ik: 'Ik zie niet in waarom je geen kopieën zou maken, als je daar zin in hebt.'

'Jonathan!' Hij was zichtbaar opgetogen.

'Maar ik zou ze niet gebruiken,' zei ik. 'Niet voordat je je ervan overtuigd hebt dat ze deugen. Het zou je een hoop geld kunnen kosten.'

'Ik zal voorzichtig zijn,' zei hij, maar zijn ogen glinsterden achter zijn donkeromrande brilleglazen en ik vroeg mij onbehaaglijk af of ik getuige was van de geboorte van een obsessie. Ted had altijd al iets van een fanaticus. 'Kun je je broer vragen waar ik aan zo'n rensportgids kan komen?' vroeg hij.

'Tja...'

Hij keek mij onderzoekend aan. 'Je hebt er nu al spijt van dat je gezegd hebt dat ik ze mag kopiëren. Wil je ze zelf gebruiken, hè, is dat het?'

'Nee. Ik zat er alleen aan te denken... gokken is net zo iets als verdovende middelen. Je kunt er verslaafd aan raken en de vernieling in gaan.'

'Maar ik wil alleen maar...' Hij zweeg en haalde zijn schouders op. Hij leek teleurgesteld, maar meer ook niet.

Ik zuchtte en zei: 'Oké. Maar gebruik in godsnaam je verstand.'

'Beslist,' zei hij heftig. Hij keek mij verwachtingsvol aan en ik haalde de bandjes uit mijn zak en gaf ze hem terug.

'Wees er voorzichtig mee,' zei ik.

'Daar sta ik met mijn leven voor in.'

'Zover hoeft niet.' Ik dacht heel even aan pistooldragende bezoekers en aan een heleboel dat ik niet begreep, en ik voegde er langzaam aan toe: 'Als je toch bezig bent, maak dan voor mij ook kopieën.'

Hij was stomverbaasd. 'Maar je hebt de originelen toch al?'

Ik schudde mijn hoofd. 'Die zijn van iemand anders. Ik zal ze terug moeten geven. Maar als het mogelijk is kopieën te maken zie ik niet in waarom ik ook niet iets zou achterhouden van wat ik teruggeef.'

'Kopieën zijn doodgemakkelijk te maken,' zei hij. 'En wel zo verstandig. Je laadt gewoon het programma uit de cassette in de computer, zoals wij gedaan hebben, verwisselt dan de cassette voor een onbespeelde en neemt het programma vanuit de computer weer op het nieuwe bandje op. Je kunt tientallen kopieën maken als je wilt. Telkens als ik een programma heb geschreven dat ik niet graag kwijt ben neem ik het op een aantal verschillende bandjes op. Op die manier heb je, als er één bandje zoekraakt of de een of andere idioot iets opneemt bovenop wat jij gedaan hebt, altijd nog wat achter de hand.'

'Dan zal ik een paar bandjes kopen,' zei ik.

Hij schudde zijn hoofd. 'Geef mij het geld maar, dan zorg ik ervoor. Gewone bandjes zijn oké als je omhoog zit, maar speciaal voor computergebruik vervaardigde digitale cassettes zijn beter.'

Ik gaf hem wat geld en hij zei dat hij de kopieën de volgende dag zou maken, tijdens het lunchuur of anders na schooltijd. 'En koop zo'n rensportgids,' herinnerde hij mij. 'Doe je dat?'

'Ja,' zei ik; later belde ik thuis naar de boerderij en sprak met William.

'Hoe gaat het?'

'Wat zou je zeggen als ik het bij een renstal probeerde voor van de zomer?'

'Volgens mij kun je je beter bij boerderijen houden,' zei ik.

'Ja. Maar de jachtpaarden zijn in juli en augustus allemaal buiten in de wei en de rijschool hier scheidt ermee uit, ze hebben de beste paarden verkocht, er valt niet veel meer te rijden, en alles zit onder het onkruid en de mest.

Mijnheer Askwith is aan de drank geraakt. Hij komt 's ochtends brullend naar buiten, met de fles in zijn hand en de meisjes uitvloekend. Er zijn er nog maar twee over, die zo goed en zo kwaad als het gaat veertien pony's verzorgen. Het is een troep.'

'Dat zou je wel zeggen.'

'Het is al zover met me gekomen dat ik wat ben gaan repeteren voor die waardeloze examens.'

'Dan moet het wel heel slecht zijn,' zei ik.

'Bedankt voor de cheque.'

'Sorry dat ik er zo laat mee was. Luister, ik heb een kennis die een rensportgids wil hebben. Hoe moet hij daar aankomen?'

Het geval wilde dat William wel een stuk of zes verschillende rensportgidsen kende. Welke wilde die kennis van me hebben?

Eentje waarin het verleden van het paard vermeld stond, hoe lang het geleden was dat hij voor het laatst aan een race had meegedaan en of zijn ante-postinzetten minder dan 25 tegen 1 waren. Ook het renverleden van zijn vader en moeder, en dat van zijn jockey en trainer, en hoeveel hij aan prijzengeld had weggesleept. Om te beginnen.

'Allemachtig,' zei mijn broer. 'Wat jij zoekt is een combinatie van de rensportgids en *The Sporting Life*.'

'Ja, maar wélke rensportgids?'

'Dé rensportgids,' zei hij. '*Raceform* en *Chaseform*. *Chaseform* is voor springpaarden. Wil hij de springpaarden er ook bij hebben?'

'Ik denk het wel.'

'Zeg hem dat hij dan naar Turf Newspapers moet schrijven. De gids verschijnt in gedeelten; elke week een nieuw, recent bijgewerkt deel. De beste die er is. Ik kijk er met steeds begeriger ogen naar, maar hij kost een bom duiten. Denk je dat mijn voogden het als een beroepsopleiding zouden opvatten?' Er klonk echter niet veel hoop in zijn stem.

Ik dacht aan de financiële toestand van Ted Pitts en

informeerde naar iets goedkopers.

'Hm,' zei William met kennis van zaken. 'Hij zou, denk ik, het weekblad *Sporting Record* eens kunnen proberen.' Er viel hem een gedachte in. 'Dit heeft toch niet iets te maken met je vriend Peter en zijn goksysteem, hè? Je zei dat hij dood was.'

'Hetzelfde systeem, maar een andere vriend.'

'Het systeem dat werkelijk deugt moet nog uitgevonden worden,' zei William.

'Dan zou jij er natuurlijk van gehoord hebben,' zei ik droog.

'Ik lees de bladen.'

We praatten nog wat en namen goedgemutst afscheid, en toen ik de hoorn goed en wel had neergelegd speet het mij dat ik hem niet gevraagd had of hij zin had de week bij mij door te brengen, liever dan op de boerderij. Ik dacht echter niet dat hij dat gedaan zou hebben. Zelfs de dronken mijnheer Askwith zou hij nog draaglijker gevonden hebben dan het decorum van Twickenham.

Een uur later belde Sarah op, gespannen en kortaf klinkend.

'Ken jij iemand die Chris Norwood heet?' vroeg ze.

'Nee, ik geloof het niet.' Op hetzelfde moment herinnerde ik mij Peters handschrift op de cassette. 'Programma samengesteld voor C. Norwood.' Ik opende mijn mond om het haar te vertellen, maar ze was mij voor.

'Peter heeft hem gekend. De politie is hier weer geweest, om allerlei vragen te stellen.'

'Maar waar...' begon ik, er niets van snappend.

'Ik weet óók niet waar het om gaat, als je dat soms wilde vragen. Maar er is iemand neergeschoten die Chris Norwood heet.'

5

Ik leek omgeven door een mist van onwetendheid.

'Ik dacht dat Peter het tegen jou misschien over hem gehad zou hebben,' zei Sarah. 'Je praatte altijd meer met hem dan tegen Donna en mij.'

'Kent Donna die Norwood niet?' vroeg ik, het scherpe steekje onder water negerend.

'Nee, ook niet. Ze verkeert nog steeds in een shocktoestand. Het is allemaal te veel voor haar.'

Mist kon gevaarlijk zijn, vond ik. Er konden allerlei valstrikken verborgen liggen.

'Wat heeft de politie precies gezegd?' vroeg ik.

'Niet veel. Alleen maar dat ze een onderzoek instelden naar de dood van iemand, en dat ze graag zagen dat Peter hun alle mogelijke hulp gaf.'

'*Peter*?'

'Ja, Peter. Ze wisten niet dat hij dood was. Het waren niet dezelfden die hier eerder geweest zijn. Ik geloof dat ze zeiden dat ze uit Suffolk kwamen. Wat maakt het uit?' Ze klonk ongeduldig. 'Ze hadden Peters naam en adres op een kladblok naast de telefoon gevonden. De telefoon van die Norwood. Ze zeiden dat ze bij een moordonderzoek zelfs de kleinste aanwijzing moesten nagaan.'

'Moord...'

'Daar hadden ze het over.'

Ik fronste mijn voorhoofd en vroeg: 'Wanneer is hij vermoord?'

'Weet ik dat? In de loop van de vorige week. Donderdag. Vrijdag. Ik weet niet meer. Ze spraken eigenlijk met Donna, niet met mij. Ik vertelde ze aldoor dat ze niet fit was, maar ze luisterden niet. Ze hadden totaal niet in de gaten dat de arme schat te versuft is om zich om een volkomen vreemde te bekommeren, hoe die ook gestorven is. En toen ze het ten slotte doorkregen zeiden ze als klap op de vuurpijl dat ze mogelijk terugkwamen wanneer ze zich beter voelde.'

Na een korte stilte vroeg ik: 'Wanneer is de lijkschouwing?'

'Hoe moet ik dat in hemelsnaam weten?'

'Die van Peter, bedoel ik.'

'O.' Ze leek van de wijs gebracht. 'Vrijdag. We hoeven er niet heen. Peters vader zal hem identificeren. Hij wenst niet met Donna te spreken. Hij schijnt op de een of andere manier te denken dat het haar schuld was dat Peter zo nonchalant is geweest met de boot. Hij heeft zich gewoon afschuwelijk gedragen.'

'Mm,' zei ik, mij niet blootgevend.

'Er is hier iemand van de verzekeringsmaatschappij geweest, die vroeg of Peter wel eens meer moeilijkheden had gehad met lekkende gasleidingen en wilde weten of hij altijd de motor startte zonder te controleren of er geen benzinedamp hing.'

Peter was niet nonchalant geweest, dacht ik. Ik herinnerde mij dat hij op de kanalen heel voorzichtig was geweest en iedere ochtend de motorruimte open had gezet om eventueel erin aanwezig gas te laten ontsnappen. En dat was nog dieselolie geweest, geen benzine; al met al minder brandbaar.

'Donna zei dat ze het niet wist. De motor was Peters afdeling. Zij was altijd in de kajuit bezig met het uitpakken van de etenswaren en zo terwijl hij de motor gereed maakte om te starten. En trouwens,' zei Sarah, 'waarom al die drukte over benzinedampen? Het is niet zo dat er werkelijk plassen benzine stonden. Volgens hen niet.'

'Het is de benzinedamp die ontploft,' zei ik. 'Vloeibare benzine vliegt alleen maar in brand indien het met lucht wordt vermengd.'

'Meen je dat?'

'Absoluut.'

'O.'

Er volgde een pauze; een stilte; een abrupt afscheid. Niet met slaande deuren, dacht ik, maar met gegeeuw.

Dinsdags zei Ted Pitts dat hij nog geen gelegenheid had gevonden om de bandjes voor de kopieën te kopen en woensdags wist ik een collega over te halen die middag mijn sportbeurt over te nemen en vertrok ik meteen na de ochtendlessen naar Norwich. Niet om mijn vrouw op te zoeken, maar om een bezoek te brengen aan de firma waar Peter gewerkt had.

Het bleek een uit twee man en een meisje bestaand geval te zijn, in drie vertrekken weggestopt tussen een reeks kantoren in een gebouw op een industrieterrein; een bescheiden onderdeel tussen ongeveer twintig andere die op het bord met namen in de hal vermeld stonden, MASON MILES ASSOCIATES, COMPUTERADVISEURS, ingeklemd tussen DIRECT ACCES DISTRIBUTIEDIENST en SEA MAGIC, IMPORT VAN SIERSCHELPEN.

Mason Miles en zijn medewerkers gaven er geen blijk van zich te overwerken, hoewel er toch ook niets hing van de droefgeestigheid die te vinden is bij bedrijven die op het randje van de ondergang verkeren. Men had het gevoel dat het gebrek aan activiteit normaal was.

Het meisje zat achter een bureau een tijdschrift te lezen. De jongste van de beide mannen zat in de ingewanden van een kleine computer te peuteren en erbij te neuriën op de manier van Ted Pitts. De oudste man hing achter een wijd openstaande deur met het opschrift MASON MILES lui in een gemakkelijke stoel met een wijd opengeslagen krant in zijn uitgestrekte handen. Alle drie keken ze zonder zich te haasten zo'n vijf seconden nadat ik door hun buitenste, onverdedigde verdedigingsgordel was gelopen, op.

'Goeiemiddag,' zei het meisje. 'Komt u voor de betrekking?'

'Welke betrekking?'

'Dan komt u er dus niet voor. Geen Robinson, D. F.?'

'Ik ben bang van niet.'

'Hij is te laat. Ik wed dat hij niet komt.' Ze haalde

haar schouders op. 'Gebeurt geregeld.'

'Is dat soms de baan van Peter Keithly?' vroeg ik.

De jonge man schonk zijn volledige aandacht weer aan zijn ontkrachte machine.

'Inderdaad,' zei het meisje. 'Als u niet voor die baan komt, waarmee kunnen we u dan van dienst zijn?'

Ik legde uit dat mijn vrouw, die bij Peter thuis logeerde, de indruk had gekregen dat iemand van de firma Peters weduwe had bezocht en naar bandjes had gevraagd waar hij mee bezig was geweest.

Het meisje trok een onwetend gezicht. Mason Miles wierp me vanuit de verte een lange frons toe. De jonge man liet een schroevendraaier vallen en mompelde iets binnensmonds.

'Geen van ons is bij Peter thuis geweest,' zei het meisje. 'Ook niet voordat het gebeurde.'

Miles Mason schraapte zijn keel en verhief zijn stem. 'Wat voor bandjes hebt u het over? Komt u liever hier binnen.'

Hij legde zijn krant neer en rees met tegenzin overeind, alsof de inspanning te veel was voor een doordeweekse middag. Hij leek in het geheel niet op de beschrijving die Sarah gegeven had van een gezette, gewone man van middelbare leeftijd met grijs haar. Hij bezat een golvend rode haardos boven een lang, bleek gezicht, een lange, eigenzinnig uitziende bovenlip en op Scandinavische wijze geprononceerde jukbeenderen; het hele, extra lange lichaam, voor zover ik het kon beoordelen, nog niet ouder dan veertig.

'Ik hoop niet dat ik u stoor,' zei ik zonder ironische bijbedoeling.

'Niet in het minst.'

'Kan er iemand anders van uw firma naar Peters huis zijn geweest,' vroeg ik, 'om namens u naar de bandjes te vragen waar hij mee bezig was?'

'Wat waren dat voor bandjes?'

'Cassettes met programma's om de kansen van renpaarden te berekenen.'

'Hij was met geen enkel project van dien aard bezig.'

'In zijn vrije tijd misschien?' opperde ik.

Miles Mason haalde zijn schouders op en ging weer zitten met de opluchting van een reiziger na een vermoeiende tocht. 'Mogelijk. Wat hij in zijn vrije tijd uitvoerde was zijn zaak.'

'En werkt er bij u een man van middelbare leeftijd met grijs haar?'

Hij keek mij peinzend aan en zei enkel: 'Zo iemand hebben wij niet in dienst. Als zo iemand mevrouw Keithly bezocht heeft onder het voorwendsel dat hij van ons kwam is dat verontrustend.'

Ik keek naar zijn volkomen onverstoorde houding en gaf hem gelijk.

'Peter heeft die programma's geschreven voor iemand die Chris Norwood heette,' zei ik. 'Ik neem aan dat u nog nooit van hem gehoord hebt?' Ik maakte er een vraag van, doch zonder veel hoop, en hij schudde zijn hoofd en raadde mij aan het aan zijn medewerkers in het voorkantoor te vragen. Bij de medewerkers maakte de naam Chris Norwood al evenmin iets wakker, maar de jonge man hief zijn hoofd lang genoeg op van zijn gegoochel met micro-chips om te zeggen dat hij alles wat Peter betreffende zijn werk had achtergelaten in een schoenendoos in een kast had gezet, en hij veronderstelde dat het niet erg zou zijn als ik daar een kijkje in wilde nemen.

Ik vond de doos, pakte hem uit de kast en begon de papiertjes met aantekeningen die erin zaten door te snuffelen. Ze hadden vrijwel allemaal betrekking op zijn werk, in de vorm van raadselachtige briefjes aan zichzelf. 'Vergeet niet R. T. te vertellen van verandering aan PET.' 'Floppy discs voor L. M. F. ophalen.' 'Vertel ISCO over L.'s softwarepakket.' 'De storing in R.'s programma moet een syntactische fout in de subroutine zijn.' En nog veel meer van dit moois, maar niets waar ik wat aan had.

Plotseling klonk er drukte en zenuwachtig geren bij de buitendeur, en verscheen er een hoogrood aangelopen jongmens, buiten adem en met een wilde blik in zijn ogen, in gezelschap van een koffer, een weekendtas, een overjas en een tennisracket.

'Neem mij niet kwalijk,' bracht hij hijgend uit. 'De trein had vertraging.'

'Robinson?' vroeg het meisje kalm. 'D. F.?'

'Wat? O. Ja. Is die baan nog vrij?'

Ik bekeek de volgende notitie, in een even keurig handschrift als alle andere: 'Grantley-Basic-bandje lenen van G. F.' Ik draaide het papiertje om. Op de achterkant had hij geschreven: 'C. Norwood, Angel Keukens, Newmarket.'

Volhardend ging ik door tot op de bodem van de doos, maar verder was er niets waar ik wat van snapte. Ik legde alle onsamenhangende notities terug en bedankte de medewerkers voor hun moeite. Ze luisterden nauwelijks. De hele firma had zijn aandacht gebiologeerd op D. F. Robinson gericht, die wegschrompelde onder hun examenvragen. Miles, die hen allemaal in zijn kantoor gewenkt had, vroeg: 'Wat zou u doen als een klant steeds maar domme fouten bleef maken, maar ú de schuld gaf omdat u hem zijn systeem niet behoorlijk had uitgelegd?'

Ik nam vluchtig afscheid, wat niemand opmerkte, en vertrok.

Newmarket ligt tachtig kilometer ten zuiden van Norwich, en daar reed ik op die zonnige middag heen met het gevoel dat de mist dichter dan ooit om mij heen hing. Radar zou misschien niet gek geweest zijn. Of een storm. Of wat behoorlijke, verhelderende informatie. Door blijven gaan, dacht ik; door blijven gaan.

De Angel Keukens moesten volgens de telefoongids op het postkantoor in de Angel Lane te vinden zijn, waarheen diverse inwoners mij de weg wezen met een nauwkeurigheid die varieerde van vaag tot totaal afwezig, en wat een doodlopende asfalt bovenloop aan de oostkant van de stad bleek te zijn, op grote afstand van de hoofdstroom van de High Street.

De Keukens waren precies wat het woord zei: de keukens van een grootbedrijf in voedingsprodukten, dat diep-vries-diners voor fijnproevers in aluminiumbakjes van één portie vervaardigde voor de bovenlaag van de markt. 'Rijkeluisvreten,' noemde een van mijn richtingaanwijzers het. 'Dure troep,' zei een ander. 'Je kan dat spul in de stad kopen, maar geef mij maar een hamburger,' zei weer een ander, en 'Echt wel smakelijk,' zei de laatste. Het produkt kenden ze allemaal, zij het dan niet de plaats waar het gemaakt werd.

Je zou zeggen dat de keukens vroeger het achtergedeelte en de bijgebouwen van een landhuis waren geweest; ze maakten een enigszins rommelige indruk en waren omringd door volwassen bomen en de overblijfselen van een door een landschapsarchitect ontworpen tuin. Ik parkeerde mijn auto op de grote, maar druk bezette betonnen parkeerplaats voor een wit, één verdieping hoog bouwsel dat het opschrift Kantoor droeg en duwde de dubbele toegangsdeur van spiegelglas open.

Daarbinnen, in de onmetelijke kantoortuin, was het contrast met Mason Miles volkomen. Het leven ging hier op een draf, zoal niet in galop. Je zou haast denken dat het werk dat ze onder handen hadden de aanwezigen boven het hoofd zou groeien indien ze ook maar een moment achterover zouden leunen.

Met mijn aarzelend informeren naar iemand die met Chris Norwood bevriend was geweest maakte ik een onverwacht heftige reactie los.

'Die slijmerd? Als hij al vrienden had, dan moeten ze bij de groenteverwerking zitten, waar hij werkte.'

'Eh, de groenteverwerking?'

'Grijs stenen gebouw van twee verdiepingen voorbij de diepvriesloodsen.'

Ik liep het parkeerterrein weer op, liep zoekend om het gebouw en vroeg nog eens.

'Waar ze die peen aan het afladen zijn.'

De peen ging op een vorkheftruck met zakken vol een grijs stenen gebouw van twee verdiepingen in, en de chauffeur daarvan wees me zonder iets te zeggen naar een minder spelonkachtige ingang om de hoek.

Daardoorheen kwam je door een halletje, met ernaast een grote kleedkamer waar rijen dagelijkse kleren aan haakjes hingen. Dan kwam er een wit betegeld waslokaal, waar het rook als in een ziekenhuis, gevolgd door een klapdeur die naar een lange, smalle ruimte leidde die verlicht werd door verblindende elektrische lampen en gevuld was met glimmende, roestvrij stalen, luid gonzende machines en in het wit geklede mensen.

Een grote man die over een opgezwollen buik iets droeg wat er als een katoenen borstrok uitzag kwam toen hij mij daar in mijn gewone plunje zag staan met zwaaiende armen op mij toe en joeg mij naar buiten.

'Christusnogtoe, man, door jou zou ik de zak krijgen,' zei hij terwijl de klapdeur achter ons dichtviel.

'Ik werd hierheen gestuurd,' zei ik vriendelijk.

'Waar kom je voor?'

Minder zeker van mijn zaak dan eerst informeerde ik naar een mogelijke vriend van Chris Norwood.

De sluwe ogen boven de bierbuik namen mij schattend op. Hij trok zijn lippen samen. Zijn koksmuts zat als gegoten boven zijn zware, donkere wenkbrauwen.

'Die is vermoord,' zei hij. 'Ben je van de krant?'

Ik schudde mijn hoofd. 'Hij kende een vriend van me, en hij heeft ons allebei een beetje in de problemen gebracht.'

'Net iets voor hem.' Hij haalde een grote, witte zakdoek uit zijn witte broek te voorschijn en veegde zijn neus af. 'Waar is het je eigenlijk precies om te doen?'

'Alleen maar met iemand praten die hem gekend heeft. Ik wil weten wat het voor iemand was. Met wie hij omging. Wat je maar wilt. Ik wil het hoe en waarom weten van de problemen die hij ons bezorgd heeft.'

'Ik heb hem gekend,' zei hij. Hij zweeg even en dacht na. 'Wat is het je waard?'

Ik zuchtte. 'Ik ben maar een onderwijzer. Het is me waard wat ik ervoor kan uitgeven. En het hangt ervan af wát je weet.'

'Goed dan,' zei hij, de knoop doorhakkend. 'Ik ben hier om zes uur klaar. Ik zie je om die tijd in de Purple Dragon, goed? De laan uit, linksaf, vierhonderd meter verderop. Ik krijg een paar biertjes van je en dan praten we verder. Oké?'

'Jawel,' zei ik. 'Mijn naam is Jonathan Derry.'

'Akkerton.' Hij gaf me een kort knikje, alsof hij een koop bezegelde. 'Vince,' voegde hij er als bij nader inzien aan toe. Ik werd nog één keer van top tot teen bekeken, wat hem niet leek mee te vallen, en toen beende hij weg door de klapdeur. Ik hoorde nog net de eerste woorden die hij de lange, drukke ruimte inslingerde. 'Jij daar, Reg, ga weer aan je werk. Ik hoef me maar even om te draaien...'

De deur sloot zich discreet achter hem.

Ik wachtte op hem aan een tafeltje in de Purple Dragon, een heel wat minder kleurrijk café dan de naam zou doen vermoeden, en om kwart over zes verscheen hij, nu in een grijze broek en een blauw met wit overhemd dat strak zat dichtgeknoopt. Toen hij hijgend en langs zijn lippen likkend ging zitten werd mij een ovaalvormig inkijkje op zijn behaarde borst gegund. Het eerste glas dat ik voor hem bestelde verdween in één enkele slok, op de voet gevolgd door de helft van het tweede.

'Werk waar je dorst van krijgt, groente fijnhakken,' zei hij.

'Doe je dat met de hand?' Ik was verbaasd en liet dat merken.

'Allicht niet. Wassen, schillen, fijnhakken, wordt allemaal machinaal gedaan. Maar niks wipt uit zichzelf in een machine. Of eruit.'

'Wat voor groente?' vroeg ik.

'Hangt ervan af wat ze nodig hebben. Vandaag hoofdzakelijk peen, selderij, uien en champignons. Zo'n beetje elke dag vaste prik, die dingen. Hebben ze voor de bœuf bourguignon nodig. Ons grootste succes, bœuf bourguignon. Daarna komt kip Chablis en varkenshaas in portwijn. Wel eens gegeten?'

'Ik zou het echt niet weten.'

Hij glom van trots. 'Het is goed eten,' zei hij serieus, terwijl hij zijn mond afveegde. 'Allemaal verse grondstoffen. Wordt niet mee gerotzooid. Wel duur, maar het is het waard.'

'Houd je van je werk?' vroeg ik.

Hij knikte. 'Echt wel. Ik heb mijn hele leven in keukens gewerkt. Er waren erbij waar je de kakkerlakken een hand kon geven. Zo groot als ratten. Maar hier – zo schoon dat je een fruitvliegje op een kilometer afstand zou zien. Ik zit nou drie maanden bij de groenteverwerking. Heb eerst een jaar bij de vis gewerkt, maar daarvan blijft de stank na een poosje in je neusgaten hangen.'

'Hakte Chris Norwood ook groente fijn?' vroeg ik.

'Als we het niet aankonden. Anders maakte hij schoon, controleerde wat er binnenkwam en deed boodschappen.' Zijn stem klonk zelfverzekerd en beslist; iemand die niet op zijn woorden hoefde te passen.

'Eh, controleren wat er binnenkwam?' zei ik.

'Hij telde de zakken groente die werden bezorgd. Als er twintig zakken uien op het afleveringsbriefje van die dag stonden dan keek hij of het er wel twintig waren.' Hij bekeek de inhoud van zijn glas. 'Volgens mij was het gekkenwerk om hem die baan te geven. Let wel, je wordt er geen miljonair van, zakken peen en uien achterover drukken, maar het scheen dat hij met behulp van de vrachtwagenchauffeurs een hele serie dorpswinkels bevoorraadde. De chauffeur liet de zakken onderweg hierheen van de wagen vallen, snap je, en Chris Norwood telde er dan twintig, terwijl het er maar zestien waren. De winst deelden ze. Dat soort dingen gebeurt overal, in iedere keuken waar ik gewerkt heb. Met vlees idem dito. Prachtige runderlenden. Kaviaar. Je kan het zo gek niet opnoemen of het wordt gegapt. Maar Chris was niet zo maar een gelegenheidsdief. Hij kon nergens met zijn handen afblijven.'

'Waar kon hij niet met zijn handen afblijven?' vroeg ik.

Vince Akkerton liet het restantje bier naar binnen glijden en zette zijn glas met een veelbetekenende klap neer.
Gehoorzaam gaf ik een teken naar de bar om het recept
te laten herhalen, en nadat het verse schuim naar behoren
was geïnspecteerd en een proefje van de bovenste vijf
centimeter genomen, kreeg ik te horen wat Chris Norwood gestolen had.

'De meisjes op kantoor zeiden dat hij geld van ze jatte.
Het duurde een hele tijd voor ze erachter kwamen. Ze
dachten dat het een van de vrouwen daar was die ze niet
mochten. Chris liep de hele tijd in en uit om de dagstaten
op te halen en ze een beetje op te vrijen. Hij had een hele
dunk van zichzelf. Verwaande kwast.'

Ik keek naar het vlezige, wereldwijze gezicht en moest
aan sergeant-majoors en scheepsmachinisten denken. Hetzelfde gemak waarmee ze ervan uitgingen dat ze gehoor-
zaamd werden – de gave om mensen op hun waarde te
schatten en aan het werk te zetten. Mensen als Vince
Akkerton waren onmisbaar als het er op aan kwam dingen gedaan te krijgen.

'Hoe oud was Chris Norwood?' vroeg ik.

'In de dertig. Net als jij. Moeilijk precies te zeggen.'
Hij nam een slok. 'In wat voor moeilijkheden heeft hij je
gebracht?'

'Ik kreeg een paar knokfiguren bij mij thuis om naar
iets te zoeken dat van hem was.'

Mist, dacht ik.

'Wat voor iets?' vroeg Akkerton.

'Computerbandjes.'

Als ik in het Buitenmongools gesproken had zou het
hem niet minder gezegd kunnen hebben. Hij camoufleerde
zijn beduusdheid met bier en teleurgesteld nam ik een slok
van het mijne.

'Er staat daar op kantoor natuurlijk wel een computer
of zo iets,' zei Akkerton, zich herstellend. 'Die gebruiken
ze om in de gaten te houden voor hoeveel ton bœuf
bourguignon enzovoorts ze bestellingen hebben en hoeveel
in de vriescellen, dat soort dingen. Om uit te rekenen hoe-

veel duizend eenden ze nodig hebben. Kreeften. Zelfs korianderzaad.' Hij zweeg even, en zei toen met het eerste vleugje humor: 'Let wel, door oorzaken van buitenaf klopt er nooit wat van. Laatst was er een hele zending kalkoenen zoek. Computerfout, zeiden ze.' Hij gromde. 'Daar was Chris Norwood met zijn peen en uien maar een kleine jongen bij.'

'Het ging om computerbandjes die wat met paarden-rennen te maken hadden,' zei ik.

Hij lichtte zijn donkere wenkbrauwen op. 'Daar kan ik beter inkomen. Alles hier in de stad heeft uiteindelijk met paardenrennen te maken. Ik heb ze horen beweren dat er een rechtstreekse verbinding tussen de paardenvilder en onze bœuf bourguignon bestaat. Dat is lasterpraat.'

'Wedde Chris Norwood?'

'Bij ons in de zaak wedt iedereen. Christusnogtoe, in een stad als deze móét je wel wedden. Het zit in de lucht. Besmettelijk, net als de pokken.'

Ik leek op die manier totaal nergens te komen en ik wist niet wat ik nog meer zou kunnen vragen. Ik pro-beerde het met iets anders en vroeg: 'Waar is Chris Nor-wood vermoord?'

'Waar? Op zijn kamer. Hij had een kamer in een huur-huis bij een gepensioneerde oude weduwe die 's ochtends uit schoonmaken gaat. Ze mocht geen onderhuurders ne-men, moet je weten, dat wil de woningbouwcorporatie niet hebben, en ze had er nooit iets van tegen de sociale dienst, van wie ze al die tijd gratis maaltijden kreeg, ge-zegd dat ze inkomsten had, dus ze wordt helemaal kiere-wiet van alle opschudding die er aan de gang is.' Hij schudde zijn hoofd. 'Eén straat bij me vandaan, waar dit allemaal gebeurd is.'

'Wat is er nu precíés gebeurd?'

Hij toonde zich niet afkerig het mij te vertellen. Eerder gretig.

'Toen ze de kamer bij Chris binnenging om er schoon te maken vond ze hem daar dood liggen. Ze dacht dat hij naar zijn werk was, zie je; ze ging 's ochtends altijd eerder dan hij de deur uit. In elk geval, daar lag hij. Een hele hoop bloed, heb ik horen zeggen. Wat er van waar is weet je nooit, maar volgens zeggen zaten er kogels in zijn vóéten. Doodgebloed.'

Christusnogtoe...

'Hij kon niet meer lopen, begrijp je wel,' zei Akkerton. 'Geen telefoon. Een achterkamer. Niemand heeft hem gezien.'

Met droge mond vroeg ik: 'En... zijn spullen?'

'Weet ik echt niet. Niks gestolen, voor zover ik gehoord heb. Het schijnt dat er alleen een paar dingen gebroken waren. En zijn stereoinstallatie was keurig stukgeschoten, net als hij.'

Wat zal ik doen, dacht ik. Zal ik naar de politie gaan die de dood van Chris Norwood onderzoekt en ze vertellen dat ik twee mannen op bezoek heb gehad die dreigden dat ze op mijn televisie en mijn enkels zouden schieten? Ja, dacht ik, dit keer moest ik dat maar doen.

'Wanneer...' Mijn stem klonk schor. Ik schraapte mijn keel en probeerde het nog eens. 'Wanneer is het gebeurd?'

'Vorige week. Hij kwam vrijdagmorgen niet opdagen, en dat was verdomd lastig omdat we die dag met rapen aan de gang waren en het zijn werk was om het loof en de wortels eraf te hakken en ze in de spoelmachine te gooien.'

Het duizelde mij. Chris Norwood was vrijdagmorgen dood geweest. Het was *zaterdagmiddag* geweest toen ik de Walther van mijn bezoekers in de rozenstruik had gegooid. Zaterdags waren ze nog steeds op zoek geweest naar de bandjes, wat betekende... goeie god... dat ze ze niet van Chris Norwood gekregen hadden. Ze hadden hem neergeschoten en waren weggegaan, maar de bandjes hadden ze nog altijd niet. Als hij ze had gehad zou hij ze aan hen gegeven hebben, om te voorkomen dat ze hem zouden neerschieten; om zijn leven te redden. De bandjes waren geen mensenleven waard, echt niet. Ik herinnerde mij met wat voor zorgeloze houding ik tegenover dat pistool had gestaan, en kreeg alsnog de angst nu ik eraan terugdacht.

Vince Akkerton liet merken dat hij het tijd vond worden dat hij voor zijn inspanningen betaald werd. Ik zat inwendig af te wegen wat ik mij kon veroorloven en hoeveel hij misschien zou verwachten, en besloot hem met zo weinig mogelijk af te schepen. Voor ik het kon aanbieden kwamen er echter twee meisjes de bar binnen en maakten aanstalten aan het tafeltje naast ons te gaan zitten. Toen ze Akkerton zag veranderde een van hen opeens van richting en bleef naast hem stilstaan.

'Hallo, Vincent,' zei ze. 'Doe ons een plezier. Geef ons een rum-cola, dan betaal ik je morgen terug.'

'Dat heb ik vaker gehoord,' zei hij toegeeflijk. 'Maar mijn vriend hier trakteert.'

Twee rum-cola's, nog een vol glas bier en een halfje (voor mij) armer zat ik te luisteren hoe Akkerton uitlegde dat de meisjes op kantoor bij de Angel Keukens werkten.

Carol en Janet. Jong, tamelijk vlot, vol gekeuvel en gekwetter, elk moment hun vriendjes verwachtend.

Carols mening over Chris Norwood was er ronduit een vol verontwaardiging. 'We waren met elkaar tot de conclusie gekomen dat hij het moest zijn die met zijn vingers in onze handtasjes zat, maar we konden het niet bewijzen, ziet u. We wilden juist een val voor hem opstellen toen hij vermoord werd, en ik neem aan dat ik het erg voor hem moet vinden, maar dat kan ik echt niet. Hij kon nergens met zijn handen afblijven. Letterlijk nergens. Hij zou je laatste boterham stelen wanneer je even niet keek en je uitlachen terwijl hij hem opat.'

'Hij zag er niets kwaads in om van alles te gappen,' zei Janet.

'Janet hier,' zei Akkerton, terwijl hij vooroverleunde om zijn woorden te benadrukken, 'bedient de computer. Vraag haar maar over die bandjes.'

Janet antwoordde met bedachtzaam opgeheven wenkbrauwen.

'Ik wist niet dat hij werkelijk iets van bandjes had,' zei ze. 'Maar hij hing altijd in de buurt rond. Het was zijn werk, weet u, om de dagstaten van alle afdelingen op te halen en bij mij te brengen. Hij bleef dan altijd een poosje plakken, in het bijzonder de laatste paar weken, om te vragen hoe de computer werkte, weet u. Ik liet hem zien hoe alle hoeveelheden erdoor werden aangegeven, weet u, hoeveel zout en dat soort dingen naar iedere afdeling moesten worden gebracht en hoe alle orders verwerkt werden, containers met verschillende produkten naar Bournemouth of Birmingham, weet u. Zonder die computer zou de hele firma ineenstorten, weet u.'

'Wat voor merk is het?' vroeg ik.

'Wat voor mérk?' Dat vonden ze allemaal een gekke vraag, maar ik had op het antwoord een weddenschap durven afsluiten.

'Een Grantley,' zei Janet.

Ik glimlachte zo onschuldig mogelijk tegen haar en vroeg of ze zou hebben goedgevonden dat Chris Norwood zijn bandjes op haar Grantley zou hebben afgedraaid als hij het vriendelijk gevraagd had, en na een schuldbewuste aarzeling en met gebogen hoofd tegen haar rum-cola gebloosd te hebben zei ze dat ze het op zeker moment misschien wel goedgevonden zou hebben, weet u, voordat ze ontdekt hadden dat het Chris was die hun geld stal, weet u.'

'We hadden het al een tijd terug kunnen raden,' zei Carol, 'maar al die dingen die hij pikte, zoals onze boterhammen en zo meer, en dingen van kantoor, nietjes, enveloppen, rollen plakband, nou, we zágen dat hij die meenam, daar waren we aan gewend.'

'Heeft er nooit iemand geklaagd?' vroeg ik.

Niet officieel, zeiden de meisjes. Wat zou het voor zin hebben gehad? De firma ontsloeg nooit mensen wegens diefstal, als ze dat deden zou er een staking uitbreken.

'Behalve die ene keer, weet je nog, Janet?' zei Carol. 'Toen dat arme oude mens kwam aanzetten, die maar bleef doorzaniken dat Chris bij haar thuis dingen stal.

Díé klaagde wel. Ze is drie keer terug geweest om bonje te maken.'

'O jawel,' knikte Janet. 'Maar het bleek dat het alleen maar om wat ongelukkige velletjes papier ging, weet u, niet iets als geld of kostbaarheden, en Chris zei trouwens dat ze niet goed wijs was en dat ze ze hoogst waarschijnlijk had weggegooid, en alles dreef over, weet u.'

'Hoe heette die oude dame?' vroeg ik.

De meisjes keken elkaar aan en schudden hun hoofd. Het was alweer weken geleden, zeiden ze.

Akkerton zei dat hij daar niets van geweten had, hij had nooit iets over dat oude mens gehoord, daar bij zijn groente.

De vrienden van de meisjes kwamen op dat moment binnen en er volgde een hoop geschuif om plaats voor hen te maken aan tafel. Ik zei dat ik er eens vandoor moest, en Akkerton beduidde mij met een van die onuitgesproken boodschappen dat ik buiten op hem moest wachten.

'O'Rorke,' zei Carol opeens.

'Wat?'

'Zo heette dat oude mens,' zei ze. 'Ik herinner het me opeens weer. Het was mevrouw O'Rorke. Ze kwam uit Ierland. Haar man was pas overleden en ze had Chris betaald om houtblokken voor de haard naar binnen te brengen en andere dingen die ze alleen niet kon.'

'Je weet zeker niet waar ze woont?'

'Is dat zo belangrijk? Het was enkel maar een hoop herrie om niets.'

'Niettemin...'

Ze fronste licht terwijl ze gedienstig nadacht, hoewel ze haar aandacht voornamelijk op haar vriend gericht hield, die geneigd leek tegen Janet te flirten.

'Stetchworth,' riep ze uit. 'Ze klaagde over het bedrag dat ze voor de taxi kwijt was.' Ze keek me vlug even aan. 'Eerlijk gezegd waren we op het laatst blij dat we haar kwijt waren. Het was een verschrikkelijke oude lastpost, maar we wilden ook weer niet al te onvriendelijk tegen haar zijn, vanwege de dood van haar man en zo.'

'Wel bedankt,' zei ik.

'Tot uw dienst.' Ze wendde zich van mij af en ging zeer gedecideerd tussen haar vriend en Janet in zitten, terwijl Akkerton en ik naar buiten liepen om onze zaken te regelen.

Hij keek filosofisch naar wat ik hem gaf, knikte en vroeg of ik mijn naam en adres op een papiertje wilde schrijven voor het geval hem nog iets te binnen schoot om mij te vertellen. Ik scheurde een bladzij uit mijn agenda, schreef het op en gaf het hem, in de mening dat onze transactie hiermee voorbij was, maar toen ik hem de hand had geschud, gedag gezegd en wegliep, riep hij me na.

'Wacht even, jò.'

Ik draaide mij om.

'Heb je waar voor je geld gekregen?' vroeg hij.

Meer dan waar ik op gerekend had, dacht ik. Ik zei: 'Ja, ik denk het wel. Kan het nog niet precies zeggen.'

Hij knikte en trok zijn lippen samen. Toen stak hij me met een geheel niet bij hem passend, onhandig gebaar de helft van het geld toe. 'Hier,' zei hij. 'Pak aan. Ik keek in het café in je portefeuille. Je bent vrijwel platzak. Het onderste uit de kan willen hebben is ook niet goed.' Hij maakte een porrende beweging met zijn gift in de richting van mijn hand en ik nam het dankbaar terug. 'Onderwijzers,' zei hij, terwijl hij de deur van het café openduwde. 'Een stelletje onderbetaalde schlemielen. Nooit gedacht dat ik nog eens zo ver zou komen.' Hij wuifde mijn poging hem te bedanken weg en keerde terug naar zijn bier.

6

Met behulp van de kaart en ondanks verkeerde aanwijzingen vond ik ten slotte het huis van O'Rorke in Stetchworth. Ik reed de oprit in, zette de motor af, stapte uit
en bekeek wat er voor mij lag.

Een groot, onsamenhangend, rommelig bouwsel; veel
hout, veel gevelspitsen, in het wilde weg langs de gevel
kruipende planten die hun ranken tot het leien dak omhoog staken, en schuiframen met kozijnen die in een ver
verleden wit waren geweest. De tuin leek in het zachte
avondlicht enkel uit in het wilde weg groeiend gras en
struiken te bestaan; de voordeur werd vrijwel aan het
oog onttrokken door een grote seringestruik, wit en zoet
geurend.

Misschien dat er als gevolg van mijn vinger op het
knopje ergens binnen een bel rinkelde, maar ik hoorde
hem niet. Ik belde nogmaals en waagde een paar pogingen
met de klopper waar nauwelijks geluid uit kwam, en toen
de seconden van doodse stilte zich tot minuten aaneenregen deed ik een paar passen achteruit om naar de boven-
ramen te kijken voor tekenen van leven.

Ik zag de deur achter de seringestruik niet eens open-
gaan, maar van tussen de bloemen vandaan klonk er een
scherpe stem die me vroeg: 'Komt u van Sint-Antonius?'

'Eh, nee.' Ik stapte weer terug binnen de gezichtskring
van het portiek en ontdekte in de schaduw van de half
openstaande deur een kleine, oude vrouw met witte haren,
een geelachtige huid en verwilderde ogen.

'Voor het vet?'

'Welk vet?' vroeg ik beduusd.

'Van de kerk natuurlijk.'

'O,' zei ik. 'Het *fête*.'

Ze keek me aan of ik onnoemelijk stom was, wat van

haar standpunt uit bezien ongetwijfeld het geval was.

'Als u de pioenen vanavond afsnijdt, zijn ze zaterdag dood,' zei ze.

Ze had een onmiskenbaar Ierse stem, doch met de zuivere klinkers die op ontwikkeling wezen, en haar woorden waren kennelijk bedoeld om mij af te schepen. Ze hield zich met één hand aan de deur vast en met de andere aan het kozijn, en stond op het punt deze beide onherroepelijk te herenigen.

'Alstublieft,' zei ik haastig. 'Laat u me zien waar de pioenen staan... dan weet ik welke ik plukken moet... zaterdag.'

De al half ingezette beweging kwam tot staan. De oude vrouw dacht een moment na en stapte toen van achter de seringen te voorschijn zodat ik haar helemaal kon zien, een broodmager skelet, gekleed in een roestkleurige jumper met een strakke marineblauwe pantalon en roze met groene bedslippers.

'Achterom,' zei ze. Ze bekeek mij van top tot teen, maar zag kennelijk niets om achterdochtig over te zijn. 'Hierheen.'

Ze ging me voor om het huis heen via een pad waarvan de platte, verzonken tegels aan de randen overwoekerd waren door het onkruid van wat eens mogelijk bloembedden waren geweest. Langs een tot schouderhoogte opgetaste stapel houtblokken, opvallend netjes met de rest vergeleken. Langs een gesloten zijdeur. Langs een broeikas, vol met de verwilderde stengels van een massa dode geraniums. Langs een kruiwagen met sintels, naar de bedoeling waarvan men slechts kon gissen. Om een onverwachte hoek heen, door een heel nauwe opening in een welig tierende heg, waarna we ten slotte in de onvoorstelbare warboel van de achtertuin kwamen.

'Pioenen,' zei ze wijzend, hoewel dat eigenlijk niet nodig was. Rondom wat vroeger een gazon was geweest verhieven zich uitgestrekte rijen van de volle, weelderige, verfomfaaide bloemkronen, roze, rode en wit als kant, vanuit wat werkelijk een zee van glanzend donkere bladeren was, alles overgoten met een vleugje goud van de ondergaande zon. In het verschiet mocht dan verrotting liggen, het heden was een triomfantelijke schreeuw in het aangezicht van de dood.

'Ze zijn prachtig,' zei ik, lichtelijk overdonderd. 'Het moeten er duizenden zijn.'

De oude vrouw keek ongeïnteresseerd rond. 'Ze groeien hier elk jaar. Liam kon er niet genoeg van krijgen. U kunt er net zoveel nemen als u wilt.'

'Ahum.' Ik schraapte mijn keel. 'Ik kan u maar beter bekennen dat ik niet van de kerk ben.'

Ze keek me aan met een zelfde soort beduusdheid als waarmee ik even tevoren haar had aangestaard. 'Waarvoor wilde u dan de pioenen zien?'

'Ik wilde u spreken. Zonder dat u naar binnen zou gaan en de deur dichtklappen zodra u zou horen waarover ik met u wilde spreken.'

'Jongeman,' zei ze streng, 'ik koop niets. Ik geef niet aan liefdadigheid. En van politici moet ik niets hebben. Waar komt u voor?'

'Ik zou meer willen weten,' zei ik langzaam, 'over de papieren die Chris Norwood van u gestolen heeft.'

Haar mond zakte open. Haar verwilderde ogen tastten mijn gezicht af als grote, waterige zoeklichten. Haar magere lijf schudde van heftige, maar onverklaarde emotie.

'Maakt u zich geen zorgen,' zei ik haastig. 'Ik heb niets kwaads in de zin. U hoeft nergens bang voor te zijn.'

'Ik ben niet bang. Ik ben kwaad.'

'U had toch wat papieren, niet waar, die Chris Norwood gestolen heeft?'

'De papieren van Liam. Jawel.'

'En u bent naar de Angel Keukens geweest om u te beklagen?'

'De politie deed niets. Absoluut niets. Ik ben naar de Angel Keukens gegaan om die afschuwelijke vent te dwingen ze terug te geven. Ze zeiden dat hij er niet was. Ze logen. Dat weet ik wel zeker.'

Ik vond niet dat ik haar reden had gegeven voor haar heftige geagiteerdheid. Kalm zei ik: 'Kunnen we alstublieft niet even gaan zitten...' Ik keek om mij heen of er ook een tuinbank stond, maar zag niets van dien aard. 'Het is niet mijn bedoeling u van streek te maken. Ik zou u zelfs behulpzaam kunnen zijn.'

'Ik ken u niet. Het is niet vertrouwd.' Ze keek me nogmaals enkele tergende seconden recht in mijn gezicht aan, draaide zich toen om en sloeg dezelfde weg terug in als waarlangs we gekomen waren. Schoorvoetend volgde ik haar, mij ervan bewust dat ik mij onhandig had gedragen, maar nog altijd niet wetend wat ik anders had moeten doen. Ik was haar kwijt, dacht ik. Ze zou achter de seringen naar binnen verdwijnen en mij buiten laten staan.

Terug door de heg, langs de sintels, langs het kerkhof in de broeikas; maar niet langs de gesloten zijdeur. Tot mijn enigszins verbaasde opluchting bleef ze daar staan en draaide de deurkruk om.

'Deze kant op,' zei ze, terwijl ze naar binnen ging. 'Kom binnen. Ik geloof dat ik u wel kan vertrouwen. U ziet er eerlijk uit. Ik zal het er maar op wagen.'

Binnen was het donker en er hing de lucht van lange tijd niet gebruikt zijn. We bleken ons in een smalle gang te bevinden waar ze, licht als een veertje en geruisloos op haar slippers, voor mij uit doorheen zweefde.

'Alleenwonende oude vrouwen horen geen mannen binnen te laten die ze niet kennen,' zei ze. Terwijl ze zich tegen de lucht voor zich uit richtte, leek de aanmaning voor haarzelf bedoeld te zijn. We liepen verder langs een aantal donker geschilderde dichte deuren, tot de gang uitmondde in een centrale hal, waar het weinige daglicht door hoge, gebrandschilderde ramen schemerde.

'Edwardiaans,' zei ze, mijn blik omhoog volgend. 'Deze kant op.'

Ik liep achter haar aan een ruim vertrek in met een druk bewerkte erker, die uitzag op de roemruchte tuin. Binnen, minder opvallend, diepblauwe gordijnen van velours, heel mooie, grote vloerkleden op het zilvergrijze tapijt, blauw fluwelen sofa's en fauteuils – en overal langs de wanden tientallen en nog eens tientallen zeegezichten. Van de vloer tot het plafond. Bollende zeilen. Viermasters. Stormen en zeemeeuwen en buiswater.

'Van Liam,' zei ze enkel, toen ze mijn hoofd in het rond zag gaan.

Wanneer Liam O'Rorke van iets hield, ging het door mij heen, dan kon hij er ook niet genoeg van krijgen.

'Ga zitten,' zei ze, terwijl ze naar een fauteuil wees. 'En vertel me wie u bent en waarvoor u hier gekomen bent.' Ze liep naar een sofa waarop ze, naar het boek en het glas op het bijzettafeltje te oordelen, voor mijn komst gezeten had en streek met haar tengere gestalte op het randje neer, alsof ze klaar zat om op te vliegen.

Ik legde uit in welke relatie Peter tot Chris Norwood had gestaan, waarbij ik vertelde dat volgens mij Chris Norwood mogelijk de papieren van haar man aan Peter had gegeven om tot computerprogramma's om te werken. Ik zei dat Peter dat gedaan had en de programma's op bandjes had gezet.

Ze schoof de ingewikkelde technische details ter zijde en kwam meteen tot de kern van de zaak. 'Wou u zeggen dat uw vriend Peter mijn papieren heeft?' vroeg ze streng. De hoop deed haar gezicht oplichten.

'Ik ben bang van niet. Ik weet niet waar de papieren zijn.'

'Vraag het aan uw vriend.'

'Hij is bij een ongeluk om het leven gekomen.'

'O.' Ze staarde mij diep teleurgesteld aan.

'Maar de bandjes,' zei ik. 'Waar die zijn weet ik – of in elk geval waar zich kopieën ervan bevinden. Als wat erop staat van u is, zou ik ze u kunnen bezorgen.'

Ze verkeerde in een mengeling van hernieuwde hoop en vraagtekens. 'Dat zou schitterend zijn. Maar die bandjes, waar ze ook mogen zijn, hebt u die niet meegebracht?'

Ik schudde mijn hoofd. 'Een uur geleden hoorde ik pas voor het eerst van uw bestaan. Een meisje, een zekere

Carol, vertelde mij over u. Ze werkt bij de Angel Keukens op kantoor.'

'O ja.' Mevrouw O'Rorke maakte even een verlegen gebaar. 'Ik heb tegen haar gegild. Ik was zo kwáád. Ze wilden me niet zeggen waar ik in al die gebouwen en loodsen Chris Norwood zou kunnen vinden. Ik had gezegd dat ik zijn ogen zou uitkrabben. Ik bezit een Iers temperament, weet u. Het lukt me niet altijd dat in bedwang te houden.'

Ik dacht aan de indruk die ze op die meisjes moest hebben gemaakt en dacht zo dat wat de meisjes 'bonje maken' hadden genoemd nog zacht was uitgedrukt.

'De moeilijkheid is,' zei ik langzaam, 'dat er iemand anders naar die bandjes op zoek is.' Ik deed haar een afgezwakt verhaal van het bezoek dat de knokploeg aan mijn huis had gebracht, waar ze met open mond naar luisterde. 'Ik weet niet wie het zijn,' zei ik, 'of waar ze vandaan komen. Ik begon bij mezelf te denken dat zoveel onwetendheid wel eens gevaarlijk zou kunnen zijn. Daarom ben ik aan het uitzoeken gegaan wat er aan de hand is.'

'En als u dat weet?'

'Dan weet ik wat ik níét moet doen. Ik bedoel, je kunt de grootste stommiteiten uithalen, met misschien verschrikkelijke gevolgen, alleen maar doordat je een bepaald simpel feit niet kent.'

Ze keek mij strak aan met voor het eerst het begin van een glimlachje. 'U vraagt mij niet meer of minder, jongeman, dan het geheim dat de homo sapiens al sinds onheuglijke tijden heeft beziggehouden.'

Ik was niet zozeer verbaasd door wat ze zei, dan wel door de wijze waarop ze zich uitdrukte, en alsof ze mijn verbazing bemerkte zei ze droog: 'Je wordt niet dommer naarmate je ouder wordt. Als iemand in zijn jonge jaren dom was, is hij het op hoge leeftijd waarschijnlijk nog. En als iemand in zijn jonge jaren scherpzinnig was, waarom zou die scherpzinnigheid dan afnemen?'

'Ik heb u onrecht gedaan,' zei ik langzaam.

'Dat doet iedereen,' zei ze onverschillig. 'Ik kijk in de spiegel. Ik zie een oud gezicht. Rimpels. Een gele huid. Zoals de samenleving tegenwoordig in elkaar zit betekent dit dat je in een vakje wordt geplaatst zodra je de uiterlijke kenmerken vertoont. Een oude vrouw, dus dom, last veroorzakend, kan mee gesold worden.'

'Nee,' zei ik. 'Dat is niet waar.'

'Tenzij je natuurlijk wat bereikt hebt in je leven,' voegde ze eraan toe, alsof ik niets gezegd had. 'Iets bereikt hebben is de redding van hoogbejaarden.'

'En hebt u... iets bereikt?'

Ze maakte met haar hoofd en handen een licht gebaar van spijt. 'Was het maar waar. Ik bezit een gemiddelde intelligentie, maar dat is ook alles. Je bereikt er niets mee. Het behoedt je niet voor razernij. Ik bied u mijn excuus aan voor de manier waarop ik in de tuin reageerde.'

'Dat hoeft echt niet,' zei ik. 'Diefstal is iets ernstigs. Allicht dat u kwaad bent.'

Ze ontspande zich in zoverre dat ze achterover leunde in de sofakussens, die nauwelijks inzonken onder haar gewicht.

'Ik zal u alles vertellen wat ik weet over wat er gebeurd is. Misschien kan het u ervoor behoeden Mozes door de Rode Zee na te jagen.'

Weten wat ik níét moet doen...

Ik grinnikte tegen haar.

Ze trok met haar lippen en zei: 'Wat weet u van paardenrennen af?'

'Niet veel.'

'Liam wel. Mijn man. Liam was gek op paarden, zijn leven lang. In Ierland natuurlijk, toen we nog jong waren. Daarna hier. Newmarket, Epsom, Cheltenham, daar hebben we gewoond. Toen weer terug hier naar Newmarket. Altijd de paarden.'

'Had hij er zijn beroep in?' vroeg ik.

'In zekere zin. Het was een gokker.' Ze keek mij kalm aan. 'Een beroepsgokker, bedoel ik. Hij leefde van zijn winst. Ik leef nog steeds van wat er van over is.'

'Ik wist niet dat dat mogelijk was,' zei ik.

'Met winst gokken?' De woorden pasten niet bij haar uiterlijk. Het was waar, dacht ik, wat ze gezegd had over vakjes. Oude vrouwen hoorden niet over gokken te praten; maar deze hier deed dat wel degelijk. 'In vroeger tijd was het heel goed mogelijk er redelijk van te leven. Tientallen mensen deden het. Je ging uit van een te verwachten winst van tien procent van het totaal dat je inzette, en als je er ook maar een beetje verstand van had haalde je dat. Toen werd de kansspelbelasting ingevoerd. Daardoor werd er een plak van alle uitbetalingen afgehaald en daalde de winstmarge tot vrijwel nihil, waardoor in een mum van tijd alle oude beroepsgokkers verdwenen. Je tien procent ging in zijn geheel naar de belasting, snapt u?'

'Ja,' zei ik.

'Liam had altijd meer dan tien procent gemaakt. Dat was zijn trots. Hij rekende erop dat hij een van de drie koersen kon winnen. Dat betekende dat gemiddeld om de twee wedstrijden er een winst opleverde. Dat is een zeer hoog percentage, dag in dag uit, jaar in jaar uit. En hij wist inderdaad de belasting weer goed te maken. Hij probeerde nieuwe manieren, voegde nieuwe factoren toe. Met zijn statistieken, zei hij, kon je op de lange duur altijd winnen. Geen van de bookmakers nam zijn weddenschappen nog aan.'

'Hè, wat?' vroeg ik.

'Wist u dat niet?' Haar stem klonk verbaasd, 'Bookmakers nemen geen weddenschappen aan van mensen die herhaaldelijk winnen.'

'Maar ik dacht dat ze daar juist voor waren. Om weddenschappen van mensen aan te nemen, bedoel ik.'

'Om weddenschappen aan te nemen van de gewone sukkels die altijd maar weer een gokje wagen,' zei ze. 'Van het soort dat zo af en toe wel eens wint, maar uiteindelijk altijd verliest. Maar vrijwel elke bookmaker waarbij je een rekening hebt lopen zal die rekening opzeggen als je maar blijft winnen.'

'Goeie hemel,' zei ik.

'Bij de koersen kenden alle bookmakers Liam,' zei ze. 'Was het niet persoonlijk, dan toch wel van gezicht. Ze lieten hem alleen maar contant wedden tegen de wedkoers bij het begin, en zodra hij zijn geld had ingezet seinden ze het de baan rond en verlaagden ze allemaal de uitbetaling op dat paard tot een belachelijk lage quote, bij een zeer lage inzetkoers, zodat hij niet veel zou winnen en andere bezoekers van de renbaan ervan weerhouden werden op dat paard te zetten, en hun geld liever op een ander zetten.'

Er viel een tamelijk lange stilte waarin ik wat ze gezegd had verwerkte en tot mij liet doordringen.

'En de toto?' vroeg ik.

'De toto is onvoorspelbaar. Liam moest er niets van hebben. In het algemeen is de uitbetaling bij de toto naar verhouding ook slechter dan bij bookmakers. Nee, Liam wedde het liefst bij bookmakers. Het was een soort oorlog. Liam won altijd, hoewel de bookmakers dat de meeste keren niet eens wisten.'

'Eh,' zei ik. 'Hoe bedoelt u?'

Ze zuchtte. 'Het was een heel werk. We hadden een tuinman. Meer een vriend. Hij woonde hier in huis. Aan het eind van die gang waar we net doorheen gekomen zijn, daar waren zijn kamers. Hij hield ervan rond te toeren, en daarom nam hij geld van Liam mee en reed naar de een of andere plaats om het beetje bij beetje in de plaatselijke wedlokalen in te zetten, en als het paard gewonnen had, wat meestal gebeurde, ging hij erlangs om te innen en kwam dan naar huis. Hij en Liam telden het allemaal uit, zoveel voor Dan – zo heette die vriend – zoveel voor het bedrijfskapitaal en de rest voor ons. Verder geen belasting te betalen natuurlijk. Geen inkomstenbelasting. Op die manier zijn we jarenlang doorgegaan. Jarenlang. We konden het allemaal uitstekend met elkaar vinden, ziet u.'

Ze verviel in stilzwijgen, in het milde verleden kijkend

met haar daarmee niet in overeenstemming zijnde, ver-wilderde ogen.

'En toen stierf Liam?' vroeg ik.

'Dan stierf. Achttien maanden geleden, net voor Kerst-mis. Hij is maar een maand ziek geweest. Het ging zo vlug.' Een pauze. 'En Liam en ik kregen pas naderhand in de gaten... We beseften niet hoezeer we van Dan afhanke-lijk waren, tot hij er niet meer was. Hij was zo sterk. Hij kon dingen optillen... en de tuin... Liam was zesentachtig, begrijpt u, en ik ben achtentachtig, maar Dan was jonger, niet ouder dan zeventig. Hij was smid geweest in Wes-ford, lang geleden. Zat ook vol grappen. We misten hem heel erg.'

De gouden gloed van het zonlicht buiten had de pioe-nen geleidelijk aan in de steek gelaten, zodat de grootse, zinderende kleurenpracht in het vallende duister tot scha-keringen van grijs vervaagde. Ik luisterde naar de jonge stem van de oude vrouw die van de donkere delen van haar leven verhaalde, waardoor de mist die over het mijne hing optrok.

'We dachten dat we iemand anders moesten vinden die de inzetten kon doen,' zei ze. 'Maar wie konden we ver-trouwen? Gedurende enige tijd heeft Liam het vorig jaar zelf geprobeerd, langs wedlokalen in plaatsen als Ipswich en Colchester gaand, plaatsen waar men hem niet kende, maar hij was te oud, het putte hem vreselijk uit. Hij moest ermee ophouden, het was hem te veel. We hadden aardig wat overgespaard, ziet u, en we besloten dat we daarvan dienden te leven. En toen, dit jaar, kwam er een man bij ons van wie we gehoord hadden, maar die we nog nooit ontmoet hadden, en die bood aan Liams systeem te kópen. Hij zei tegen Liam dat hij moest opschrijven hoe hij zo consequent won, dan zou hij kopen wat hij had op-geschreven.'

'En die aantekeningen,' zei ik, terwijl mij een licht op-ging, 'waren het die Chris Norwood gestolen heeft?'

'Niet precies,' zei ze zuchtend. 'U moet begrijpen dat Liam zijn systeem helemaal niet hóéfde op te schrijven.

Dat had hij jaren geleden al gedaan. Helemaal op statistieken gebaseerd. Heel ingewikkeld. Hij werkte het doorlopend bij wanneer dat nodig was. En voegde er natuurlijk nieuwe koersen aan toe. Na zoveel jaar kon hij wedden met een kans van drieëndertig procent op succes in bijna duizend met name genoemde koersen per jaar.'

Ze moest opeens hoesten, waarbij haar bleke, smalle gezicht beefde van de spierkrampen. Een tengere hand werd uitgestoken naar het glas op tafel, en ze nam een paar heel kleine slokjes van een gelige vloeistof.

'Het spijt me,' zei ik berouwvol, 'dat ik u zo laat praten.'

Ze schudde geluidloos haar hoofd, nam nog een paar slokjes, zette het glas toen voorzichtig neer en zei: 'Het is heerlijk om te kunnen praten. Ik ben blij dat u er bent, zodat ik de kans ertoe krijg. Er zijn maar weinig mensen waarmee ik kan praten. Er zijn dagen dat ik geen mond open doe. Ik mis Liam echt, weet u. We kwebbelden de hele tijd. Het was een verschrikkelijke man om mee te leven. Bezeten, begrijpt u wel? Wanneer hij iets in zijn hoofd had wist hij van geen ophouden. Al die zeegezichten, ik werd er gek van toen hij ze maar bleef kopen, maar nu hij er niet meer is, och, nu is het net of ze hem weer dichter bij me brengen, en ik haal ze niet weg, nu niet.'

'Het is nog niet zo lang geleden, niet waar, dat hij gestorven is?' zei ik.

'Op 1 maart,' zei ze. Ze zweeg even, maar er verschenen geen tranen, geen opwelling van verdriet. 'Slechts een paar dagen na het bezoek van mijnheer Gilbert. Liam zat hier...' Ze wees naar een van de blauwe fauteuils, de enige met donkere slijtplekken op de armleuningen en een schaduw op de hoge rugleuning, '...en ik ging thee voor ons zetten. Even een bakje. We hadden dorst. Toen ik terugkwam sliep hij.' Weer zweeg ze even. 'Ik dacht dat hij sliep.'

'Het spijt mij,' zei ik.

Ze schudde haar hoofd. 'Het was de mooiste manier

om heen te gaan. Voor hem ben ik blij. We gruwden beiden van de gedachte om volgestopt met slangetjes in een ziekenhuis te moeten sterven. Als ik het voor elkaar kan krijgen zal ook ik met een beetje geluk een dezer dagen hier net zo doodgaan. Ik zal blij toe zijn. Het is een geruststellende gedachte, begrijpt u wel?'

Ik begreep het, in zekere zin, hoewel ik de dood nooit eerder als een welkome gast had beschouwd waar je geduldig op wachtte, in de hoop dat hij kalm zou komen terwijl je sliep.

'Als u iets wilt drinken,' zei ze op precies eendere vanzelfsprekende toon, 'er staan een fles en een paar glazen in de kast.'

'Ik moet nog naar huis rijden...'

Ze drong niet aan. Ze zei: 'Wilt u over mijnheer Gilbert horen? Mijnheer Harry Gilbert?'

'Graag, ja. Als het u niet te veel vermoeit.'

'Dat heb ik u al gezegd. Praten doet me pleziér.' Ze dacht even na, met haar hoofd naar één kant, haar witte haren als een pluizige halo om haar kleine, gerimpelde gezicht. 'Hij is de eigenaar van bingo-hallen,' zei ze, en voor het eerst klonk er in haar stem heel even iets van minachting.

'U hebt het niet op bingo begrepen?'

'Stom gedoe. Er komt geen vaardigheid aan te pas.'

'Een hoop mensen is er anders gek op.'

'En geven er hun geld voor uit. Net als de uilskuikens die wedden. Door de winst blijven ze eraan verslaafd, maar uiteindelijk leggen ze er geld op toe.'

Overal hetzelfde, dacht ik geamuseerd; de bekrompen mening van degenen die iets beroepsmatig deden over amateurs. De heer Gilbert had echter niets van een amateur.

'Hij is rijk geworden van bingo,' zei de oude vrouw. 'Hij kwam hier op een dag om Liam te spreken, kwam gewoon op een dag in zijn Rolls aanrijden en vertelde dat hij bezig was een keten van wedlokalen te kopen. Hij wilde Liams systeem kopen, zodat hij de uilskuikens altijd zes stappen voor bleef.'

Nieuwsgierig vroeg ik: 'Beschouwt u gokkers altijd als uilskuikens?'

'Dat doet mijnheer Gilbert. Het is een koude man. Liam zei altijd dat het erom gaat waar het ze om te doen is. Als het ze om opwinding te doen is, oké – het blijven uilskuikens, maar dan krijgen ze waar voor hun geld. Als het ze om winst te doen is en ze blijven nog steeds op goed geluk wedden, dan zijn het gewoon uilskuikens.'

Weer hoestte ze, en nam weer een paar slokjes, maar na een poosje wierp ze me een flauw glimlachje toe en ging verder.

'Mijnheer Gilbert bood Liam een heleboel geld. Genoeg om te beleggen en er de rest van ons leven genoeglijk van te leven. Dus stemde Liam toe. Dat was het verstandigste. Ze kibbelden natuurlijk een beetje over de prijs. Bijna een week lang belden ze elkaar op met een nieuw bod. Maar uiteindelijk kwamen ze tot overeenstemming.' Ze zweeg even. 'Toen, voor mijnheer Gilbert het geld had betaald en voor Liam hem alle papieren had gegeven, stierf Liam. Mijnheer Gilbert belde mij op om zijn deelneming te betuigen, maar of de overeenkomst nog steeds gold, en ik zei jawel, dat deed hij wel degelijk. Ik was heel blij dat ik niet in geldzorgen zou komen te verkeren, begrijpt u wel?'

Ik knikte.

'En toen,' zei ze, en ditmaal kwaad, 'heeft die *afschuwelijke* Chris Norwood de papieren uit Liams kantoor gestolen... Zijn hele levenswerk.' Haar lichaam schokte. Het was het feit wát er gestolen was dat haar, naar ik merkte, zo woedend maakte, meer nog dan het kapitaal dat ze was kwijtgeraakt. 'We waren allebei blij dat hij hier kwam, om kolen en houtblokken te halen en de ramen te zemen, en toen begon ik mij af te vragen of hij in mijn handtas was geweest, maar ik weet eigenlijk nooit precies hoeveel ik daar in heb zitten... en toen stierf Liam.' Ze zweeg, vechtend met hetgeen er in haar roerde, een magere hand tegen haar smalle borst gedrukt, haar wijd opengesperde ogen dichtknijpend.

'Gaat u niet verder,' zei ik, hoewel ik er wanhopig naar verlangde dat ze dat wel zou doen.

'Ja, ja,' zei ze, terwijl ze haar ogen weer opende. 'Mijnheer Gilbert kwam de papieren ophalen. Hij had het geld helemaal contant bij zich. Hij liet het mij zien, in een aktentas. Pakjes bankbiljetten. Hij zei dat ik het niet moest beleggen, maar uitgeven. Op die manier zou ik geen last met de belasting hebben. Hij zei dat hij me meer zou geven als ik het ooit nodig zou hebben, maar het was genoeg, weet u, om jaren van te leven, op de manier zoals ik het doe... Toen gingen we naar het kantoor van Liam, en daar bleken de papieren weg te zijn. Nergens te vinden. Verdwenen. Ik had ze de dag tevoren allemaal klaargelegd, ziet u, in een grote map. Het waren er zoveel. Het ene vel na het andere, allemaal in de hanepoten van Liam. Hij had nooit leren typen. Schreef alles met de hand. En de enige die daar, afgezien van mevrouw Urquart, binnen was geweest, was Chris Norwood. De enige.'

'Wie is mevrouw Urquart?' vroeg ik.

'Wat? O, mevrouw Urquart komt bij me schoonmaken. Of liever gezegd, kwám. Drie dagen per week. Ze kan niet meer komen, zegt ze. Ze heeft last met de sociale dienst, het arme mens.'

Ik hoorde weer de stem van Akkerton in het café: '....Ze had er nooit iets van tegen de sociale dienst gezegd, dat ze inkomsten had...'

Ik zei: 'Woonde Chris Norwood bij die mevrouw Urquart in huis?'

'Ja, dat klopt.' Ze fronste haar voorhoofd. 'Hoe wist u dat?'

'Doordat iemand er iets over zei.' In gedachten ging ik na wat ik ter verklaring van mijn bezoek tegen haar gezegd had en besefte nogal laat dat ik als vanzelfsprekend had aangenomen dat ze iets wist waarvan ik nu inzag dat ze het niet wist.

'Chris Norwood...' zei ik langzaam.

'Ik zou hem het liefst wurgen.'

'Heeft die mevrouw Urquart u niet verteld... wat er gebeurd is?'

'Ze belde me met een hele hoop drukte op. Zei dat ze niet meer kwam. Ze klonk heel erg overstuur. Vorige week zaterdag, 's ochtends.'

'En meer heeft ze niet gezegd, dan dat ze niet meer kwam?'

'We konden de laatste tijd niet meer zo goed met elkaar overweg, nadat Chris Norwood de papieren van Liam gestolen had. Ik had geen zin ruzie met haar te maken. Ik had haar nodig, om schoon te maken. Maar nadat die afschuwelijke man ons had bestolen deed ze erg afwerend, op het onbeschofte af. Ze had het geld echter nodig, net zoals ik háár nodig had, en ze wist dat ik haar nooit zou verraden.'

Ik keek uit het raam naar de pioenen, waarvan de schakeringen van grijs in het duister van de nacht waren opgegaan, en overlegde met mijzelf of ik haar wel of niet zou vertellen wat er met Chris Norwood gebeurd was. Ik besloot het niet te doen, omdat iemand bij het vernemen van de moord op iemand die hij kende, ook al was het iemand waaraan men een hekel had, onvoorspelbaar geschokt zou kunnen worden. Ik kocht er niets voor als ik een oude dame die alleen in een groot huis woonde in een toestand van geschrokkenheid en angst bracht.

'Leest u de kranten?' vroeg ik.

Ze tilde haar wenkbrauwen op vanwege die vreemde vraag, maar gaf een heel simpel antwoord. 'Niet vaak. De lettertjes zijn zo klein. Ik heb goede ogen, maar ik houd van boeken die groot gedrukt zijn.' Ze wees naar het dikke, rood met witte boek op tafel. 'Ik lees tegenwoordig niets anders.' Ze keek vluchtig de schemerige kamer rond. 'Zelfs de rensportpagina's. Daar ben ik ook mee gestopt. Ik kijk alleen naar de uitslagen op de televisie.'

'Alleen maar de uitslagen? Niet de koersen?'

'Liam zei dat naar de koersen kijken de manier van wedden van uilskuikens was. Kijk naar de uitslagen, zei hij, en voeg ze aan de statistische mogelijkheden toe. Ik kijk wel naar de koersen, maar de uitslagen zijn meer een gewoonte geworden.'

Ze stak een arm als een stokje uit en deed de lamp op tafel naast zich aan, waardoor de pioenen terstond in het duister werden buitengesloten en de hoeken van de kamer in diepe schaduw gehuld werden. Het onmiddellijke effect op haar zelf was dat haar lichamelijke aftakeling er nog duidelijker door uitkwam, dat de huidplooien die de schemering verzacht had weer wreed uitkwamen en dat haar leeftijdloze geest zich in haar oude lichaam verankerde.

Ik keek naar het smalle, verschrompelde gezicht, naar de enorm grote ogen die vroeger heel mooi geweest moesten zijn, naar het witte, ongekapte haar van de weduwe van Liam O'Rorke en opperde dat als ik haar de computerbandjes gaf, zij misschien toch nog de kennis die erop stond aan haar vriend, mijnheer Gilbert, kon verkopen.

'Daar dacht ik ook al aan,' knikte ze, 'toen u zei dat u ze had. Hoewel ik niet precies weet wat het voor dingen zijn. Ik weet niets van computers af.'

In zekere zin was ze er met een getrouwd geweest. Ik zei: 'Het zijn gewoon cassettes – zoals voor een cassettespeler.'

Naar haar handen kijkend dacht ze even na. Toen zei ze: 'Als ik u een commissie betaal, wilt u dan de overeenkomst voor me sluiten? Ik ben niet zo goed in onderhandelen als Liam, ziet u. En ik geloof niet dat ik sterk genoeg ben om te marchanderen.'

'Maar zou mijnheer Gilbert dan niet de overeengekomen prijs betalen?'

Ze schudde vol twijfel haar hoofd. 'Ik weet het niet. Die overeenkomst werd drie maanden geleden gesloten, en nu zijn het niet de papieren zelf die ik verkoop, maar iets anders. Ik weet het niet. Ik denk dat hij me misschien in een hoek zou kunnen drijven. Maar u wéét van die bandjes af, of wat het ook zijn. U zou beter met hem kunnen praten dan ik.' Ze glimlachte flauwtjes. 'Een behoorlijke commissie, jongeman. Tien procent.'

Ik had er ongeveer vijf seconden voor nodig om toe te happen. Ze gaf mij het adres en telefoonnummer van Harry Gilbert, en zei dat ze het helemaal aan mij overliet. Als het voor elkaar was kon ik het haar komen vertellen. Ik kon haar al het geld komen brengen, zei ze, dan zou ze me mijn aandeel betalen, en alles zou prachtig in orde zijn.

'Vertrouwt u mij?' vroeg ik.

'Als u mij besteelt zal ik niet slechter af zijn dan ik momenteel ben.'

Ze liep met me mee naar de achter seringen schuilgaande voordeur om mij uit te laten en ik schudde haar hand als een distelpluisje en reed weg.

De Rode Zee opende zich voor Mozes en hij trok erdoor.

7

Donderdags hobbelde ik met brandende ogen op school rond, afgestompt door gebrek aan slaap, die erbij was ingeschoten ten behoeve van het corrigeren van de schoolschriften van 5a. Zij hadden, net als William, beslissende examens voor de boeg. Een van de vervelendste dingen bij mij, had ik ontdekt, was dat gevoel van verbondenheid met de kinderen.

Ted Pitts kwam niet opdagen. Toen ik er Jenkins op de man af naar vroeg zei hij kribbig dat Pitts keelontsteking had en dat het een schande was, omdat het hele rooster van de wiskundeafdeling erdoor in de war werd gegooid.

'Wanneer komt hij terug?'

Jenkins antwoordde mij met een zuur spottend lachje, niet omdat daar enige reden toe was, maar omdat dit een ingevreten gewoonte van hem was.

'Zijn vrouw heeft opgebeld,' zei hij. 'Pitts is zijn stem kwijt. Hij zal ongetwijfeld wel weer komen wanneer hij hem terug heeft.'

'Kun je me zijn telefoonnummer geven?'

'Hij heeft geen telefoon,' zei Jenkins met onderdrukte irritatie. 'Hij zegt dat hij dat niet kan betalen.'

'Zijn adres dan?'

'Moet je de administratie vragen,' zei Jenkins. 'Je kunt van mij niet verwachten dat ik weet waar al mijn leraren wonen.'

De schooladministrateur was niet op zijn kantoor toen ik er tijdens de ochtendpauze ging kijken en de laatste twee lesuren voor de lunch (5c magnetisme; 4d elektrisch vermogen) zat ik er bezorgd aan te denken dat als ik de computerbandjes niet diezelfde dag naar Cambridge zond, ze niet meer zaterdags zouden aankomen; en als er zaterdags geen computerbandjes op het hoofdpostkantoor van Cambridge arriveerden, ik nogmaals een, nu nog veel akeliger, bezoek van de man met de Walther kon verwachten.

Tijdens het lunchuur kwam eten ergens op de laatste plaats. In plaats daarvan liep ik eerst de school uit naar het dichtstbijzijnde rijtje winkels en kocht drie onbespeelde cassettes van zestig minuten. Ze waren niet van de kwaliteit die Ted Pitts zo graag had, maar voor mijn doel goed genoeg. Toen zocht ik een van de collega's van Ted Pitts op en vroeg of hij me een beetje behulpzaam kon zijn met de computer.

'Nou,' zei hij aarzelend. 'Oké, als het niet langer dan tien minuten duurt. Meteen na schooltijd. En zeg het niet tegen Jenkins, als je wilt.'

'Ik kijk wel uit.'

Zijn lach dreef achter mij aan terwijl ik mij door de gang naar de telefoonautomaat in de grote toegangshal haastte. Ik belde (met behulp van Inlichtingen) het politiebureau van Newmarket op en vroeg naar degene die belast was met het onderzoek naar de moord op Chris Norwood.

Dat was commissaris Irestone, werd mij verteld. Hij was er niet. Wilde ik misschien met brigadier-rechercheur Smith spreken? Ik zei dat ik dacht van wel, en na een paar klikken en stilten vroeg een gemoedelijke Suffolkse stem mij wat hij voor me kon doen.

Ik had in gedachten gerepeteerd wat ik zou zeggen, maar het begin bleef toch nog moeilijk. Aarzelend zei ik: 'Het is mogelijk dat ik iets weet over de reden waarom Chris Norwood vermoord is en zo ongeveer wie het gedaan heeft, maar het is ook heel goed mogelijk dat ik het bij het verkeerde eind heb, de kwestie is gewoon dat...'

'Uw naam alstublieft,' viel hij me in de rede. 'Adres? Bent u daar te bereiken, mijnheer? Hoe laat bent u daar te bereiken? Commissaris Irestone zal contact met u opnemen, mijnheer. Dank u voor het opbellen.'

Ik legde de hoorn neer zonder dat ik wist of hij bijzondere aandacht had geschonken aan hetgeen ik gezegd had, of dat hij gewoon het standaardantwoord gegeven had dat iedere halvegare te horen kreeg die met zijn of haar lievelingstheorie opbelde. Hoe het ook zij, ik had nog net tijd genoeg om de laatste hamburger in de schoolkantine te pakken te krijgen en op een holletje naar de klas terug te gaan.

Om vier uur werd ik opgehouden door de laatste grief van Louisa (op alle banken apparatuur achtergelaten – dat zou Martin nooit doen), rende door de gangen waar de jongens niet mochten hollen, gleed met beide handen op de leuningen en slechts een op de zes treden met mijn voeten rakend de trap af, een kunstje dat ik in mijn ver voorbije jeugd geleerd had, vol angst dat de collega van Ted Pitts het wachten moe was geworden en naar huis was gegaan.

Tot mijn opluchting was dat niet het geval. Hij zat even enthousiast als een jongen van zeventien voor het vertrouwde beeldscherm kleine, heen en weer flitsende doelen neer te schieten.

'Wat is dat?' vroeg ik, naar het spel wijzend.

'"Starstrike". Ook eens proberen?'

'Zelf bedacht?'

'Iets dat Ted heeft uitgedacht om de kinderen te vermaken en te onderrichten.'

'Is het in BASIC?' vroeg ik.

'Ja, zeker. BASIC, diagrammen en speciale tekens.'

'Kun je het afdraaien?'

'Zou wel moeten gaan. Hij zou het niet in de ROM hebben opgeslagen als hij er les mee wilde geven.'

'Wat is ROM precies?' vroeg ik vertwijfeld.

'Read Only Memory. Als een programma in de ROM staat kun je het alleen maar laten uitvoeren en niet afdraaien.'

Hij typte LIST, en Teds spelletje schoof in flikkerende rijtjes waar geen eind aan leek te komen over het scherm.

'Alsjeblieft,' zei Teds collega.

Ik bekeek een deel van het laatste stuk van het programma, dat nu stilstond op het scherm.

```
410 RESET (RX, RY); RX = RX - RA; RY = RY - 8
420 IF RY > 2 SET (RX, RY); GOTO 200
430 IF ABS (I * 8 - RX) > 4 THEN 150
460 FOR Q = 1 TO 6; PRINT (a 64 + 4 * v, '****';
```

Voor mij een prachtige hoop koeterwaals, hoewel het poëzie was voor Ted Pitts.

Tegen zijn collega zei ik: 'Ik ben hier gekomen om je te vragen of je iets voor me op wilde nemen... zo maar iets... op deze cassettes.' Ik haalde ze te voorschijn. 'Alleen maar zodat er computergeluid op staat, en een leesbaar programma. Ze zijn bedoeld om een, eh, demonstratie mee te geven.'

Hij plaatste er geen vraagtekens achter.

Ik zei: 'Denk je dat Ted het erg zou vinden als ik zijn spelletje gebruikte?'

Hij haalde zijn schouders op. 'Dat denk ik niet. Er zijn twee of drie jongens die er bandjes van hebben. Het is niet geheim.'

Hij pakte de cassettes van mij aan en zei: 'Op ieder bandje een keer?'

'Eh, nee. Verschillende keren op iedere kant.'

Hij zette grote ogen op. 'Waarom in hemelsnaam?'

'Hum.' Ik dacht in kringetjes. 'Om te demonstreren hoe je namen van geheugens opzoekt.'

'O. Goed.' Hij keek op zijn horloge. 'Ik zou het je wel alleen laten doen, maar Jenkins krijgt er wat van als er niet iemand van de afdeling controleert of de computer uitgeschakeld is en de sleutel in de lerarenkamer gedeponeerd. Maar ik kan toch niet lang blijven.'

Hij stopte het eerste bandje echter gedienstig in de recorder, typte CSAVE 'A', en drukte op 'Enter'. Toen het scherm READY aankondigde typte hij CSAVE 'B', en daarna CSAVE 'C', en zo verder tot de eerste kant van het bandje vol stond met herhalingen van 'Starstrike'.

'Dit gaat eeuwen duren,' mopperde hij.

'Kun je dan één kant van ieder bandje doen?' vroeg ik.

'Oké.'

Hij vulde één kant van het tweede bandje en ongeveer een halve kant van het derde voordat zijn toenemende onwilligheid hem te veel werd.

'Hoor eens, Jonathan, zo is het genoeg. Dit gaat eerder een uur duren dan tien minuten.'

'Je bent een reuzevent.'

'Maak je maar geen zorgen, een dezer dagen heb ik je wel bij je staart om mijn sportbeurt over te nemen.'

Ik pakte de cassettes op en knikte instemmend. Iemand anders de sportbeurt laten doen was niet alleen de geaccepteerde manier om er 's woensdagsmiddags tussenuit te knijpen, het was ook de munteenheid waarin voor gunsten werd betaald.

'Ontzettend bedankt,' zei ik.

'Tot je dienst.'

Hij begon de computer uit te schakelen en ik nam de cassettes mee naar mijn wagen om ze in een gevoerde envelop te verpakken en naar Cambridge te sturen, met iedere gevulde kant gemerkt met 'Deze zijde eerst afspelen'.

Omdat er die dag een ouderavond was ging ik in een café een varkenspasteitje eten met een glas bier erbij, corrigeerde schriften in de leraarskamer en verzekerde van acht tot tien, samen met bijna het hele verdere lerarencorps (op wie bij dit soort gelegenheden een extra dringend beroep werd gedaan) de ouders van alle vierdeklassers dat hun lieverdjes het uitstekend deden. De ouders van Paul Arcady van de appel op zijn hoofd vroegen of hij geschikt zou zijn voor wetenschappelijk onderzoeker. 'Hij zal het ver brengen met zijn verstand en manier van optreden,' zei ik, mij op de vlakte houdend, en zij zeiden: 'Hij is dol op uw lessen,' wat een prettig verschil was met de volgende vader waarmee ik sprak en die strijdlustig verkondigde: 'Mijn zoon verknoeit zijn tijd bij u in de klas.'

Tevredenstellen, toegeven, opperen, glimlachen – en bovenal blijk geven van belangstelling. Ik nam aan dat die avonden een goed iets waren, maar na een lange dag van lesgeven waren ze dodelijk vermoeiend. Ik reed naar huis met de bedoeling meteen in bed te duiken, maar toen ik de voordeur opendeed trof ik de telefoon witgloeiend aan.

'Waar zat je?' vroeg Sarah op boze toon.

'Ouderavond.'

'Ik ben almaar aan het bellen geweest. Gisteren ook al.'

'Sorry.'

Met onverbloemde ergernis zei ze: 'Heb je eraan gedacht in huis mijn planten water te geven?'

Verdorie, dacht ik. 'Nee, niet gedaan.'

'Jij denkt ook *nergens* aan.'

'Nee. Nu, het spijt me.'

'Doe het dan nu. Stel het niet uit.'

Plichtsgetrouw vroeg ik: 'Hoe is het met Donna?'

'Terneergeslagen.' Dat ene woord klonk nors en minachtend. 'Probeer ook aan de croton in de logeerkamer te denken,' zei ze op scherpe toon.

Ik legde de hoorn neer met de gedachte dat ik haar beslist niet terug wilde hebben. Dat was een onplezierige, ellendige gedachte. Eens had ik zoveel van haar gehouden. Ik zou voor haar gestorven zijn, letterlijk. Voor het eerst dacht ik bewust aan echtscheiding en het denken daaraan bezorgde me geen spijt of schuldgevoel, maar opluchting.

Om acht uur 's ochtends, toen ik met koffie en toast aan het goochelen was, ging de telefoon weer, en dit keer was het de politie. Een Londens accent, heel beleefd.

'U hebt gebeld met een theorie, over Christopher Norwood, mijnheer.'

'Het is niet direct een theorie. Het is... op zijn minst... een samenloop van omstandigheden.' Ik had tijd gehad mij tot het allernoodzakelijkste te beperken in wat ik zou zeggen. Ik zei: 'Christopher Norwood heeft een kennis van me, Peter Keithly, de opdracht gegeven een paar computerprogramma's voor hem te schrijven. Peter Keithly heeft dat gedaan en ze op cassettebandjes vastgelegd die hij mij gegeven heeft. Afgelopen zaterdag kwamen er twee mannen bij mij thuis, bedreigden me met een pistool en eisten de bandjes op. Ze dreigden op mijn televisie-toestel en in mijn enkels te schieten als ik ze niet aan hen gaf. Bent u, eh, hierin geïnteresseerd?'

Er volgde een stilte, waarna dezelfde stem zei: 'Wacht u een ogenblikje, mijnheer.'

Ik nam een slok koffie en wachtte, en eindelijk klonk er een andere stem in mijn oor, een basstem, minder hoog-dravend van klank, die mij vroeg te herhalen wat ik tegen de inspecteur gezegd had.

'Mm,' zei hij toen ik was uitgesproken. 'Ik denk dat ik beter even bij u langs kan komen. Hoe staat u ervoor?'

De school, gaf hij toe, mocht er niet voor wijken. Hij zou om half vijf bij mij thuis in Twickenham komen.

Hij was er eerder dan ik, niet in een opzichtige politie-auto met zwaailicht, maar in een snelle vierdeurs sedan. Toen ik voor de garage remde was hij al uitgestapt en mocht ik taxerend een stereotiepe politieman opnemen, met een verweerd, tegelijk jong en oud gezicht, zwart haar met hier en daar wat grijs, standvastige, lichtbruine ogen en een sceptische mond. Geen man, dacht ik, die tijd vrij-maakte voor dwazen.

'Mijnheer Derry?'

'Jawel.'

'Commissaris Irestone van de recherche.' Hij haalde even een étuitje voor de dag en liet me zijn legitimatie zien. 'En inspecteur Robson.' Hij wees naar een tweede man die uit de auto opdook, net als hij onopvallend ge-kleed in een grijze broek en een sportcolbert. 'Zullen we naar binnen gaan, mijnheer?'

'Natuurlijk.' Ik ging hun voor naar binnen. 'Hebt u trek in koffie... of thee?'

Ze schudden hun hoofd en Irestone kwam meteen ter zake. Het bleek dat wat ik tot dusverre verteld had hen inderdaad bijzonder interesseerde. Ze waren dolblij, kreeg ik de indruk, met mijn verslag van wat ik te weten was gekomen tijdens mijn speurtocht via de Angel Keukens naar mevrouw O'Rorke. Irestone stelde een heleboel vragen, onder meer hoe ik de gewapende boeven met blote handen de deur uit had gekregen.

Ik zei luchtig: 'Ik had die bandjes niet hier, omdat ik ze aan een kennis had uitgeleend. Ik heb gezegd dat ik ze terug zou laten brengen en per post naar hen opsturen, en gelukkig vonden ze dat goed.'

Hij lichtte zijn wenkbrauwen op, maar gaf geen commentaar. Het moest hem zijn voorgekomen dat ik gewoon geluk had gehad.

'En u had er geen idee van wie het waren?' vroeg hij.

'Totaal niet.'

'Ik veronderstel dat u niet weet wat voor pistool het was?'

Hij vroeg het zonder veel hoop en het duurde heel even voor ik antwoordde: 'Ik dacht... een Walther .22. Ik heb er wel eens eerder een gezien.'

Met klem vroeg hij: 'Bent u daar heel zeker van?'

'Vrijwel.'

Hij dacht na. 'We zouden graag zien dat u naar het politiebureau hier ging om te zien of u misschien een gereconstrueerd portret kunt samenstellen.'

'Natuurlijk wil ik dat doen,' zei ik, 'maar het zou misschien mogelijk zijn dat u deze mannen met een beetje geluk zelf te zien kreeg.'

'Hoe bedoelt u?'

'Ik heb ze een paar bandjes gestuurd, maar niet eerder dan gisteren. Ze zouden ze op het hoofdpostkantoor van Cambridge ophalen en volgens mij is de kans groot dat ze er morgen zijn.'

'Daar hebben we wat aan.' Hij liet geen enkele opwinding blijken, maar hij schreef alles op. 'Nog iets anders?'

'Het zijn niet de bandjes die ze zochten. Die heb ik nog steeds niet terug. Ik heb ze een paar andere bandjes gestuurd met een computerspelletje erop.'

Hij tuitte zijn lippen. 'Dat was niet erg verstandig.'

'Maar de echte behoren moreel gesproken mevrouw O'Rorke toe. En die schurken zullen hier heus niet opnieuw komen binnenvallen zolang ze menen dat ze de goede bandjes hebben.'

'En hoelang duurt het voor ze daar achter komen?'

'Weet ik niet. Maar als het dezelfde twee lui zijn die Peter bedreigd hebben, kan het misschien nog wel even duren. Volgens hem schenen ze niet veel van computers af te weten.'

Irestone dacht hardop na. 'Peter Keithly heeft u verteld dat er op woensdagavond twee mannen bij hem op bezoek zijn geweest, klopt dat?' Ik knikte. 'Christopher Norwood werd afgelopen vrijdagmorgen vermoord. Acht en een halve dag later.' Hij wreef over zijn kin. 'Ik zou het onverstandig vinden te veronderstellen dat ze er nog eens acht en een halve dag voor nodig zouden hebben om te ontdekken wat u gedaan hebt.'

'Ik zou altijd kunnen zweren dat dát de bandjes zijn die Peter Keithly me gegeven heeft.'

'En ik geloof niet dat ze u dit keer zouden geloven,' zei hij kalmweg. Hij zweeg even. 'De lijkschouwing van Peter Keithly is vandaag geweest, is het niet?'

Ik knikte.

'We hebben overleg gepleegd met de politie van Norwich. Er is geen enkele reden om eraan te twijfelen dat de dood van uw vriend aan een ongeluk te wijten was. Vermoedelijk heeft u zich dat afgevraagd?'

'Ja, inderdaad.'

'Dat is niet nodig. In het rapport van de verzekeringsinspecteur staat dat de explosie typerend was. Er waren geen attributen waarmee brand kan zijn gesticht. Geen dynamiet of plastic. Alleen maar onachtzaamheid en verdomde pech.'

Ik keek naar de grond.

'Uw gewapende boeven hebben het niet gedaan,' zei hij.

Ik dacht dat hij misschien de eventuele haat die in mij

broeide probeerde af te zwakken, zodat mijn getuigenver-
klaring wat onpartijdiger zou zijn, maar wat hij in feite
deed was mij een zekere mate van troost schenken, en ik
was er dankbaar voor.

'Als Peter niet gestorven was,' zei ik, opkijkend, 'zouden ze misschien naar hem teruggegaan zijn toen ze ontdekt hadden dat wat ze van hem gekregen hadden waardeloos was.'

'Precies,' zei Irestone droog. 'Hebt u kennissen bij wie
u een tijdje zou kunnen logeren?'

Op zaterdagmorgen reed ik, daartoe aangezet, vrees ik,
door de door mevrouw O'Rorke gedane belofte van tien
procent, naar Welwyn Garden City om haar bandjes aan
de heer Harry Gilbert aan te bieden.

Niet dat ik de bandjes precies bij me had – die zaten
nog steeds bij Ted Pitts en zijn keelontsteking opgesloten –
maar ik wist in elk geval van hun bestaan en wat erop
stond, en dat moest genoeg zijn, hoopte ik, om een opening
te maken.

Van Twickenham naar Welwyn was het hemelsbreed
ruim dertig kilometer, maar in werkelijkheid en door bij-
komende ergernissen, via de noordelijke randweg en
nauwe winkelstraatjes, een heel stuk meer. In contrast
daarmee was de droomstad van de architecten, toen ik
die eenmaal bereikt had, een en al groen en ordentelijk-
heid, en ik vond de woning van Gilbert in een zeer dure,
doodlopende straat. Bingo had, naar het leek, de armoe
een heel eind van zijn stoep gehouden, die namaak-Geor-
giaans was, geflankeerd door twee zuilen en omgeven door
een compleet regiment ramen. Een huis van rood, wit en
gefonkel, op een tapijt van groen. Ik drukte op de glimmend koperen deurbel, terwijl ik bedacht dat het wel erg
vervelend zou zijn als de bewoners van dit juweel van
een herenhuis niet thuis waren.

De heer Gilbert was echter thuis.

Nog maar op het nippertje.

De heer Gilbert deed op mijn gebel de voordeur open

en zei dat ik, waar ik ook voor kwam, later terug diende te komen omdat hij net op het punt stond te gaan golfen. Vlak achter de deur stonden golfclubs en een karretje om ze in te vervoeren, en de zware gestalte van mijnheer Gilbert was voor die gelegenheid gehuld in een geruite broek, een overhemd met open kraag en een blazer.

'Het gaat over het wedsysteem van Liam O'Rorke,' zei ik.

'Wat?' zei hij scherp.

'Mevrouw O'Rorke heeft mij gevraagd naar u toe te gaan. Ze zegt dat ze misschien toch in staat is het u te verkopen.'

Hij keek op zijn horloge; een man van om en nabij de vijftig, qua uiterlijk niet indrukwekkend, meer iets weg hebbend van een lagere ambtenaar dan van een handelaar in valse dromen.

'Kom binnen,' zei hij. 'Deze kant op.'

Hij bezat een zakelijke, onopvallende stem, dichter bij de bingo-hal dan bij Eton. Hij liet mij in een onverwacht functioneel ingericht vertrek binnen, met een schrijfbureau, een schrijfmachine, wandkaarten vol gekleurde punaises, twee draaistoelen, een blad met dranken en vijf telefoons.

'Een kwartier,' zei hij. 'Kom dus snel ter zake.' Hij maakte geen aanstalten te gaan zitten of mij een stoel aan te bieden, maar dat was eerder onverschilligheid dan onbeschoftheid. Ik begreep wat mevrouw O'Rorke bedoeld had toen ze zei dat het een koude man was. Hij deed geen moeite het geraamte van zijn gedachten in een mooi pakje te steken. Het zou een belabberde onderwijzer zijn geweest, dacht ik.

'De aantekeningen van Liam O'Rorke werden gestolen,' begon ik.

'Dat weet ik,' zei hij ongeduldig. 'Zijn ze boven water gekomen?'

'Niet zijn aantekeningen, nee. Maar wel computerprogramma's die ervan gemaakt zijn.'

Hij fronste zijn voorhoofd. 'Heeft mevrouw O'Rorke

die programma's?'

'Nee. Ik heb ze. Uit haar naam. Om ze u aan te bieden.'

'En uw naam is?'

Ik haalde mijn schouders op. 'Jonathan Derry. U kunt het bij haar controleren als u wilt.' Ik maakte een gebaar naar het rijtje telefoons. 'Zij zal voor me instaan.'

'Hebt u die... programma's bij u?'

'Nee,' zei ik. 'Ik vond dat we eerst tot overeenstemming moesten komen.'

'Hum.'

Achter zijn onaandoenlijke gezicht leek een fikse hoeveelheid denkwerk aan de gang te zijn, en ten slotte kreeg ik de sterke indruk dat hij niet wist wat hij moest besluiten.

Ik zei: 'Ik verwacht niet dat u ze zonder demonstratie zult kopen, maar ik verzeker u dat ze zijn waar het u om te doen is.'

Het had geen waarneembaar effect. Het innerlijke debat ging voort; het werd niet beslist door Gilbert of mijzelf, maar door de komst van iemand anders.

Buiten sloeg een autoportier dicht en er klonken voetstappen op het geboende parket in de hal. Gilbert hief zijn hoofd op om te luisteren en aan de andere kant van de openstaande deur riep een stem: 'Pa?'

'Hier binnen,' zei Gilbert.

Gilberts zoon kwam binnen. Gilberts zoon, die bij mij thuis was geweest met zijn pistool.

Ik moet er even stijf verschrikt hebben uitgezien als ik mij voelde; maar dat was met hem hetzelfde geval. Ik keek naar zijn vader en het schoot mij te laat te binnen dat dit de man was die Sarah beschreven had – van middelbare leeftijd, gewoon, gezet – die bij Peter aan huis was geweest om naar de bandjes te vragen. Tegen wie ze gezegd had: 'Mijn man heeft ze.'

Mijn ademhaling leek gestokt te zijn. Het was alsof het leven uit mij was gestompt. Weten wat je níét moest doen...

Al zei mijn hele intuïtie mij dat die onwetendheid gevaarlijk was, toch had ik mij niet voldoende op de hoogte gesteld. Ik was niet op de hoogte geweest van het simpele feit dat mijnheer Bingo Gilbert een plunderende zoon had met een Italiaans uiterlijk.

Het was niet zo'n best idee geweest om Mozes door de Rode Zee te volgen.

'Mijn zoon Angelo,' zei Gilbert.

Angelo maakte een instinctief gebaar met zijn rechterhand naar zijn linkeroksel, alsof hij zijn pistool wilde grijpen, maar hij droeg een overblousend suède jack boven zijn spijkerbroek en was ongewapend. God zij gedankt, dacht ik, voor kleine gunsten.

In zijn linkerhand had hij het pakje dat ik naar Cambridge had gestuurd. Het was opengemaakt en hij hield het zorgvuldig rechtop zodat de cassettes er niet uit vielen.

Hij hervond zijn stem vlugger dan ik. Zijn stem en zijn arrogantie en zijn spottende grijns.

'Wat doet dat uilskuiken hier?' vroeg hij.

'Hij kwam me de computerbandjes verkopen.'

Angelo lachte honend. 'Ik heb u gezegd dat we ze voor niets konden krijgen. Dit uilskuiken heeft ze opgestuurd. Ik heb u gezegd dat hij dat doen zou.' Hij hield het pakje spottend in de hoogte. 'Ik heb u gezegd dat u een oude dwaas was om die Ierse heks geld aan te bieden. U had er beter aan gedaan mij meteen toen haar man stierf de spullen van haar af te laten troggelen. U snapt er geen barst van, pa. U had mij er al maanden geleden bij moeten betrekken en het me niet pas vertellen nu het al een puinhoop is.'

Zijn gedrag, dacht ik bij mezelf, was rebellie van kind tegenover ouders in optima forma – de jonge stier die de oude aanviel. En ik vermoedde dat het ten dele te mijnen behoeve werd gedaan. Hij speelde komedie. Wilde bewijzen dat, ook al was ik hem de laatste keer dat we elkaar gezien hadden de baas geweest, hij, Angelo, de meerdere was.

'Hoe is die slijmerd hier gekomen?' wilde hij weten.

Gilbert deed net of hij de flinkdoenerij niet opmerkte,

dan wel liet voor wat het was. 'Mevrouw O'Rorke heeft hem gestuurd,' zei hij.

Geen van beiden dacht eraan mij de zeer netelige vraag te stellen hoe ik mevrouw O'Rorke kende. Ik gaf niet veel meer voor mijn gezondheid als ze even door gingen denken. Ik dacht zo dat dit een van die uitzonderingsgevallen was waarbij onwetendheid zeer nadrukkelijk de veiligste weg was, en dat ik mij voor alle zekerheid maar het best geheel onwetend kon houden betreffende leven en dood van Chris Norwood.

'Hoe kan hij die bandjes nog te koop hebben,' zei Angelo op geslepen toon, 'als hij ze mij al heeft toegestuurd?'

Gilberts ogen vernauwden zich en zijn nek verstijfde, en ik begreep dat zijn onbevooroordeeld uiterlijk misleidend was; dat het inderdaad een taaie stier was die Angelo uitdaagde, eentje die nog steeds de baas was in zijn territorium.

'Nu?' zei hij tegen mij.

Angelo wachtte, terwijl de berekening en de triomf zich in zijn ogen en over zijn hele gezicht verspreidden als een vergiftiging, en het angstaanjagende gebrek aan remmingen weer even snel als die eerdere keer aanzwol. Het was zijn volslagen roekeloosheid, meende ik, waarvoor ik bovenal bevreesd diende te zijn.

'Ik heb een kopie gestuurd,' zei ik. Ik wees op het pakje in zijn hand. 'Dat zijn kopieën.'

'Kopieën?' Angelo werd er een moment door tegengehouden. Toen vroeg hij achterdochtig: 'Waarom heb je kopieën gestuurd?'

'De originelen waren van mevrouw O'Rorke. Ik kon ze niet op eigen houtje aan jou geven. Maar ik voelde er beslist niets voor dat jij en je vriend met een pistool zwaaiend terug zouden komen en daarom heb ik een paar bandjes gestuurd. Ik had er geen idee van dat ik je nog ooit terug zou zien. Ik wilde gewoon van je verlost zijn. Ik had er geen idee van dat je de zoon van mijnheer Gilbert was.'

'Pistool?' vroeg Gilbert op scherpe toon. 'Pistóól?'
'Zijn pistool.'

'Angelo...' De kwaadheid in de stem van de vader was
niet mis te verstaan. 'Ik heb je verboden... je verbóden,
hoor je me, dat pistool bij je te dragen. Ik heb je gestuurd
om die bandjes te vrágen. Te vragen. Te kopen.'

'Dreigementen zijn goedkoper,' zei Angelo. 'En ik ben
geen kind. De tijd is voorbij dat ik naar uw bevelen
luisterde.'

Ze stonden als losgelaten tegenstanders tegenover
elkaar.

'Dat pistool is ter bescherming,' zei Gilbert geëmotio-
neerd. 'En het is van mij. Je hebt er geen mensen mee te
bedreigen. Je hebt het niet buitenshuis mee te nemen. Je
bent voor je levensonderhoud nog steeds van mij afhankelijk en zolang je voor mij werkt en in dit huis woont doe
je wat ik zeg. Je laat dat pistool absoluut met rust.'

God in de hemel, dacht ik – *hij weet niets van Chris
Norwood af.*

'U hebt me leren schieten,' zei Angelo.

'Bij wijze van sport,' zei Gilbert, alsof hij niet begreep
dat voor zijn zoon sport een levend doel betekende.

Ik onderbrak het kinderlijke gekrakeel en zei tegen
Gilbert: 'U hebt nu de bandjes. Gaat u mevrouw O'Rorke
ervoor betalen?'

'Doe niet zo idioot stom,' zei Angelo.

Ik deed net of ik hem niet hoorde. Tegen zijn vader
zei ik: 'U bent al eerder royaal geweest. Wees het nu nog
eens.'

Ik verwachtte het niet. Ik wilde alleen maar zijn aandacht afleiden, zijn gedachten bij iets onbelangrijks houden, hem niet laten *denken.*

'Luister niet naar hem,' zei Angelo. 'Hij is niet meer
dan een uilskuiken.'

Het gezicht van Gilbert weerspiegelde de woorden van
zijn zoon. Hij bekeek mij van onder tot boven met hetzelfde meerderheidsbesef, het geloof dat iedereen behalve
hij zelf een uilskuiken was.

Als Gilbert er zo over dacht viel het niet moeilijk te begrijpen waarom Angelo dat ook deed. Op school herkende ik dikwijls de vader aan het gedrag van de zoon.

Ik haalde mijn schouders op. Ik trok een verslagen gezicht. Ik liet ze doorgaan met hun kwaadaardigheid. Ik verlangde er bovenal naar uit dat huis weg te komen voor ze de beetjes die ze wisten bij elkaar begonnen te leggen en ik uit die puzzel te voorschijn kwam als een werkelijke, overweldigende bedreiging voor de vrijheid van Angelo. Ik wist niet of Gilbert zijn zoon zou tegenhouden – of kón tegenhouden indien Angelo mij dood wilde hebben; er lag een hele lap stil en lommerrijk Welwyn Garden City in de achtertuin.

'Mevrouw O'Rorke verwacht me terug,' zei ik, 'om te vertellen hoe het me vergaan is.'

'Vertel haar maar dat we er niet in trappen,' zei Angelo.

Gilbert knikte.

Ik schoof langs Angelo naar de deur, waarbij ik een passend gedwee gezicht trok onder zijn vernietigende grijnslach.

'Nu,' zei ik zwakjes, 'dan ga ik maar.'

Ik liep houterig door de hal, langs de wachtende golfclubs de openstaande voordeur uit, met medeneming van een laatste indruk van Gilbert die een psychologische strijd aanging met de bedreiging die hem op een kwade dag zou overweldigen.

Ik zweette. Ik veegde mijn handpalmen af aan mijn broekspijpen, maakte morrelend het portier van mijn auto open, legde een lichtelijk trillende hand op het contactsleuteltje en startte de motor.

Als ze niet zo druk bezig waren geweest elkaar te bevechten...

Toen ik vanuit de oprit de doodlopende straat indraaide ving ik even een glimp van hen beiden op, terwijl ze naar buiten kwamen op het bordes om mij na te kijken, en mijn mond was onplezierig droog tot ik er zeker van was dat Angelo niet in zijn auto gesprongen was om mij achterna te gaan.

Nog nooit had ik mijn hart zo zenuwachtig voelen kloppen. Nog nooit had ik, veronderstelde ik, werkelijke angst
gevoeld. Het lukte mij niet die te bedwingen. Ik voelde
mij slap, rusteloos, kortademig, enigszins misselijk.

De reactie ongetwijfeld.

8

Ergens tussen Welwyn en Twickenham hield ik op een parkeersplaats stil om te overdenken waar ik heen zou gaan.

Ik kon naar huis gaan, mijn geweren ophalen en naar Bisley rijden. Ik keek naar mijn handen. In deze conditie zou ik het doel met een meter missen. Zinloos om geld te verspillen aan de munitie.

Het zou een flinke poos duren voor de Gilberts in de gaten kregen dat ze 'Starstrike' hadden in plaats van rensportprogramma's, maar al veel eerder zouden ze tot de ontdekking zijn gekomen dat ze zolang ik de originele bandjes in mijn bezit had niet de exclusieve beschikking hadden over het systeem van Liam. Ik had een plek nodig waar ze me niet zouden vinden wanneer ze kwamen zoeken. Jammer, dacht ik, dat Sarah en ik zo weinig kennissen hadden.

Ik stak de weg over naar een telefooncel en belde naar de boerderij van William.

'Maar allicht, Jonathan,' zei mevrouw Porter. 'Allicht zou ik je kunnen hebben. Maar William is er niet meer. Hij kreeg er hier genoeg van zonder paarden om op te rijden en hij heeft zijn spullen gepakt en is vanochtend naar Lambourn vertrokken. Daar had hij een vriend, zei hij, en vandaar gaat hij morgenavond regelrecht terug naar school.'

'Was alles goed met hem?'

'Barstensvol energie!' zei ze. 'Maar hij eet niets. Zegt dat hij wil afvallen, om jockey te worden.'

Ik zuchtte. 'In elk geval bedankt.'

'Het is plezierig hem hier te hebben,' zei ze. 'Ik moet altijd om hem lachen.'

Ik hing op, telde het kleine stapeltje geldstukken dat

ik nog over had en besteedde ze in een vlaag van gemeenschapszin aan een gesprek met de politie van Newmarket.

'Commissaris Irestone is er niet, mijnheer,' zeiden ze. 'Wilt u een boodschap achterlaten?'

Ik aarzelde, maar zei ten slotte alleen maar: 'Zegt u tegen hem dat Jonathan Derry heeft opgebeld. Ik kan hem een naam verschaffen. Ik bel hem nog wel.'

'Heel goed, mijnheer.'

Ik stapte weer in, raadpleegde een briefje dat ik in mijn portefeuille had zitten en reed naar Northolt om Ted Pitts op te zoeken, wel wetende dat hij heel waarschijnlijk niet blij zou zijn mij te zien. Toen ik eindelijk de schooladministrateur te pakken had gekregen had hij de gevraagde inlichting slechts schoorvoetend gegeven, zeggende dat de adressen van het onderwijzend personeel heilig waren om hen te behoeden voor overijverige ouders. Ted Pitts had hem speciaal laten beloven er geen bekendheid aan te geven.

'Ik ben geen vader.'

'Eh, nee.'

Ik moest aandringen, maar kreeg het toch. En het was begrijpelijk, vond ik, dat Ted zijn privacy wenste te beschermen, gezien het feit dat hij, naar ik ontdekte, in een stacaravan woonde op een caravanterrein. Heel netjes, maar er niet op berekend indruk te maken op sommige carrièremakers van de Vereniging Ouders-Onderwijzers.

Teds vrouw, die op mijn geklop opendeed, keek verbaasd maar niet ongastvrij. Ze was al net zo ernstig als Ted, klein, met heldere oogopslag, en was een enkele keer naar de schoolvoetbalwedstrijden komen kijken, waar Ted als scheidsrechter het hele veld rond draafde. Ik probeerde mij haar naam te herinneren, ik dacht dat het 'Jane' was, maar was daar niet zeker van. In plaats daarvan glimlachte ik hoopvol.

'Hoe gaat het met Ted?' vroeg ik.

'Een heel stuk beter. Zijn stem is bezig terug te komen.' Ze deed de deur verder open. 'Ik weet zeker dat hij blij zal zijn je te zien, kom dus alsjeblieft binnen.' Ze gebaarde naar het interieur van de caravan, dat voor mij nog onzichtbaar was, en zei: 'Het is een beetje rommelig. We verwachtten geen bezoek.'

'Als je liever hebt dat ik...'

'O nee. Ted zal je willen zien.'

Ik stapte de caravan binnen en zag wat ze bedoelde. Aan alle kanten lag een onordelijke wirwar van boeken, kranten, kleren en speelgoed uitgespreid, de normale rommel van een groot gezin, maar hier samengeperst in een zeer kleine ruimte.

Ted zat in de piepkleine zitkamer op de bank te kijken naar zijn drie dochtertjes, die op de grond speelden. Toen hij me zag sprong hij verbaasd overeind en opende zijn mond, maar het enige geluid dat eruit kwam was een piepend gekras.

'Zeg maar niets,' zei ik. 'Ik kom alleen even kijken hoe je het maakt.' Mogelijke gedachten van bij hem een slaapplaats kunnen losbedelen waren van de baan. Het leek inderdaad heel dom daarover te beginnen.

'Het gaat al beter.' De woorden waren, hoewel half gefluisterd, verstaanbaar en hij gebaarde dat ik moest gaan zitten. Zijn vrouw vroeg of ik koffie wilde en ik zei graag. De kinderen kibbelden en hij gaf ze een zacht tikje met zijn teen.

'Jane gaat zo meteen met ze naar buiten,' zei hij hees.

'Ik kom ongelegen.'

Hij schudde heftig met zijn hoofd. 'Blij dat je gekomen bent.' Hij wees naar een richel die in de hoogte langs een van de wanden liep en zei: 'Ik heb nieuwe bandjes voor je gekocht. Ze liggen daar, met jouw eigen cassettes, buiten bereik. De kinderen klimmen overal bij. Ik heb ze alleen nog niet gekopieerd. Het spijt me.' Hij wreef langs zijn keel alsof massage zou helpen en trok een geïrriteerd gezicht.

'Zeg maar niets,' zei ik weer, en ik vertelde hem wat William over rensportgidsen gezegd had. Hij leek heel blij, maar ook berustend, alsof het er niet meer toe deed.

Jane kwam terug met een beker koffie en vroeg of ik

suiker wilde. Ik schudde mijn hoofd en nam een slokje van de vloeistof die er donkerbruin uitzag maar slap smaakte.

Voornamelijk om het gesprek op gang te houden zei ik. 'Ik neem aan dat een van jullie beiden niet weet waar ik een paar nachten zou kunnen slapen? Ergens waar het niet te duur is. Ik bedoel geen hotel.' Ik glimlachte scheef. 'Ik heb deze week zoveel geld aan benzine en andere dingen uitgegeven dat ik een beetje krap zit.'

'Eind van de maand,' knikte Ted. 'Altijd hetzelfde.'

'Maar je huis dan?' zei Jane. 'Ted zei dat je een huis had.'

'Eh... hum... eh... het botert niet zo tussen Sarah en mij.' Deze reddende halve waarheid kwam net op tijd en ze maakten bedroefde geluidjes van begrijpend medeleven. Ted schudde niettemin zijn hoofd – het speet hem dat hij me niet kon helpen.

'Ik zou niet weten waar,' zei hij.

Jane stond rechtop, met haar armen in haar zijden gedrukt en haar handen stevig ineen geslagen, en vroeg: 'Zou je ons ervoor betalen?'

'Jane!' zei Ted wanhopig, maar ik knikte.

'Vooruit?' vroeg ze ferm, en weer stemde ik toe. Ik gaf haar twee van de bankbiljetten die ik een dag eerder van de bank had ontvangen en vroeg of dat genoeg was. Ze zei met een rood hoofd ja en ging met de drie kinderen het vertrek uit, de caravan uit, in de richting van de weg. Ted stotterde, hopeloos onhandig en verlegen, een hijgend excuus.

'We hebben een moeilijke maand gehad... ze hebben het staangeld hier verhoogd... en ik moest geld uitgeven voor nieuwe banden en het kentekenbewijs. Ik kan niet zonder die auto en hij valt van ellende uit elkaar – en ik sta rood...'

'Hou toch op, Ted,' zei ik. 'Ik weet wat het is aan de grond te zitten. Niet zo dat je verhongert. Alleen maar platzak.'

Hij glimlachte flauw. 'De deurwaarder hebben we nog

nooit over de vloer gehad... maar van de week hebben we voornamelijk op brood geleefd. Vind je het echt niet erg?'

'Beslist niet.'

Dus bleef ik bij de Pitts. Ik keek naar de televisie, bouwde prachtige stenen torens voor de kinderen, at mee van de maaltijd met eieren die van mijn geld gekocht waren en ging met Ted een biertje drinken.

Het praten moest zijn keel niet zo goed hebben gedaan, maar tussen de schuimkraag en de bodem van het glas kwam ik een heleboel over de Pitts aan de weet. Hij had Jane tijdens een zomer in een jeugdherberg in het Merendistrict ontmoet en ze waren getrouwd toen hij nog op de universiteit zat, omdat de oudste van de meisjes in aantocht was. Ze waren gelukkig, zei hij, maar ze waren er nooit in geslaagd de aanbetaling voor een huis bij elkaar te sparen. Blij toe dat ze een stacaravan hadden. Huurkoop natuurlijk. Tijdens de vakantie paste hij op de kinderen, terwijl Jane dan tijdelijke baantjes als secretaresse aannam. Beter voor het gezinsinkomen. Beter voor Jane. Hij ging niettemin nog altijd in zijn eentje op voettocht, ieder jaar een week. Met de rugzak. Slapen in een tent, in heuvelachtig terrein; Schotland of Wales. Hij wierp mij door zijn zwarte montuur een verlegen blik toe. 'Ik kom erdoor in het reine. Zorgt dat ik niet gek word.' Het was niet iedereen gegeven, dacht ik, zijn eigen psychotherapeut te zijn.

Toen we terugkwamen was de caravan aan kant en de kinderen in slaap. We moesten rustig doen, zei Ted bij het naar binnen gaan – ze waren gauw wakker. De meisjes bleken alle drie in de grootste van de twee slaapkamers te slapen, en hun ouders in de kleinste. Voor mij lagen er een kussen, een reisdeken en een schoon laken klaar, en hoewel de bank een beetje te kort was om comfortabel te liggen zakte ik er heerlijk zacht in weg.

Pas toen ik op het punt stond in slaap te vallen en het toch al veel te laat was om mij er nog druk om te maken, herinnerde ik mij dat ik niet teruggebeld had om met

Irestone te spreken. Nu ja, dacht ik gapend, morgen is ook goed.

's Ochtends belde ik toch op vanuit een telefooncel niet ver van het park waar Ted en ik met de kinderen heen gingen om te schommelen en te wippen.

Irestone was er zoals gewoonlijk niet. Was hij er wel óóit, vroeg ik. Een ingehouden stem vertelde mij dat de commissaris momenteel geen dienst had en of ik alstublieft een boodschap wilde achterlaten. Koppig zei ik dat ik dat niet deed, dat ik de commissaris persoonlijk wenste te spreken. Als ik een nummer achterliet, zeiden ze, zou hij me te zijner tijd bellen. Uitgepraat, dacht ik – Ted Pitts had geen telefoon.

'Als ik u morgenochtend om negen uur bel,' vroeg ik, 'is commissaris Irestone er dan? Of als ik om tien uur bel? Of om elf uur? Rond de middag?'

Er werd mij gevraagd te wachten en ik kon op de achtergrond vage gesprekken horen, die zo lang voortduurden dat ik nog meer geld in de telefoon moest werpen, wat niet weinig tot mijn ongeduld bijdroeg. Eindelijk kwam de onaandoenlijke stem echter terug. 'Commissaris Irestone is morgenochtend vanaf tien uur in de Ongevallenkamer. U kunt hem op het volgende nummer bellen.'

'Wacht even.' Ik trok de dop van mijn pen en viste het papiertje op waarop Teds adres stond. 'Oké.'

Hij gaf me het nummer en ik bedankte hem tamelijk koel, en dat was dat.

Ted duwde zijn jongste dochtertje voorzichtig rond op een soort draaischijf, haar dicht tegen zich aan houdend en met haar lachend. Ik wenste opeens verrassend vurig dat ik een dergelijk kind had kunnen hebben, dat ik haar zondagsmorgens mee had kunnen nemen naar een zonnig park en haar lijfje omhelzen en haar zien groeien. Sarah, dacht ik. Sarah – op deze manier heb je misschien gehunkerd; om de baby te knuffelen, en de jonge vrouw getrouwd te zien. Dit is wat we missen. Wat Ted Pitts heeft. Ik keek toe hoe verrukt hij met het kind was en ik benijdde hem uit het diepst van mijn hart.

Een tijdje later gingen we op een bank zitten terwijl de meisjes in de zandbak speelden, en om iets te zeggen te hebben vroeg ik hem waarom hij zijn aanvankelijk intense belangstelling voor de rensportgidsen verloren had.

Hij haalde zijn schouders op terwijl hij naar zijn kinderen keek en zei met de hese stem die langzaam aan weer normaal begon te worden: 'Je ziet hoe het is. Ik kan er het geld niet aan wagen. Ik kan me die rensportgidsen niet veroorloven. Ik kon me deze week zelfs geen geld voor een stel bandjes voor mijzelf veroorloven, om de programma's op over te nemen. Ik heb er voor jou een paar gekocht van het geld dat je me gegeven hebt, maar ik had niet genoeg... Ik vertelde je al, we hebben elke cent moeten neertellen voor eten en hoewel het salaris voor de volgende maand morgen bij de bank ligt heb ik de elektriciteit nog altijd niet betaald.'

'Binnenkort is de Derby,' zei ik.

Hij knikte gemelijk. 'Denk niet dat ik er niet aan gedacht heb. Ik kijk naar die bandjes die daar boven op die plank liggen en ik denk bij mezelf: zal ik het doen of zal ik het niet doen? Maar ik moest besluiten het niet te doen. Ik kan het niet riskeren. Hoe zou ik het Jane moeten uitleggen als ik verloor? We hebben elk pond nodig, weet je. Dat heb je zelf kunnen zien.'

Er zat iets ironisch in, vond ik. Aan de ene kant was daar Angelo Gilbert, die bereid was een moord te plegen om die bandjes in handen te krijgen, en aan de andere kant Ted Pitts, die ze had en ze niet de moeite waard vond er bonje met zijn vrouw door te krijgen.

'De programma's zijn van een oude vrouw, die O'Rorke heet,' zei ik. 'Mevrouw Maureen O'Rorke. Ik ben deze week bij haar op bezoek geweest.'

Ted toonde nauwelijks interesse.

'Ze zei een paar dingen die je dacht ik wel amusant zou vinden.'

'Wat dan?' vroeg Ted.

Ik vertelde hem over de bookmakers die de rekeningen van regelmatige winnaars opzegden en over het systeem dat O'Rorke gebruikt had, waarbij hun tuinman, Dan, langs wedlokalen ging om anoniem geld in te zetten.

'Goeie hemel,' zei Ted. 'Wat een rompslomp.' Hij schudde zijn hoofd. 'Nee, Jonathan, we kunnen het maar het beste vergeten.'

'Mevrouw O'Rorke zei dat haar man in staat was te wedden met de zekerheid dat hij gemiddeld één van de drie keer won. Vind je dat statistisch gezien niet frappant?'

Hij glimlachte. 'Ik zou een zekerheid van honderd procent moeten hebben om op de Derby te wedden.'

Een van de kinderen wierp zand in de ogen van een ander en hij kwam haastig overeind om te knorren, te troosten en ernstig met een punt van zijn zakdoek aan het vegen te gaan.

'Tussen haakjes,' zei ik, toen de rust was weergekeerd. 'Ik heb een paar kopieën gemaakt van dat spelletje van je, "Starstrike". Ik hoop dat je dat niet erg vindt?'

'Ga gerust je gang,' zei hij. 'Heb je het gespeeld? Je moet bij het eerste vraagteken F of S intypen. Ik heb de instructies nog niet opgeschreven, maar zodra ik dat gedaan heb krijg je ze van me. Volgens de kinderen is het een prachtspel,' zei hij met een verheugd en een tikje zelfvoldaan gezicht.

'Is het je beste spel?'

'Mijn beste?' Hij glimlachte heel even en haalde zijn schouders op. 'Ik geef er les van. Ik moest het schrijven om de kinderen te láten snappen wat een programma was en hoe het werkte. O, ik zou er zeker een kunnen schrijven dat nog veel ingewikkelder was, maar wat zou dat voor zin hebben?'

Iemand met een praktische inslag, die Ted Pitts, en geen dromer. We scharrelden de kinderen bij elkaar, terwijl Ted hun kleren afsloeg en het zand uit hun schoenen schudde, en reden terug naar de caravan, waar we voor de lunch zelfgemaakte hamburgers kregen.

's Middags corrigeerde ik onder het medelijdend oog van Ted de stapel schoolschriften die ik toevallig vrijdagavond niet mee naar huis had genomen. Dat had 5b aan Irestone te danken. En 's maandagsmorgens gingen we, daar Teds stem naar hij dacht weer goed genoeg in vorm was om de monsters van de derde klas in bedwang te houden, allebei terug naar school.

We reden elk met onze eigen auto. Ik had het gevoel dat ik niet langer welkom was in de caravan, en hoewel Jane zei dat ik kon blijven als ik wilde, kon ik merken dat ik niet langer een godsgeschenk was. De nieuwe salarischeque moest bij de bank liggen. Er zou deze week meer dan alleen maar brood zijn en ik zou iets anders moeten bedenken.

Ted rekte zich in de laatste minuut voor we weggingen uit en pakte de zes cassettes van de plank in de hoogte. 'Ik zou deze vandaag tijdens het lunchuur kunnen doen, als je wilt,' zei hij.

'Dat zou schitterend zijn,' zei ik. 'Dan kun je één stel zelf houden en de andere zijn voor mevrouw O'Rorke.'

'Wil je er zelf dan geen?'

'Misschien dat ik later kopieën van de jouwe kan krijgen, maar ik zie mij nog niet de rest van mijn leven langs wedlokalen hollen.'

Hij lachte. 'Ik net zo min. Hoewel ik er geen bezwaar tegen zou hebben gehad...' Er gloeide weer iets van verlangen in zijn ogen op, dat snel weer doofde. 'Vooruit maar,' zei hij. 'Klaar voor de strijd.' Hij kuste Jane en de meisjes en we gingen ervandoor.

Tijdens de ochtendpauze probeerde ik toch nog eens of ik commissaris Irestone te pakken kon krijgen, ditmaal via de telefoonautomaat in de leraarskamer. Ook met het nieuwe nummer had ik geen geluk. Commissaris Irestone was op dat moment niet aanwezig.

'Wat een ellende is dat toch,' zei ik. 'Er was mij verteld dat hij er zou zijn.'

'Hij werd weggeroepen, mijnheer. Wilt u een boodschap achterlaten?'

Ik had zin een paar stevige vloeken te uiten. Ik zei: 'Zegt u hem dat Jonathan Derry gebeld heeft.'

'Uitstekend, mijnheer. Uw boodschap wordt op tien uur drieëndertig genoteerd.'

Naar de bliksem ermee, dacht ik.

Ik had ongeveer vijf passen door de kamer gedaan in de richting van het koffieapparaat, toen de telefoon achter mij rinkelde. Het was het tijdstip waarop de vrouwen van de leerkrachten vaak opbelden om hun geliefde echtgenoten op weg naar huis boodschappen te laten doen en degene die het dichtst bij de telefoon stond nam als vanzelfsprekend de hoorn op. Mijn vrouw zou in elk geval niet bellen, dacht ik, maar iemand riep: 'Jonathan, het is voor jou.'

Verbaasd liep ik terug en nam de hoorn op.

'Hallo,' zei ik.

'*Jonathan,*' zei Sarah. 'Waar *zit* je aldoor? Waar in godsnaam *zit* je aldoor?'

Ze klonk hysterisch. Haar stem was hoog, trillend van gespannenheid, strakker gespannen dan ik ooit tevoren gehoord had. Tot vlak bij het breekpunt. Beangstigend.

'Wat is er gebeurd?' vroeg ik. Ik was mij ervan bewust dat mijn stem te kalm klonk, maar daar kon ik niets aan doen. Zo scheen hij altijd te klinken wanneer van binnen alles in heftige beroering was.

'O, mijn *god*!' Ze had nog net tijd om geërgerd over mij te zijn, maar geen tijd om meer te zeggen.

Na een heel korte stilte hoorde ik een andere stem, en ditmaal rees iedere haar van mijn lichaam in protest overeind.

'Luister nou eens goed naar me, slijmerd...'

Angelo Gilbert.

'Luister goed naar me,' zei hij. 'Je lieve kleine vrouwtje zit hier zo knus als maar kan. We hebben haar aan een stoel vastgebonden om haar geen pijn te doen.' Hij grinnikte. 'Haar vriendin is er ook, dat verzopen vogeltje. En luister goed, uilskuiken, want je zal precies moeten doen wat ik je zeg. Luister je?'

'Ja,' zei ik. Ik luisterde werkelijk uit alle macht en met één hand tegen mijn andere oor gedrukt vanwege het gepraat en de koffiekopjes overal om mij heen. Het had iets macabers. Het was ook net of alle gevoel in mijn voeten was afgesneden.

'Dat is de laatste keer geweest dat je ons met een kluitje in het riet hebt gestuurd,' zei Angelo, 'door ons die nepbandjes te sturen. Dit keer geef je ons de echte, gesnapt?'

'Ja,' zei ik gedwee.

'Je wilt je kleine vrouwtje toch niet met een helemaal in elkaar geslagen gezicht terug hebben, is het wel?'

'Nee.'

'Je hebt ons alleen maar de bandjes te geven.'

'Goed,' zei ik.

'En geen verrotte geintjes.' Hij leek teleurgesteld dat ik zo lauw reageerde op zijn theatraal gedoe, maar zelfs op dat verschrikkelijke moment scheen het een tweede natuur te zijn om op hem de technieken toe te passen die ik gedurende al die jaren als leraar onbewust ontwikkeld had – een tartende houding de wind uit de zeilen nemen, je verveeld tonen tegenover een super-ego, triomfantelijke wreedheid de nek omdraaien met uiterlijke onverschilligheid.

Dat lukte bij de kinderen, het lukte schitterend bij Jenkins en het was bij Angelo al twee keer eerder gelukt. Hij moest toch onderhand weten, vond ik, dat ik niet reageerde op spottende hatelijkheden of arrogantie; in elk geval niet zichtbaar. Hij was te zeer van zichzelf vervuld dan dat hij kon geloven dat iemand niet de angst toonde die hij het nodig vond de mensen aan te jagen. Het mocht dan geen bijzonder licht zijn, hij was niettemin onberekenbaar gevaarlijk.

Hij hield de hoorn bij Sarahs mond en tegen haar had ik minder verweer.

'Jonathan...' Half kwaad, half angstig; hoog en schril. 'Ze zijn hier gisteren gekomen. *Gisteren.* Donna en ik hebben hier de héle nácht vastgebonden gezeten. Waar ben je verdomme al die tijd *geweest*?'

'Ben je bij Donna thuis?' vroeg ik met klem.

'Wát? Ja, allícht. *Allícht* zijn we daar. Stel niet zulke verdomd stomme vragen.'

Angelo pakte de telefoon weer over. 'Luister goed, uilskuiken. Luister goed. Dit keer wordt er geen rottigheid uitgehaald. Dit keer willen we de goeie spullen hebben, en ik geef je op een briefje dat het je laatste kans is.'

Ik gaf geen antwoord.

'Ben je er nog?' vroeg hij op scherpe toon.

'En of,' zei ik.

'Breng de bandjes naar mijn vader in Welwyn. Heb je het gehoord?'

'Ja. Maar ik heb de bandjes niet.'

'Zorg dan dat je ze krijgt.' Zijn stem was haast een gekrijs. 'Hoor je me?' vroeg hij op dwingende toon. 'Zorg dat je ze krijgt.'

'Daar zal enige tijd mee heengaan,' zei ik.

'Je hebt geen tijd, slijmerd.'

Ik haalde diep adem. Hij was niet te vertrouwen. Hij was onredelijk. Hij was geen schoolkind. Ik mocht eenvoudigweg niet te ver met hem gaan.

'Ik kan de bandjes vandaag halen,' zei ik. 'Ik zal ermee naar je vader gaan zodra ik ze heb. Het zou wel eens laat kunnen worden.'

'Eerder,' zei hij.

'Dat kan ik niet. Dat is onmogelijk.'

Ik wist niet precies waarom ik de zaak probeerde te rekken. Het gebeurde instinctmatig. De dingen rustig overwegen; mij niet hals over kop erin storten. Ditmaal zouden de Egyptenaren verstandiger zijn.

'Wanneer je daar bent zal mijn vader de bandjes uitproberen,' zei hij, zich er zo te horen bij neerleggend. 'Op een computer. Een Grantley-computer. Snap je, uilskuiken? Mijn vader heeft een Grantley-computer aangeschaft, omdat de bandjes voor dat merk computer gemaakt zijn. Geen lollige streken dus zoals de laatste keer.

Hij probeert de bandjes uit, snap je? Ik zou je aanraden ervoor te zorgen dat het de goeie zijn.'

'Goed,' zei ik weer.

'Wanneer mijn vader zich ervan vergewist heeft belt hij mij hier op,' zei hij. 'Dan laat ik je kleine vrouwtje en de verzopen kip hier vastgebonden achter, zodat jij ze kan komen bevrijden als een echt kleine Galahad. Ge-snapt?'

'Ja,' zei ik.

'En vergeet niet, slijmerd, één geintje en je kleine vrouwtje zal de plastische chirurgen jaren werk bezorgen. Te beginnen met haar mooie witte tanden, slijmerd.'

Kennelijk hield hij de hoorn weer bij Sarah, want het was haar stem die ik hierna hoorde. Nog steeds kwaad, nog steeds angstig, nog steeds hoog.

'In godsnaam, zorg dat je die bandjes krijgt.'

'Ja, dat doe ik,' zei ik. 'Heeft Angelo zijn pistool bij zich?'

'Ja. Jonathan, doe wat hij zegt. Doe *alsjeblieft* wat hij zegt. Haal geen domme dingen uit.' Het was evenzeer een bevel als een smeekbede.

'Die bandjes zijn geen tand waard,' zei ik in een poging haar gerust te stellen. 'Houd hem kalm als je kunt. Vertel hem dat ik zal doen wat hij zegt. Vertel hem dat ik je dat beloofd heb.'

Ze gaf geen antwoord. Het was Angelo die zei: 'Dat is alles, slijmerd. Zo is het genoeg. Jij zorgt dat je die band-jes krijgt. Oké?'

'Ja,' zei ik, en de verbinding werd abrupt verbroken.

Zelf voelde ik mij ook knap gebroken.

De leraarskamer was leeggelopen en ik zou al te laat komen voor 6b. Werktuiglijk pakte ik de nodige boeken bij elkaar en bewoog mij op de voeten die ik niet meer voelde door de gangen voort naar de laboratoria.

Zorg dat je die bandjes krijgt...

Ik kon ze niet te pakken krijgen, tenzij ik Ted Pitts kon vinden, wat waarschijnlijk niet vóór de lunchpauze zou zijn, om kwart over twaalf. Ik had tot dan nog anderhalf uur waarin ik kon besluiten wat ik zou doen.

6b was met radioactiviteit bezig. Ik zei tegen hen dat ze door moesten gaan met de reeks proeven met alfa-deeltjes waar ze de afgelopen week aan begonnen waren en ging op mijn hoge kruk bij het bord zitten vanwaar ik vaak lesgaf, terwijl ik toekeek hoe de Geiger-tellers tel-den, met mijn gedachten bij Angelo Gilbert.

Wat te doen, dacht ik.

Ik zou nog een keer de politie kunnen bellen. Ik kon zeggen dat een labiele man mijn vrouw met zijn pistool in gijzeling hield. Ik kon zeggen dat ik dacht dat het degene was die Christopher Norwood vermoord had. Als ik dat deed zouden ze misschien uitrukken naar het huis van de Keithly's en proberen Angelo tot overgave te dwingen – en dan zou Sarah misschien geen gijzelaar meer zijn omwille van drie kleine cassettes, maar omwille van Angelo's persoonlijke vrijheid. Een escalatie waar ik niet aan moest denken.

Geen politie.

Wat dan?

Harry Gilbert de bandjes geven. Erop vertrouwen dat Angelo Sarah en Donna ongedeerd zou achterlaten. In feite precies doen wat mij gezegd was en erop vertrouwen dat Angelo mij niet bij Donna thuis zou opwachten en drie lijken achterlaten wanneer hij naar buiten wandelde.

Logischerwijze was dat niet aannemelijk, maar het was mogelijk.

Het zou beter zijn geweest indien ik een goede, geldige, logische reden had kunnen bedenken voor de moord op Chris Norwood. Hij had Angelo de voltooide computer-bandjes niet gegeven, want als hij dat gedaan had was het niet nodig geweest dat Angelo bij míj was gekomen. Ik had er, en niet voor de eerste keer, over zitten peinzen wat er nu precies met de oorspronkelijke aantekeningen van Liam O'Rorke was gebeurd, en wat er gebeurd was met de bandjes die Peter volgens zijn zeggen naar degene gestuurd had die ze besteld had. Naar C. Norwood, Angel Keukens, Newmarket.

Naar Chris Norwood, dief van alles wat los en vast zat. Verwaand schoffie, had Akkerton gezegd. Groentekok Akkerton, die zijn pens volgoot in de kroeg.

Ik veronderstelde dat Chris Norwood, toen hij met Angelo geconfronteerd werd, eenvoudig gezegd had dat Peter Keithly de programma's aan het schrijven was en alle aantekeningen had, en dat Angelo ze maar bij hém moest halen. Angelo was toen dreigend naar Peter gegaan, die hem uit angst programma's had gegeven waarvan hij wist dat ze niet compleet waren. Toen de Gilberts eenmaal ontdekt hadden dat ze waardeloos waren was Peter al dood. Angelo moest terug zijn gegaan naar Chris Norwood, ditmaal met een zwaaiend pistool. En weer moest Chris Norwood gezegd hebben dat Peter Keithly de programma's op bandjes had staan. Dat ze, ook al was hij dood, bij hem thuis lagen. Dat moest hij ze volgens mij verteld hebben nádat Angelo de stereoinstallatie kapot had geschoten. Hij moest hem echt zijn gaan knijpen, maar hij moest de programma's nog altijd als het even kon zelf gehouden willen hebben, omdat hij wist dat ze een levenslange etensbon waren.

Chris Norwood had, veronderstelde ik, Angelo tweemaal niet gegeven wat hij wilde; en Chris Norwood was dood.

Ik had Angelo ook tweemaal in de maling genomen en de voet dwars gezet, en ik kon er niet zeker van zijn dat ik alleen maar omdat ik een geweer bij de hand had gehad nog in leven was. Zonder zijn vader om hem in toom te houden kon Angelo nog altijd even explosief zijn als de benzinedamp waardoor Peter was omgekomen, zelfs al meende hij eindelijk de schat in handen te hebben waar hij zo lang achteraan had gezeten.

Een paar jongens uit 6b zaten in de knoop met hun atoomkernen. Werktuiglijk daalde ik van de hoogte van mijn kruk af om ze eraan te herinneren dat er in een nevelkamer geen nevel ontstond indien je vergat droogijs toe te voegen.

Geen geintjes meer, had Angelo gezegd.

Nu...

Over welke hulpmiddelen beschikte ik, overdacht ik. Welke vaardigheden die ik kon gebruiken?

Ik kon schieten.

Ik kon daarentegen Angelo niet neerschieten. Niet zolang hij een Walther tegen Sarahs hoofd gedrukt hield. Niet zonder dat ik op zijn minst in de gevangenis belandde wegens doodslag.

Angelo neerschieten kwam niet ter sprake.

Ik bezat de kennis die de fysica mij gegeven had. Ik kon een radio in elkaar zetten, een televisietoestel, een thermostaat, een digitale klok, een satellietvolger en, vooropgesteld dat ik over de juiste onderdelen kon beschikken, een laser-bundel, een deeltjesversneller en een atoombom. Een atoombom maken zou ik voor de lunch niet meer redden.

De twee jongens die bezig waren met de alfa-deeltjesteller zaten bij het apparaat, dat bestond uit een grote magneet die door een heel stel kleinere gebombardeerd werd, te redekavelen. De ene jongen hield vol dat de kracht van permanente magneten in de loop van de tijd afnam en de ander zei dat dit onzin was, permanent was permanent.

'Wie heeft er gelijk, mijnheer?' vroegen ze.

'Permanent is een relatief begrip,' zei ik. 'Geen absoluut.'

Op dat moment ging er in een flits een niet permanente elektrische impuls door mijn hoofd. De kennis die ik nodig had lag voor het grijpen.

God zegene alle jongens, dacht ik.

9

Ted Pitts stond gedurende de hele lunchtijd over de Harris gebogen om de kopieën op de nieuwe bandjes te maken en ze te testen.

'Alsjeblieft,' zei hij ten slotte, terwijl hij zijn nek wreef. 'Voor zover ik kan zien zit er geen foutje in.'

'Welk stel wil jij hebben?' vroeg ik.

Hij gluurde mij door zijn zwarte montuur ernstig aan. 'Kan het jou niet schelen?'

'Kies maar welke je wilt,' zei ik. 'Ik neem de andere.'

Hij aarzelde, maar koos toen de originelen. 'Weet je het zeker?'

'O jawel,' zei ik. 'Maar geef mij de oorspronkelijke doosjes. *Oklahoma* enzovoort. Het zal misschien het beste zijn dat ik ze in de goede verpakking overhandig.'

Ik deed de kopieën in de opzichtige doosjes, bedankte Ted, liep naar de leraarskamer terug en zei tegen mijn vier zwaar beproefde assistenten dat ik een ellendige jengelende hoofdpijn gekregen had en of zij alsjeblieft met elkaar mijn klassen die middag wilden overnemen. Er werd wat gegromd, maar het was een dienst die we elkaar geregeld bewezen wanneer het niet anders kon. Ik ging naar huis, zei ik. Met een beetje geluk zou ik er de volgende ochtend weer zijn.

Voor ik wegging maakte ik een omweg langs het voorbereidingslokaal waar Louisa veren en gewichten voor de tweede klas van die middag aan het uittellen was. Ik vertelde haar van mijn hoofdpijn en kreeg nauwelijks medeleven, wat ook niet meer dan eerlijk was. Terwijl ze met de lading batterijen naar een van de laboratoria liep om ze over de banken te verdelen, opende ik een van haar nette kasten en hielp mijzelf aan drie kleine voorwerpen, die ik handig in mijn zak wegstopte.

'Waar zoek je naar?' vroeg Louisa toen ze terugkwam en mij nog altijd voor de geopende kastdeuren aantrof.

'Niets in het bijzonder,' zei ik vaag. 'Ik weet het eigenlijk niet.'

'Ga naar huis en kruip onder de wol,' zei ze zuchtend, zichzelf als martelaar opwerpend. 'Ik zal het extra werk wel opknappen.'

In werkelijkheid betekende mijn afwezigheid juist minder en niet meer werk voor haar, maar ik won er niets mee als ik daarop wees. Ik putte mij uit in dankbetuigingen om haar voor de anderen in een goede bui te houden en liep naar mijn auto om naar huis te rijden.

Ik hoefde niet bang te zijn dat ik Angelo daar zou aantreffen – die was bij de Keithly's, honderd zestig kilometer ver weg in Norfolk.

Alles deed onwezenlijk aan. Ik dacht aan de twee vrouwen, vastgebonden aan hun stoel, ongemakkelijk, angstig, doodop. Haal geen domme dingen uit, had Sarah gezegd. Doe wat Angelo zegt.

In een van de laden van het dressoir hadden we ergens een fotoalbum liggen, uit het zicht weggestopt omdat we er niet verlangend meer naar waren om ons vreugdeloze leven vast te leggen. Ik dolf het op en bladerde het door, op zoek naar de foto die ik een keer genomen had van Peter, Donna en Sarah, terwijl ze op het trottoir voor Peters huis stonden. De zon had geschenen, zag ik. Alle drie glimlachten ze, met blijde gezichten. Een schok om Peters gezicht te zien, zonder snor, jong nog en zo met zichzelf ingenomen. Niets bijzonders aan die foto – gewoon een stel mensen, een huis en een straat. Voor mij echter op dat moment geruststellend.

Ik ging de trap op naar mijn eigen kamertje, maakte de wapenkast open en haalde er een van de Mausers 7,62 uit, benevens een van de Olympische geweren, de Anschütz .22. Ik deed ze allebei in de speciale koffer, samen met wat munitie van beide kalibers. Ik nam de koffer mee naar beneden en borg hem achter slot in de kofferruimte van de auto.

Na een ogenblik nadenken liep ik naar boven en haalde een grote bruine badhanddoek uit de linnenkast, die ik ook in de kofferruimte stopte.

Ik sloot het huis af.

Daarna zat ik in de auto drie of vier minuten lang na te denken, met als gevolg dat ik opnieuw het huis inliep, dit keer voor een tube lijm met extra lijmkracht.

Het enige waar ik niet genoeg van had, bedacht ik, was tijd.

Ik startte de motor en ging op weg, niet naar Welwyn, maar naar Norwich.

Door demonen voortgedreven legde ik de afstand in korter tijd dan gewoonlijk af, maar het was niettemin half vijf toen ik aan de buitenrand van de stad kwam. Zes uur geleden dat Angelo had opgebeld. Voor zijn gijzelaars zes lange uren.

Ik hield stil bij een telefooncel in een winkelcentrum niet ver van Donna's huis en draaide haar nummer. Biddend, denk ik, dat Angelo zou opnemen; dat alles er in elk geval niet slechter voor zou staan dan die ochtend.

'Hallo,' zei hij. Gretig, meende ik. In de verwachting dat het zijn vader was.

'Met Jonathan Derry,' zei ik. 'Ik heb de bandjes.'

'Geef me mijn vader.'

'Ik ben niet bij je vader. Daar ben ik nog niet heen gegaan. Het heeft me de hele dag gekost om die bandjes te pakken te krijgen.'

'Luister nou eens goed, slijmerd...' Hij ontstak in een gemene, wilde woede. 'Ik heb je gewaarschuwd...'

'Ik heb er de hele dag voor nodig gehad, maar ik heb ze,' viel ik hem volhardend in de rede. 'Ik heb de bandjes. Ik heb de bandjes.'

'Nou góéd,' zei hij gespannen. 'Ga er dan mee naar mijn vader. Ga ermee naar hem toe, hoor je me?'

'Ja,' zei ik. 'Ik ga er meteen heen, maar ik heb er wel enige tijd voor nodig. Het is een heel eind.'

Angelo mompelde iets binnensmonds en zei toen: 'Hoe

lang? Waar zit je? We hebben verdomme de hele nacht en de hele dag zitten wachten.'

'Ik ben in de buurt van Bristol.'

'*Waar*?' Een schreeuw van woede.

'Ik heb er vier uur voor nodig om bij je vader te komen,' zei ik.

Er volgde een korte stilte. Toen klonk Sarahs stem, te moe om te huilen, verdoofd door te veel angst.

'Waar ben je?' vroeg ze.

'In de buurt van Bristol.'

'O, mijn god.' Haar stem klonk niet langer kwaad, alleen nog zonder hoop. 'We kunnen het niet veel langer uithouden...'

Midden in de zin werd de hoorn van haar afgepakt en klonk Angelo's stem weer door de lijn.

'Schiet op, slijmerd,' zei hij, en verbrak de verbinding.

Even tijd om uit te blazen, dacht ik. Vier uur vooraleer Angelo bericht van zijn vader verwachtte. In plaats van dat de spanning daar in huis onverbiddelijk en gevaarlijk zou oplopen, zou er, hoopte ik, op zijn hoogst sprake zijn van een geërgerde stemming die te dragen was, en zou in het beste geval het gevaar dat de onzekerheid met zich meebracht worden weggenomen. Ze zouden niet nog eens vier uur lang met toegeknepen kelen van minuut tot minuut zitten af te wachten.

Voor ik in de auto stapte maakte ik de kofferruimte open, haalde de telescoop en de twee geweren uit hun schokvrije bergplaats in de koffer en wikkelde ze in de bruine handdoek, waar ze kwetsbaarder waren. Ik legde ze in de auto op de bruine bekleding van de achterbank. De doosjes met patronen legde ik ernaast, eveneens onder de handdoek verborgen. Daarna keek ik naar mijn vingers. Ze trilden niet. Niet zo erg als mijn hart.

Ik reed met een omweg naar de straat waaraan het huis van Keithly lag en hield langs het trottoir stil, juist uit het zicht van het raam met de netvitrage. Ik kon het dak zien, een stuk van de muur, het grootste deel van de voortuin – en de auto van Angelo op de oprit.

Er liepen niet veel mensen in de straat. De kinderen waren waarschijnlijk thuis van school en dronken thee. De echtgenoten waren nog niet thuis van hun werk – er stonden maar weinig auto's voor de huizen geparkeerd. Een vredig tafereeltje in een voorstad. Een straat in een woonwijk, gemiddeld welvarend, niet lang geleden gebouwd. Een ordentelijke straat zonder hoge bomen en zonder een woud van elektriciteits- en telegraafpalen; pas gelegde kabels liepen gewoonlijk het grootste deel van hun tracé onder de grond en traden slechts zo hier en daar aan het daglicht. Op de foto van Peters huis had maar één telegraafpaal vlakbij gestaan, vanwaar zich draden naar de afzonderlijke huizen overal in het rond verspreidden, maar niet veel meer. Geen obstakels. Keurig vlakke asfalt trottoirs met trottoirbanden en een rijweg van geteerde steenslag. Enkele keurige groene rechthoekige stukjes teruggedrongen gras. Kilometers netvitrage, die elk moment opzij geschoven kon worden. Ik-kan-naar-buiten-kijken-maar-jij-niet-naar-binnen.

Het eerste waar het bij precisieschieten op aan kwam was te weten hoe ver men zich van het doel bevond. Op schietbanen had men vaste afstanden, die altijd hetzelfde waren. Ik was gewend aan precies drie-, vier- en vijfhonderd yard. Aan negenhonderd en duizend yard, allebei meer dan een halve mijl. De afstand was van invloed op het richten – hoe groter de afstand, des te verder men boven het doel diende te richten om het te raken.

Olympisch schieten werd altijd op een afstand van driehonderd meter gedaan, maar vanuit verschillende houdingen – staand, knielend en vooroverliggend. Bij Olympisch schieten waren ook in iedere schiethouding tien proefschoten toegestaan – tien kansen om je vizier bij te stellen voor je aan de veertig schoten toe kwam die voor de uitslag meetelden.

In die straat in Norwich zou ik geen tien proefschoten krijgen. Ik kon mij er nauwelijks één veroorloven.

Het ontbreken van een regelmatige rij telegraafpalen betekende geen gemakkelijk hulpmiddel bij het bepalen van de afstand. Ik dacht echter wel dat, omdat alle huizen eender waren, de voortuinen allemaal ongeveer even breed moesten zijn, en daarom stapte ik zo onopvallend en nonchalant mogelijk uit de auto en liep met afgemeten passen langzaam de straat door, weg van Peters huis.

Veertien passen per tuin. Ik verrichtte enig hoofdrekenwerk, wat als resultaat gaf dat driehonderd meter tweeëntwintig huizen betekende.

Ik telde zorgvuldig. Tussen mij en mijn doel bevonden zich maar twaalf huizen – laten we zeggen honderd zeventig meter. Die kortere afstand zou in mijn voordeel zijn. In het algemeen kon ik erop rekenen een doel binnen één boogminuut te raken; met andere woorden, een rond doel van ongeveer drie centimeter doorsnee te raken op honderd meter afstand, van zes centimeter doorsnee op tweehonderd meter, van negen centimeter op driehonderd meter enzovoort, tot een etensbord van dertig centimeter op duizend meter.

Mijn doel van die avond was nagenoeg rechthoekig en zo'n tien bij vijftien centimeter groot, wat betekende dat ik mij niet verder dan vierhonderd meter ervan mocht bevinden. Het voornaamste probleem was dat ik het vanaf de plaats waar ik stond, ook al gebruikte ik een telescoop, niet kon zien.

Een oude man kwam uit het huis waar ik tegen het trottoir geparkeerd stond naar buiten en vroeg of ik iets wenste.

'Eh, nee,' zei ik. 'Ik sta op iemand te wachten. Even mijn benen strekken.'

'Mijn zoon wil daar parkeren,' zei hij, naar mijn auto wijzend. 'Hij komt direct thuis.'

Ik keek naar het halsstarrige oude gezicht en wist dat hij als ik niet wegging door de gordijnen naar mij zou blijven gluren, alles wat ik deed gadeslaand. Ik knikte glimlachend, stapte in, reed achteruit de oprit van zijn buurman in en verliet de straat in de richting vanwaar ik gekomen was.

Ook goed, dacht ik terwijl ik een omweg maakte. Ik

moet de straat vanaf de andere kant inrijden. Ik moet ergens parkeren vanwaar ik het doel kan zien. Als het even mogelijk is moet ik niet voor iemands huis parkeren, open en bloot voor een van die onschuldig starende spionnetjes. Ik moet niet ergens parkeren waar Angelo me kan zien. Ik moet de huizen zorgvuldig tellen om op de juiste afstand uit te komen; en bovenal moet ik zorgen dat ik opschiet.

Het is een bekend cliché in films dat wanneer een sluipmoordenaar door het telescopisch vizier kijkt, het dradenkruis op het doel richt en de trekker overhaalt, het slachtoffer dood neervalt. Heel dikwijls zie je de moordenaar dit kunststukje rechtop staande uithalen en vrijwel altijd gebeurt het bij zijn eerste schot; al met al iets waar serieuze scherpschutters om moeten lachen, of rillen, of allebei. De enige film die ik ooit gezien heb waarin het goed was gedaan was *The day of the jackal,* waarin de schutter naar een bos ging om de afstand uit te passen, zijn geweer ter ondersteuning tegen een boom bond, zijn vizier instelde en twee of drie proefschoten afvuurde op een meloen ter grootte van een hoofd voor hij het geheel naar de plaats van de moordaanslag overbracht. Ook daarbij werd geen rekening gehouden met de wind – maar je kunt niet alles hebben.

Ik reed de straat waar Peter had gewoond vanaf de andere zijde in, waar ik niet zo goed bekend was, en ontdekte tussen twee van de huizen de brede toegangshekken van een oud landgoed waarop het nieuwe huis gebouwd was. Het dubbele hek zelf, van smeedijzer en op een kier staande, gaf toegang tot een smalle weg die in een parkachtige omgeving verdween, en lag niet gelijk met de rijweg of zelfs met de gevels van de huizen, maar een klein stukje naar achteren. Tussen de hekken en de weg lag een redelijk onderhouden stuk grind met een zwaar verweerd bord waarop stond dat bezoekers voor het Instituut voor Paranormaal Onderzoek naar binnen dienden te rijden en de pijlen volgen naar de receptie.

Zonder aarzelen draaide ik het stuk grind op en zette

de wagen stil. Het was ideaal. Vandaar had ik, zelfs met het blote oog, een duidelijk uizicht op het doel. Wel enigszins van opzij, maar toch goed genoeg.

Ik stapte uit de auto en telde de huizen die in een eendere rij langs de straat lagen; dat van de Keithly's was het veertiende aan de overkant en mijn doel was één huis dichterbij.

De weg boog flauw naar rechts. Er stond een licht briesje van links. Haast automatisch verrichtte ik de verschillende schattingen en ging voorzichtig achter in de wagen zitten.

Lange tijd had ik bij wijlen in besluiteloosheid verkeerd welk geweer ik zou gebruiken. De 7,62-kogels hadden een veel vernietigender uitwerking, maar als ik het doel met het eerste schot totaal miste kon ik verschrikkelijke schade veroorzaken aan dingen of mensen die ik niet kon zien. Mensen die zich op vijfhonderd meter afstand of nog meer bevonden. De .22 was veel lichter; nog altijd dodelijk indien ik het doel miste, maar niet over zo'n grote afstand.

In een auto kon ik natuurlijk niet plat op mijn buik gaan liggen zoals ik normaal de Mauser afvuurde. Ik kon knielen en met de .22 was ik meer gewend aan knielen. Maar wanneer ik in de auto knielde hoefde ik het geweer niet met de hand te ondersteunen... ik kon het op het portier laten rusten en door het geopende raampje schieten.

God zegene de greep, dacht ik, en koos voor de Mauser. De vernietigende uitwerking daarvan was zoveel groter en ik kon mijn werk maar het beste meteen goed doen. Ik kon het doel ook duidelijk zien en het was dicht genoeg bij om met het tweede schot een zekere trefkans te hebben. Het was het eérste schot waar ik over in zat.

Het beeld van Paul Arcady kwam mij voor de geest. 'Zou u de appel van mijn hoofd kunnen schieten, mijnheer?' Wat ik nu deed was vrijwel hetzelfde. Eén klein foutje kon gevolgen hebben waar je niet aan moest denken.

Nu ik niet meer terug kon draaide ik het achterraampje naar beneden en schoof de glanzende .30-patronen in de kamer van de Mauser. Door de telescoop, die ik ook tegen het raamkozijn steunde, wierp ik een blik op het doel, en wat mij in het oog sprong was een heldere, duidelijke, enigszins schuine dichtbijopname van een platte, ondiepe doos, die hoog tegen de zijkant van de telegraafpaal bevestigd zat – grijs, met een rechthoekige grondvorm, waarvandaan draden liepen naar alle vlakbij gelegen huizen.

De aansluitdoos.

Het speet mij voor alle mensen die de rest van de dag zonder telefoon zouden komen te zitten, maar toch speet het me ook weer niet al te erg dat ik hun telefoons onklaar maakte.

Ik liet de telescoop zakken, vouwde de bruine handdoek op en legde die over het raamkozijn om een antislip oppervlak te krijgen. Ik zette mijzelf zo stevig mogelijk schrap tussen de voorste stoel en de achterbank en liet de loop van de Mauser op de handdoek rusten.

Ik dacht dat ik om zeker te zijn de aansluitdoos waarschijnlijk twee of drie keer zou moeten raken. Kogels van 7,62 mm gingen gewoonlijk dwars door voorwerpen heen, waarbij de meeste schade bij het uittreden werd veroorzaakt. Indien ik het risico had willen nemen om dóór de paal heen op de aansluitdoos te schieten, zou één nauwkeurig geplaatste kogel hem uiteen hebben laten spatten, maar dan zou ik er recht achter hebben moeten staan en daar kon ik niet onopgemerkt komen.

Ik zette het vizier op wat ik voor die afstand nodig dacht te hebben, liet mijn lichaam zakken tot een hoek waarin ik gemakkelijk zat, corrigeerde een haartje vanwege de wind en haalde de trekker over. Raak de paal, bad ik. Hoog of laag, maar raak de paal. Het was inderdaad mogelijk dat de kogel erdoorheen ging, maar dan zou hij het grootste deel van zijn stuwkracht hebben opgebruikt.

Geweren van het kaliber 7,62 maken een verschrikkelijk lawaai. Buiten op straat moest het als een zweepslag geklonken hebben. In de auto was het oorverdovend, als in vroeger tijd toen er nog geen oorbeschermers waren.

Ik laadde opnieuw. Ik keek door de telescoop en zag het kogelgat, keurig rond, precies boven in de grijze buitenzijde van de aansluitdoos zitten.

Halleluja, dacht ik dankbaar, en haalde diep adem van opluchting.

Ik liet het vizier een klein eindje zakken, waarbij ik mijn lichaam in dezelfde positie hield. Nog een schot. Opnieuw laden. Weer een schot. Ik keek door de telescoop.

Het tweede en derde gat overlapten elkaar, lager dan het eerste, en mogelijk doordat ik niet recht van voren schoot maar een beetje van opzij leek de hele kast gespleten te zijn.

Zo moest het maar. Het maakte veel te veel herrie.

Ik legde de geweren en telescopen op de vloer met de handdoek eroverheen en klauterde binnendoor naar de voorstoel.

Ik startte de motor, reed langzaam achteruit de weg op en reed met normale snelheid weg, terwijl ik in de achteruitkijkspiegel een paar bewoners nieuwsgierig de straat op zag komen. De netvitrages moesten overal opzij geschoven zijn, maar niemand riep mij na, niemand die wees en zei: 'Dat is hem.'

En Angelo – wat zou die denken? En Sarah, die het geluid dat een geweer maakte beter kende dan kerkklokken? Ik hoopte bij god dat ze zich stil hield.

Bij het verlaten van Norwich stopte ik om te tanken en maakte van de telefoon daar gebruik om Donna's nummer te draaien.

Niets.

Een vaag zoemend geluid, als de wind in de draden.

Ik blies een longvol adem uit en vroeg mij met een glimlach af wat de monteurs zouden zeggen wanneer ze de volgende dag in de paal zouden klimmen. Hoogst waarschijnlijk niet geschikt om te herhalen.

Misschien dat het gekund had om met wat technisch gegoochel binnenkomende gesprekken onmogelijk te maken door een nummer te bellen, te wachten tot er werd opgenomen, niets te zeggen, te wachten tot de hoorn werd neergelegd, en dan je eigen hoorn niet op het toestel te leggen, zodat de lijn open bleef en het onmogelijk werd dat nummer nogmaals te bellen. Voor korte tijd had ik misschien op die methode kunnen vertrouwen, maar geen uren achtereen; bij sommige centrales ging het trouwens niet.

Verderop langs de weg hield ik stil, dit keer om de auto op te ruimen en de spullen goed te leggen. De Mauser en de telescoop legde ik in hun bergplaats in de koffer achterin, evenals de 7,62 mm-munitie; daarna brak ik de stelregels van mijzelf en ieder ander door een scherpe .22-patroon in de kamer van de Anschütz te schuiven.

Ik legde de handdoek op de achterbank en rolde het Olympische geweer er in de lengte in, waarna ik het plat op de vloer achter de voorstoelen legde. De handdoek viel op de bruine mat achterin niet op en ik meende dat als ik niet te fel optrok of remde, of een hoek omschoot, het geweer niet zou gaan schuiven.

Vervolgens stopte ik vier extra patronen in mijn rechterzak, omdat de Anschütz geen magazijn had en elke patroon afzonderlijk geladen moest worden. Na zoveel jaar ervaring kon ik binnen twee seconden de gebruikte huls verwijderen en een nieuwe patroon laden, en zelfs nog sneller als ik de nieuwe patroon in mijn rechterhand hield. De twee geweren waren uiterlijk even groot en ik zou de Mauser met zijn beschikbare magazijn hebben genomen, ware het niet vanwege zijn afschuwelijke kracht in een woonomgeving. De .22 was ook dodelijk, maar niet voor de mensen in het huis ernaast.

Daarna goochelde ik een beetje met de cassettes en hun doosjes en de lijm en de dingetjes, die ik van school had meegepikt, en reed ten slotte weer verder, dit keer naar Welwyn.

Harry Gilbert verwachtte mij. Te oordelen naar de

manier waarop hij op hetzelfde moment dat ik de inrit bij hem opdraaide zijn huis uit kwam gestormd zat hij al een hele tijd op me te wachten en was hij het meer dan zat.

'Waar heb je gezéten?' vroeg hij. 'Heb je de bandjes bij je?'

Toen ik uit de auto stapte stond hij vlak bij me, zijn kin strijdlustig vooruit gestoken, zeker van zijn macht over een man die in een nadelige positie verkeerde.

'Ik dacht dat u het er niet mee eens was dat Angelo mensen met uw pistool bedreigde,' zei ik.

Er trok iets in een spiertje van zijn gezicht.

'Soms helpen alleen dreigementen,' zei hij. 'Geef me de bandjes.'

Ik haalde de drie bandjes uit mijn zak en liet ze hem zien; de drie bandjes zelf, uit hun doosjes.

Ik zei: 'Bel nu Angelo op en zeg hem dat hij mijn vrouw moet losmaken.'

Gilbert schudde zijn hoofd. Eerst probeer ik de bandjes. Daarna bel ik Angelo op. En Angelo laat je vrouw vastgebonden zitten tot je haar zelf komt losmaken. Dat is de afspraak. Heel simpel. Kom binnen.'

We gingen weer zijn functionele kantoor binnen, dat ditmaal een uitbreiding had ondergaan in de vorm van een Grantley-computer die op zijn bureau stond.

'De bandjes.' Hij hield zijn hand op en ik gaf ze aan hem. Hij schoof het eerste bandje in de recorder die naast de computer stond en begon heel stuntelig op het toetsenbond van de computer, dat leek op dat van een schrijfmachine, te zoeken.

'Hoe lang hebt u die computer al?' vroeg ik.

'Hou je mond.'

Hij typte RUN, en het was niet zo verwonderlijk dat er niets gebeurde, daar hij het programma niet vanuit de cassette had ingevoerd. Ik stond te kijken hoe hij het instructieboek oppakte en begon door te bladeren, en als we alle tijd ter wereld hadden gehad zou ik hem nog een poosje zijn gang hebben laten gaan. Iedere minuut die ik verspilde betekende echter weer een tergende minuut langer voor Donna en Sarah en daarom zei ik: 'U kunt beter les nemen.'

'Hou je mónd.' Hij wierp me een beslist dreigende blik toe en typte weer RUN

'Ik wil Angelo uit dat huis weg hebben,' zei ik. 'Ik zal u daarom laten zien hoe die bandjes moeten worden afgedraaid. Anders zitten we hier de hele avond.'

Het zou hem wat waard zijn geweest als hij niet zijn meerdere in mij had hoeven erkennen, maar dan had hij eerst zijn huiswerk moeten maken.

Ik lichtte het bandje uit de recorder om te zien welke kant het was, stopte het er toen weer in en typte CLOAD 'EPSOM'. De sterretjes begonnen in de rechter bovenhoek te knipperen terwijl de computer de band nazocht, maar eindelijk vond hij 'EPSOM', laadde het Epsom-programma en kondigde aan: READY.

'Typ nu RUN en druk op "Enter",' zei ik.

Gilbert deed het en onmiddellijk verscheen er op het scherm:

WELKE RACE IN EPSOM?
TYP NAAM VAN RACE EN DRUK 'ENTER' IN.

Gilbert typte DERBY, en het scherm vertelde hem dat hij de naam van het paard moest typen. Hij typte ANGELO en gaf hetzelfde soort verzonnen antwoorden als Ted Pitts en ik bedacht hadden. De winstfactor van Angelo was 46, wat het maximum geweest moet zijn. Het vertelde ook een heleboel over de hoge dunk die Gilbert van zijn zoon had.

'Hoe krijg je Ascot?' vroeg hij.

Ik haalde het bandje eruit en schoof er de eerste kant van het eerste bandje voor in de plaats. Ik typte CLOAD 'ASCOT', drukte op 'Enter' en wachtte op READY.

'Typ nu RUN en druk op "Enter",' zei ik.

Hij deed het, en onmiddellijk verscheen er WELKE RACE IN ASCOT? TYP NAAM VAN RACE EN DRUK 'ENTER' IN.

Hij typte GOLD CUP en leek betoverd door de volgende vragen, maar ik vond dat hij er lang genoeg mee gespeeld had.

'Bel Angelo op,' zei ik. 'U moet er nu toch wel van overtuigd zijn dat u dit keer de goede bandjes hebt.'

'Een moment nog,' zei hij geobsedeerd. 'Ik probeer alle bandjes. Ik vertrouw je voor geen cent. Angelo drukte me op het hart dat ik je niet moest vertrouwen.'

Ik haalde mijn schouders op. 'Controleer maar zoveel u wilt.'

Hij probeerde een paar programma's van elke kant en kreeg ten slotte in de gaten dat CLOAD plus de eerste vijf letters van de gewenste renbaan tussen aanhalingstekens geplaatst het verlangde te voorschijn toverde.

'Oké,' zei ik na een hele tijd. 'Bel dan nu Angelo op. Wanneer ik weg ben kunt u de programma's naar hartelust afdraaien.'

Hij kon geen verdere reden bedenken om het uit te stellen. Met een strakke blik waarin zijn eigen arrogantie snel aan het terugkeren was pakte hij een van de telefoons op, raadpleegde een notitieblokje dat ernaast lag en draaide het nummer.

Hij kreeg geen verbinding, wat niet zo verbazingwekkend was. Hij draaide nogmaals. Toen, ongeduldig, nog een keer. Toen probeerde hij het, binnensmonds mompelend, op een van de andere telefoontoestellen, met hetzelfde negatieve resultaat.

'Wat scheelt eraan?' vroeg ik.

'De telefoon gaat niet over.'

'Dan hebt u zeker het verkeerde nummer gedraaid,' zei ik. 'Ik heb het hier.'

Ik zocht in de zak van mijn colbertjasje naar mijn agenda en bladerde die met veel vertoon door. Ik vond het nummer en las het op.

'Dat heb ik gedraaid,' zei Gilbert.

'Kan niet. Probeer het nog eens.' Ik had mijzelf nooit als een acteur beschouwd, maar het kostte mij weinig moeite te doen alsof.

Gilbert draaide nogmaals met gefronst voorhoofd en

ik vond dat het tijd werd bezorgd en opgewonden te gaan doen.

'U móét verbinding zien te krijgen,' zei ik. 'Ik heb me de hele dag uitgesloofd en gehaast om die bandjes hier te krijgen en nu móét u Angelo opbellen, hij móét mijn vrouw vrijlaten.'

Op het gebied van de baas spelen had hij vele moeilijke jaren op mij voor, maar ook ik was er per slot van rekening aan gewend gewiekste tegenstanders in bedwang te moeten houden en toen ik een stap in zijn richting deed was het ons allebei duidelijk dat ik fysiek gesproken groter en fitter was, en zeer beslist de sterkste.

Haastig zei hij: 'Ik zal het via de centrale proberen,' en ik bleef met voorgewende bezorgdheid kwaad om hem heen draaien terwijl de telefoniste het zonder succes probeerde en meldde dat het nummer het niet deed.

'Maar dat kan niet,' schreeuwde ik. *'U moet Angelo bellen.'*

Harry Gilbert staarde mij enkel aan, in de wetenschap dat het onmogelijk was.

Ik nam een paar decibel terug, maar keek zo woedend als ik maar kon en zei: 'We moeten erheen.'

'Maar Angelo heeft gezegd...'

'Het kan me niet verdommen wat Angelo gezegd heeft,' zei ik ruw. 'Hij verlaat het huis daar niet tot hij weet dat u de bandjes hebt, en het ziet er nu naar uit dat u hem niet kunt zeggen dat u ze hebt. Dan moeten we er dus als de bliksem heen om het hem te vertellen. Ik ben al dat gesodehannes nou toch wel goed zat.'

'Ga jij maar,' zei Gilbert. 'Ik ga niet mee.'

'O jawel. Ik loop niet in mijn eentje op dat huis toe terwijl Angelo binnen zit met een pistool. Hij heeft gezegd dat ik de bandjes aan ú moest geven en dat heb ik gedaan, en u dient met mij mee te gaan om hem dat te vertellen. En ik beloof u,' zei ik dreigend, nu ik op dreef begon te komen, 'dat u goedschiks of kwaadschiks met mij mee gaat. Bewusteloos geslagen of vastgebonden, of gewoon rustig naast mij voorin zittend. Omdat u de enige bent naar wie Angelo zal luisteren.' Ik graaide de cassettes die naast de computer lagen bij elkaar. 'Als u deze bandjes terug wilt hebben zult u met mij mee moeten komen.'

Hij legde zich erbij neer. Veel keus had hij niet. Ik haalde de cassettedoosjes uit mijn zak en liet hem de etiketten zien, *Oklahoma, The King and I* en *West Side Story.* Toen lichtte ik de cassette die nog steeds in de recorder zat eruit en deed alle drie de bandjes in hun doosjes. 'Die nemen we mee,' zei ik. 'Om aan Angelo te laten zien dat u ze hebt.'

Ook daar legde hij zich bij neer. Zijn eigen voordeur met een klap achter zich dichtslaand liep hij met mij mee naar mijn auto en ging naast mij voorin zitten.

'De bandjes houd ik bij me,' zei ik.

Ik legde ze echter buiten zijn onmiddellijk bereik op de handschoenenplank en vertelde hem dat hij ze mocht hebben zodra we in Norwich waren.

Het was een vreemde reis.

Hij was een veel machtiger man dan waarmee ik mij normaal mee zou hebben durven meten, maar ik begon tot de ontdekking te komen dat ik mijzelf waarschijnlijk altijd zwakker had beschouwd dan ik in werkelijkheid was. Mijn leven lang was ik doordrongen geweest van ontzag voor schoolhoofden – als leerling, als student, als onderwijzer. Ook wanneer ik het niet met hen eens was geweest, of hen veracht had, of tegen hen gerebelleerd, had ik toch nooit werkelijk gepoogd hen eronder te krijgen. Je werd zo van school of van de universiteit geschopt, of uit de betere baantjes als natuurkundeleraar.

Harry Gilbert kon mij nergens uit schoppen en dat was misschien het hele verschil. Ik voelde mij opgewassen tegen zijn eigen geloof in zijn superioriteit, zonder erdoor geïntimideerd te raken. Ik kon mijn hersens en mijn spieren gebruiken om hem te laten doen wat ik wilde. Toch had het iets gevaarlijks. Voorzichtig zijn, overdacht ik, dat ik mij zelf geen ideeën van eigenwaan in mijn hoofd haalde.

Angelo voelt zich net als ik, bedacht ik opeens. Ook hij voelt hoe de vleugels van zijn innerlijke kracht zich uitspreiden. Voelt dat hij tot meer in staat is dan hij besefte. Ziet dat zijn wereld niet zo beperkt is als hij meende. Ook in Angelo is opeens een nieuw inzicht in eigen vermogens ontwaakt... maar bij hem waren er geen remmingen.

'Er is daar iemand bij Angelo,' zei ik. 'Mijn vrouw had het over "ze".' Ik zei het heel neutraal, zonder strijdlustig te willen zijn.

Gilbert zat in drukkend stilzwijgen.

'Toen Angelo bij mij thuis was,' zei ik, 'had hij nog iemand bij zich. Uiterlijk heel erg op Angelo lijkend. Deed precies wat Angelo hem zei.'

Na een stilte haalde Gilbert zijn schouders op en zei: 'Eddy. Een neef van Angelo. Hun moeders waren twee-lingen.'

'Italiaans?' vroeg ik.

Weer een stilte. Toen: 'We zijn allemaal van Italiaanse afkomst.'

'Maar in Engeland geboren?'

'Ja. Waarom vraag je dat?'

Ik zuchtte. 'Zo maar. Om de reis te korten.'

Hij gromde, maar langzaam aan nam zijn wrok jegens mij een heel stuk af. Ik had er geen idee van of hij daar al dan niet reden voor meende te hebben.

Van mijn kant hoefde ik geen bezorgdheid voor te wen-den. Ik merkte dat ik wanneer we bij rode lichten moesten stoppen met mijn vingers op het stuur zat te trommelen en lange vrachtauto's uitvloekte die mij ophielden bij het in-halen. Tegen de tijd dat we in Norwich waren zouden de vier uur waarvoor ik Angelo gewaarschuwd had dat het zou gaan duren allang verstreken zijn en het allerlaatste wat ik wilde was wel dat Angelo zich tot voorbarige woede zou opwerken.

'Bent u eigenlijk van plan mevrouw O'Rorke voor die bandjes te betalen?' vroeg ik.

Een stilte. 'Nee.'

'Zelfs niet zonder dat Angelo ervan afweet?'

Hij wierp me een felle blik van terzijde toe. 'Angelo doet wat ik hem zeg. Hij heeft er niets mee te maken of ik mevrouw O'Rorke wel of niet betaal.'

Als hij dat zelf geloofde, dacht ik bij mezelf, hield hij zich voor de gek. Of misschien wilde hij nog steeds geloven wat tot dusver inderdaad het geval was geweest. Misschien zag hij echt niet in dat de dagen waarin hij Angelo kon domineren snel voorbij zouden zijn.

Laat ze nog twee uur duren, dacht ik bij mezelf.

10

De lange, talmende avond liep tegen de tijd dat we in Norwich aankwamen langzaam naar zijn eind, hoewel het nog wel een uur zou duren voor het volkomen donker was. Ik reed de straat waarin het huis van de Keithly's stond vanuit een zodanige richting in dat Gilbert, wanneer ik langs het trottoir stilhield, het dichtst bij het huis zou zijn. Angelo had mijn auto bij het huis van zijn vader gezien, evenals ik de zijne, en hij zou in paniek kunnen raken als hij hem zag.

'Stapt u alstublieft meteen uit nadat ik gestopt ben,' zei ik tegen Gilbert. 'Zodat Angelo u kan zien.'

Hij gromde, maar toen ik stilhield opende hij het portier zoals ik gezegd had en stond in het volle gezicht van eventuele toeschouwers achter de gordijntjes log op uit de stoel voorin.

'Wacht,' zei ik, terwijl ik aan mijn kant uitstapte en over het dak van de auto heen tegen hem sprak. 'Neem de bandjes mee.' Ik stak mijn hand over het dak van de auto naar hem toe en gaf ze hem. 'Hou ze in de hoogte,' zei ik, 'zodat Angelo ze kan zien.'

'Je deelt veel te veel bevelen uit.'

'Ik vertrouw uw zoon al evenmin als hij het mij doet.'

Hij wierp me een stiereblik van volledig herwonnen vertrouwen toe, maar draaide zich toch om en hield de bandjes in de hoogte, zodat ze in het huis gezien konden worden.

Achter zijn rug bukte ik mij en pakte het in de handdoek gewikkelde geweer op, dat ik in de lengte vasthield met de kolf tegen mijn borst en het pand van mijn jasje eroverheen.

Angelo deed de voordeur open, maar bleef er zelf half achter verscholen staan.

'Ga naar binnen,' zei ik tegen Gilbert. 'De straat hier is vol mensen die door de gordijnen gluren.'

Bij de mogelijkheid dat hij bespioneerd werd trok hij werktuiglijk een geschrokken gezicht en liep in de richting van zijn zoon. Ik glipte vlug om de auto heen en liep dicht achter hem aan, hem haast op zijn hielen trappend.

'Leg het uit,' zei ik dringend.

Hij tilde onheilspellend zijn hoofd op, maar zei op luide toon tegen Angelo: 'Jullie telefoon doet het niet.'

'*Wat*?' riep Angelo uit, terwijl hij de deur een heel klein stukje verder opendeed. 'Dat kan niet.'

Ongeduldig zei Gilbert: 'Toch is het zo. Doe niet zo stom. Waarom zou ik anders dit hele eind gekomen zijn?'

Angelo keerde zich om van de deur en liep met grote stappen naar de huiskamer, waar de telefoon stond. Ik hoorde hem de hoorn opnemen en met de haak rammelen, waarna hij de hoorn weer neersmeet.

'Maar hij heeft de bandjes gebracht,' zei Gilbert, terwijl hij naar de deur van de huiskamer liep en de felgekleurde doosjes liet zien. 'Ik heb ze geprobeerd. Allemaal. Dit keer zijn het de goede.'

'Kom hier binnen, slijmerd die je bent,' riep Angelo.

Ik zette het omwikkelde geweer met de loop naar beneden op het vloerkleed, tegen het ladenkastje aan dat binnen handbereik van de deur naar de huiskamer stond en liet mijzelf in de deuropening zien.

Al het huiskamermeubilair was opzij geschoven. Sarah en Donna zaten rug aan rug in het midden van de kamer, met hun polsen en enkels vastgebonden aan de armleuningen en poten van twee stoelen uit de eetkamer. Terzijde van hen stond Angelo met de Walther in zijn hand, en achter de twee vrouwen zijn evenbeeld, Eddy. In het rond lagen glazen en borden, en er hing de stank van vele uren sigaretten roken.

Sarah sloeg haar ogen naar mij op.

We keken elkaar met een merkwaardig gebrek aan emoties aan, waarbij mij haast terloops de donkere strepen onder haar ogen opvielen, haar van uitputting ineengezakte figuur, de spanning en de pijn om haar mond.

Ze zei niets. Ongetwijfeld dacht ze bij zichzelf dat ik zoals gewoonlijk te weinig bekommernis toonde en te kalm was; er stonden op haar gezicht geen liefde en opluchting, maar opluchting en afkeer te lezen.

'Ga naar huis,' zei ik vermoeid tegen Angelo. 'Je hebt wat je hebben wilde.'

Ik bad dat hij zou gaan. Dat hij tevredengesteld en verstandig zou zijn, zich door zijn vader zou laten leiden en enigermate normaal zou doen.

Harry Gilbert maakte aanstalten zich van zijn zoon weer naar mij om te wenden, terwijl hij zei: 'Dat was het dan, Angelo. Laten we maar gaan.'

'Nee,' zei Angelo.

Gilbert stokte in zijn beweging. 'Wat zei je daar?' vroeg hij.

'Ik zei nee,' zei Angelo. 'Ik zal deze slijmerd hier alle last die hij me bezorgd heeft betaald zetten. Kom hier, slijmerd.'

Gilbert zei: 'Nee, Angelo.' Hij gebaarde naar de vrouwen. 'Zo is het genoeg.'

Angelo richtte zijn pistool met de vooruit stekende geluiddemper op het hoofd van Donna. 'Deze hier,' zei hij nijdig, 'heeft urenlang tegen me gegild dat ze me bij de politie zouden aangeven, het stomme kleine kreng.'

'Dat zullen ze niet doen,' zei ik vlug.

'Allicht dat ze dat niet zullen doen.'

Zelfs voor Gilbert was het duidelijk wat hij bedoelde. Gilbert maakte gebaren van uiterste afkeuring en werkelijke angst, en zei: 'Leg dat pistool neer, Angelo, leg neer.' Zijn stem donderde van ouderlijk gezag en Angelo maakte oudergewoonte aanstalten om te gehoorzamen. Op hetzelfde moment wendde hij zich echter duidelijk af van de stem van zijn instinct; ik begreep dat het voor mij nu of nooit was.

Ik strekte mijn rechterarm uit, stak mijn hand in de handdoek en greep de kolf van het geweer beet. Ik wierp de handdoek van de loop en stond in één vloeiende beweging in de deuropening met de loop recht op Angelo gericht, tegelijk de veiligheidspal met een klik omleggend.

'Laat vallen,' zei ik.

Ze waren allemaal stomverbaasd, maar Angelo misschien nog wel het meest van allen omdat ik hem hetzelfde kunstje twee keer geleverd had. De drie mannen stonden daar als aan de grond genageld en ik keek Sarah niet aan, niet rechtstreeks.

'Laat het pistool vallen,' zei ik. Hij hield het nog steeds op Donna gericht.

Hij kon er niet toe komen het te laten vallen. Ten koste van zoveel gezichtsverlies.

'Ik schiet je neer,' zei ik.

Zelfs toen aarzelde hij nog. Ik zwaaide de loop naar het plafond en haalde de trekker over. De knal daverde door de kleine kamer. Stukken kalk vielen van het plafond. De scherpe lucht van cordiet verdrong die van bedorven sigaretterook en ze hadden allemaal hun mond open staan, als vissen. Nog haast voor hij zich een centimeter bewogen had was het geweer alweer op zijn hart gericht met de volgende kogel in de kamer, en stond hij er vol verbijsterd ongeloof naar te staren.

'Laat het pistool vallen,' zei ik. '*Laat vallen.*'

Nog steeds wist hij niet wat hij moest doen. Ik moet hem raken, dacht ik wanhopig. Ik wil het niet. Waarom laat hij dat verdomde ding niet vallen, hij heeft er niets mee te winnen.

De kamer leek nog te weergalmen van de echo van de knal, maar niemand zei iets tot Sarah haar mond opende.

Met iets van wreed venijn, dat evenzeer voor mij als voor Angelo bedoeld leek, zei ze luid: 'Hij heeft bij de Olympische Spelen geschoten.'

Er verscheen twijfel in Angelo's ogen.

'Laat het pistool vallen,' zei ik kalm, 'of ik schiet je in je hand.'

Angelo liet het vallen.

Er stonden woede en haat op zijn gezicht en ik achtte hem ertoe in staat zich ongeacht de gevolgen op mij te werpen. Ik keek hem onaandoenlijk aan, zonder triomf te laten blijken, zonder iets te laten blijken dat hem kon doen ontvlammen.

'Jullie hebben de bandjes,' zei ik. 'Stap in je wagen, alle drie, en verdwijn uit mijn leven. Ik ben jullie gezichten zat.' Ik deed een stap achteruit de hal in en knikte met mijn hoofd in de richting van de voordeur.

'Ga weg,' zei ik. 'Een voor een. Angelo eerst.'

Hij kwam naar mij toe met zijn donkere ogen als pitten in zijn olijvegezicht, maar het licht was al zo schemerig dat ik de verdorvenheid er niet meer in kon zien gloeien. Ik deed nog een paar stappen achteruit en volgde hem, net als in mijn eigen huis, met de zwart glanzende loop terwijl hij naar de voordeur liep.

'Ik krijg je wel,' zei hij.

Ik gaf geen antwoord.

Hij rukte de voordeur met woedende kracht open en stapte naar buiten.

'Nu u,' zei ik tegen Harry Gilbert.

Hij was haast even kwaad als zijn zoon, maar misschien was het verbeelding van me dat ik enige waardering meende op te merken voor het feit dat ik in staat was gebleken Angelo tegen te houden waar het hem niet gelukt was, en dat dat maar goed ook was geweest.

Hij liep achter Angelo aan naar de inrit en ik zag hen alle twee de portieren van Angelo's auto openen.

'En nu jij,' zei ik tegen Eddy. 'Raap Angelo's pistool op. Pak het bij de geluiddemper op. Weet je hoe je het moet ontladen?'

Eddy, de doorslag, knikte mistroostig.

'Doe dat dan,' zei ik. 'Heel, heel voorzichtig.'

Hij keek naar het geweer en naar Angelo die in de auto stapte, schudde de kogels uit de patroonhouder en liet ze op het vloerkleed vallen.

'Mooi,' zei ik. 'Neem het pistool mee.' Ik gebaarde met

de loop van het geweer en knikte met mijn hoofd naar de openstaande voordeur, en van hen drieën was het Eddy die met de minste tegenzin en de grootste haast verdween.

Vanuit de hal keek ik toe hoe Angelo de motor startte, de versnelling in de achteruit rukte en met een woeste zwaai de rijweg op reed. Eenmaal op de weg schampte hij opzettelijk langs mijn wagen, waarbij hij zijn eigen achterspatbord beschadigde, en reed snel optrekkend de straat uit alsof hij zijn superieure mannelijkheid wilde bewijzen.

Met een gevoel van verschrikkelijke spanning deed ik de voordeur dicht en ging de huiskamer in. Ik liep de kamer door naar Sarah, bekeek de rubber banden waarmee haar polsen zaten vastgebonden en gespte ze los. Ook die om haar enkels maakte ik los. Toen die waarmee Donna vastzat.

Donna begon te huilen. Sarah kwam stijf overeind van de stoel en plofte op de zachtere ondergrond van de bank neer.

'Besef je wel hoe lang we hier hebben gezeten?' vroeg ze verbitterd. 'En voor je er verdomme naar vraagt, jawel, ze hebben ons van tijd tot tijd losgemaakt om naar de wc. te gaan.'

'En om te eten?'

'Ik haat je,' zei ze.

'Ik wilde het echt weten.'

'Ja, ook om te eten. Twee keer. Hij dwong me te koken.'

Tussen haar snikken door zei Donna: 'Het is afschuwelijk geweest. Afschúwelijk. Je hebt er geen idee van.'

'Ze hebben toch niet...?' begon ik bezorgd.

'Nee, dat hebben ze niet,' zei Sarah botweg. 'Ze hebben ons alleen bespot.'

'Weerzinwékkend,' zei Donna. 'Ze noemden ons uilskuikens.' Ze waggelde over het vloerkleed en liet zich behoedzaam in een fauteuil zakken. 'Mijn hele lichaam doet zeer.' De tranen biggelden langs haar wangen. Ik moest aan de beschrijving denken die Angelo van haar gegeven had, een 'verzopen kip', maar onderdrukte het vlug.

'Luister,' zei ik. 'Ik weet dat jullie er geen zin in zullen hebben, maar ik zou me een stuk prettiger voelen als je een paar dingen in een koffer pakte en we met zijn allen uit dit huis weg zouden gaan.'

Donna schudde hulpeloos haar hoofd en Sarah vroeg muitend: 'Waarom?'

'Angelo had verschrikkelijk de pest in dat hij weg moest. Je hebt hem gezien. Stel je voor dat hij terugkomt? Wanneer hij denkt dat we niet op onze hoede zijn... zou hij dat best eens kunnen doen.'

Ze waren even verontrust bij die gedachte als ik en Sarah werd weer kwaad. 'Waarom heb je ze dat pistool teruggegeven?' vroeg ze fel. 'Dat was stóm. Je bent wel zo'n stómmeling.'

'Gaan jullie mee?'

'Je kunt van ons toch niet verwachten...' jammerde Donna.

Ik zei tegen Sarah: 'Ik moet opbellen. Ik kan het niet hiervandaan doen.' Ik wees naar de telefoon die het niet deed. 'Ik ga met de wagen weg om te bellen. Gaan jullie mee of niet?'

Sarah liet dat snel tot zich doordringen en zei dat ze meeingen, en ondanks de protesten van Donna dreef ze haar stijf de trap op. Enkele minuten later kwamen ze elk met een weekendtas naar beneden, en het viel mij op dat Sarah wat lippenstift had opgedaan. Ik glimlachte tegen haar met iets van het oude genoegen wanneer ze zich vlug even had opgemaakt en ze keek tegelijk verbaasd en verlegen.

'Kom mee dan,' zei ik, en ik pakte de weekendtassen van hen aan om ze in de kofferruimte te zetten. 'Laten we maken dat we wegkomen.' Ik pakte het geweer, opnieuw losjes in de handdoek gewikkeld om de buren niet al te wijs te maken, en borg het in de koffer. Ik controleerde of Donna de huissleutels bij zich had en sloot de voordeur; daarna reden we weg.

'Waar gaan we heen?' vroeg Sarah.

'Waar zou je heen willen?' vroeg ik.

'Heb je aan géld gedacht?'

'Credietkaarten,' zei ik.

We reden een eindje in stilte, die alleen verbroken werd door Donna die af en toe snikte en haar neus ophaalde, met overal waar we reden de lantaarns aan, terwijl de lange, zachte avond in volledige duisternis overging.

Bij een telefooncel hield ik stil en kreeg de politie van Norfolk aan de lijn, kosten opgeroepene.

'Is commissaris Irestone aanwezig?' vroeg ik. Een overbodige vraag, maar hij moest gesteld worden.

'Uw naam alstublieft?'

'Jonathan Derry.'

'Een ogenblik.'

Ik wachtte en luisterde naar het gebruikelijke geklik en gemompel, en toen zei een stem die nog steeds niet die van Irestone was: 'Mijnheer Derry, commissaris Irestone heeft instructies achtergelaten dat als u weer belde, uw boodschap onverkort opgenomen diende te worden en onmiddellijk aan hem doorgegeven. Commissaris Irestone heeft mij gevraagd u te zeggen dat hij er zich door een... eh... communicatiestoring niet van bewust is geweest dat u zoveel keren geprobeerd hebt hem te bereiken, niet tot vanmiddag. U spreekt met inspecteur Robson. Ik ben met de commissaris bij u thuis geweest, als u het zich nog herinnert.'

'Ja,' zei ik. Een man van tegen de veertig, blond, met een rossige huid.

'Als u mij eens vertelt waarom u belt, mijnheer?'

'Maakt u notities?'

'Jawel, mijnheer. En een bandopname.'

'Mooi. Nu dan... De man die met een pistool bij mij thuis is geweest heet Angelo Gilbert. Zijn vader is Harry Gilbert, die overal in Essex en Noordoost-Londen bingohallen heeft. De man die bij Angelo was is zijn neef Eddy – zijn achternaam weet ik niet. Hij doet precies wat Angelo hem vertelt.'

Ik zweeg even en inspecteur Robson zei: 'Is dat het, mijnheer?'

'Nee, nog niet. Op dit moment rijden ze alle drie in Angelo's auto uit Norwich weg.' Ik vertelde hem het merk, de kleur, het nummer en dat het linker achterspatbord was ingedeukt. 'Waarschijnlijk zijn ze onderweg naar Harry's huis in Welwyn Garden City. Ik denk dat Angelo daar ook woont, maar van Eddy weet ik het niet.' Ik gaf hem het adres. 'Ze moeten daar over ongeveer vijf kwartier tot anderhalf uur zijn. In de auto bevindt zich een Walther .22 pistool met een geluiddemper. De mogelijkheid bestaat dat er kogels in zitten. De mogelijkheid bestaat dat dit het wapen is dat Angelo op mij gericht heeft, maar het ziet er in elk geval net zo uit. Het zou wel eens het pistool kunnen zijn waarmee Christopher Norwood vermoord is.'

'Daar hebben we wat aan,' zei Robson.

'Er is nog iets...'

'Ja?'

'Ik geloof niet dat Harry Gilbert ook maar iets afweet van de dood van Chris Norwood. Ik bedoel, ik geloof niet dat hij zelfs maar weet dat hij dood is. Als u Angelo gaat arresteren, zal Harry Gilbert niet weten waarom.

'Dank u, mijnheer.'

'Dat was het,' zei ik.

'Eh,' zei hij, 'de commissaris zal contact met u opnemen.'

'Dat is goed, maar...' Ik aarzelde.

'Jawel, mijnheer?'

'Ik zou graag willen weten...'

'Een ogenblikje, mijnheer,' viel hij me in de rede en liet mij meegenieten van een vrij langdurig, onverstaanbaar gepraat op de achtergrond. 'Neem mij niet kwalijk, mijnheer, wat wilde u zeggen?'

'Herinnert u zich dat ik Angelo een paar computerbandjes heb gestuurd waarop spelletjes stonden?'

'Ja, dat weet ik nog. We zijn naar het hoofdpostkantoor van Cambridge geweest en hebben de man die de posterestantestukken uitreikt gewaarschuwd, maar ongelukkig genoeg ging hij theedrinken zonder het tegen iemand anders te zeggen en net in die korte tijd werd het pakje opgehaald. Een van de meisjes heeft het afgegeven. Toen we het ontdekten was het al te laat. Het was... om razend te worden.'

'Mm,' zei ik. 'Nu, Angelo kwam terug met nog meer dreigementen, hij verlangde de goede bandjes en die heb ik aan hem gegeven. Alleen...'

'Alleen wat, mijnheer?'

'Alleen zullen ze er niet in slagen ze op hun computer uit te voeren. Ik acht het niet onmogelijk dat ze, zodra ze thuis zijn, die bandjes meteen gaan proberen, en wanneer ze tot de ontdekking komen dat ze het niet doen, zouden ze mogelijk... nu ja, zouden ze mógelijk naar mij op zoek kunnen gaan. Ik bedoel...'

'Ik weet precíés wat u bedoelt,' zei hij droog.

'Dus, eh, zou ik graag willen weten of u van plan bent vanavond nog iets tegen Angelo te ondernemen. En of u denkt dat u genoeg hebt om hem te kunnen arresteren.'

'Ik heb al opdracht gegeven,' zei hij. 'Hij wordt vanavond opgepakt zodra hij thuis in Welwyn is. We hebben een paar vingerafdrukken om te vergelijken... en een paar meisjes die twee mannen bij het huis van Norwood hebben zien arriveren. Maak u dus maar niet ongerust, we hebben hem en we laten hem niet glippen.'

'Zou ik mogen opbellen om het te horen?'

'Ja.' Hij gaf mij een nieuw nummer. 'Belt u daarheen. Ik zal een boodschap achterlaten. U krijgt het meteen te horen.'

'Dank u zeer,' zei ik dankbaar.

'Mijnheer Derry?'

'Ja?'

'Wat mankeert er dit keer aan die bandjes?'

'O, ik heb magneetjes in de doosjes gelijmd.'

Hij lachte. 'Ik zie u misschien nog wel,' zei hij. 'En bedankt. Heel hartelijk bedankt.'

Glimlachend legde ik de hoorn neer, terwijl ik dacht

aan de drie krachtige Magnadur-magneten die de programma's op de bandjes zouden verminken. De permanente magneten die zwart en plat waren; vijf centimeter lang, twee centimeter breed en een halve centimeter dik. Aan de binnenkant van elk doosje had ik er één gelijmd, plat op de bodem, even zwart als het plastic, er als een deel van het doosje uitziend. Ik had de bandjes en de doosjes afzonderlijk mee naar Harry Gilbert genomen – de bandjes in mijn ene zak en de doosjes in de andere – en pas nadat hij ze had afgedraaid had ik de bandjes in de doosjes gedaan en ze allemaal op elkaar gelegd. Elektromagnetische geluidsbanden tussen zulke magneten verpakken was net zo iets als in het wilde weg met een natte spons over een schoolbord vegen; er zouden sporen achterblijven van wat erop had gestaan, maar niet genoeg om iets mee te kunnen beginnen.

Misschien zou Angelo er de hele weg naar huis voor nodig hebben om te ontdekken wat ik gedaan had, want de magneten zagen eruit alsof ze daar hoorden.

En misschien ook niet.

Vermoeid reed ik richting huis. Het leek of ik al een eeuwigheid achter het stuur zat. Het was een zeer lange dag geweest. Gek als je bedacht dat ik pas die ochtend bij Ted Pitts was weggegaan.

Beide vrouwen vielen in slaap terwijl de kilometers zich aaneenregen, de diepe slaap van opluchting en uitputting. Ik vroeg mij heel even af wat er in de toekomst van ons zou worden, maar het grootste deel van de tocht dacht ik alleen maar aan het rijden en aan het openhouden van mijn ogen.

We overnachtten in een hotel in een van de buitenwijken van Londen en sliepen of we dood waren. Om zeven uur 's ochtends werd ik door de wektelefoon waarom ik gevraagd had, gapend als een grote witte haai, uit de vergetelheid gerukt. Ik kreeg verbinding met het nummer dat inspecteur Robson mij gegeven had.

'Jonathan Derry,' zei ik. 'Ben ik te vroeg?'

Een meisjesstem gaf antwoord, fris en onofficieel. 'Nee, het is niet te vroeg,' zei ze. 'John Robson heeft me gevraagd u mee te delen dat Angelo Gilbert en zijn neef Eddy in verzekerde bewaring zijn gesteld.'

'Dank u zeer.'

'Tot uw dienst.'

Ik legde de hoorn met een groeiend gevoel van opluchting neer en schudde Sarah in het bed naast het mijne wakker.

'Sorry,' zei ik, 'maar ik moet om negen uur op school zijn.'

11

Er kwam een tijd dat Sarah weer aan het werk ging en Donna kwijnend bij ons thuis rondliep in een poging zich met de verwoesting van haar leven te verzoenen. Sarahs omgang met haar werd geleidelijk aan minder overdreven beschermend en meer normaal, en toen Donna in de gaten kreeg dat ze niet langer ieder uur van de dag verwend en vertroeteld werd, wende ze zich een pruilmondje aan in plaats van het hulpeloze glimlachje en ging naar huis. Ze verkocht het huis, inde het verzekeringsgeld van Peter en achtervolgde haar reclasseringsambtenaar ten einde die de psychologische plaats van Sarah te laten innemen.

Zo op het oog ging het tussen Sarah en mij op vrijwel eendere voet verder als tevoren – de beleefdheid, het ontbreken van gevoelscontacten, het dagelijks samenzijn van twee vreemden. Haar blik ontmoette vrijwel nooit de mijne en ze scheen alleen maar haar mond open te doen als het beslist nodig was, maar het begon mij langzaam aan op te vallen dat de diep verbitterde trek om haar mond, die vóór de dag dat we naar Norwich waren gegaan zo onmiskenbaar was geweest, min of meer verdwenen was. Ze zag er zachter uit en meer zoals ze eens geweest was, en hoewel haar gedrag jegens mij ei niet door gewijzigd leek te zijn, was het minder deprimerend om naar te kijken.

Bij mijzelf was er innerlijk een hele hoop veranderd. Het was alsof ik uit een kooi was gestapt. Alles wat ik deed gebeurde met meer zelfvertrouwen en meer voldoening. Ik schoot beter. Ik gaf met enthousiasme les. Zelfs de ellendige schoolschriften vond ik niet zo'n erge bezoeking meer. Ik had het gevoel dat ik binnen afzienbare tijd op een goede dag mijn vleugels zou uitspreiden en wegvliegen.

Op een avond, toen we in het donker lagen, elk in onze ijzige, afzonderlijke cocon, zei ik tegen Sarah: 'Ben je wakker?'

'Ja.'

'Je weet dat ik aan het eind van het trimester met de schietploeg naar Canada ga?'

'Ja.'

'Ik kom niet met ze mee terug.'

'Waarom niet?'

'Ik ga naar de Verenigde Staten. Waarschijnlijk tot het eind van de schoolvakantie.'

'Waarvoor in godsnaam?'

'Om het te bekijken. Misschien om er uiteindelijk te gaan wonen.'

Ze deed er een poosje het zwijgen toe; wat ze ten slotte zei leek slechts indirect iets met mijn plannen te maken te hebben.

'Donna heeft een hoop met me gepraat, weet je. Ze heeft me alles verteld over de dag dat ze die baby stal.'

'O ja?' zei ik, mij niet blootgevend.

'Ja. Ze zei dat ze toen ze hem daar in zijn kinderwagen zag liggen een onweerstaanbare aandrang voelde om hem op te pakken en te knuffelen. Dat heeft ze ook gedaan. Zo maar gedaan. Maar toen ze hem in haar armen hield, had ze het gevoel of hij van haar was, of het haar kind was. Ze is er daarom mee naar haar auto gelopen, die daar op een paar pas afstand stond. Ze heeft de baby naast zich voorin gelegd en is weggereden. Ze had er geen idee van waar ze heen ging. Ze zei dat het een soort droom was, waarin ze eindelijk de baby had waar ze zo lang naar verlangd had.'

Ze zweeg. Ik dacht aan de kleine meisjes van Ted Pitts en aan de beschermende buiging van zijn lichaam toen hij de jongste tegen zich aan had gedrukt. Ik had wel kunnen huilen om Sarah, om Donna, om alle getrouwde paren die ongewild kinderloos waren.

'Ze heeft een heel eind gereden,' zei Sarah. 'Ze kwam bij de zee en is daar gestopt. Ze is met de baby achter in de auto gaan zitten en het was volmaakt. Ze was in de zevende hemel. Het had nog altijd weg van een droom. En toen werd de baby wakker.' Ze zweeg even. 'Ik denk dat hij honger had. Tijd voor zijn volgende voeding. In elk geval begon hij te huilen en wilde maar niet ophouden. Hij huilde en huilde en huilde maar. Ze zei dat hij een uur lang gehuild heeft. Ze begon gek te worden van dat geluid. Ze heeft haar hand op zijn mondje gelegd, en daardoor begon hij nog harder te huilen. Ze heeft geprobeerd zijn gezichtje tegen haar schouder te drukken zodat hij zou ophouden, maar dat gebeurde niet. En toen ontdekte ze dat hij een vuile luier had, en dat de bruine viezigheid langs het beentje van de baby was gedropen en aan haar jurk zat.'

Weer een lange pauze, en toen zei Sarahs stem: 'Ze zei dat ze niet wist dat baby's zo konden zijn. Schreeuwend en stinkend. Ze had altijd aan ze gedacht als lief en aldoor tegen haar glimlachend. Ze begon die baby te haten, in plaats van ervan te houden. Ze zei dat ze hem in een vlaag van woede min of meer op de achterbank heeft gegooid, en toen is ze uit de auto gestapt en heeft hem gewoon achtergelaten. Ze is weggelopen. Ze zei dat ze de baby de hele weg naar het strand kon horen huilen.'

Ditmaal duurde haar zwijgen veel langer.

'Ben je nog wakker?' vroeg Sarah.

'Ja.'

'Ik heb mij er nu mee verzoend dat ik geen kind heb. Het doet me verdriet... maar er is niets aan te doen.' Even zweeg ze weer en zei toen: 'Ik heb de afgelopen twee weken een hoop over mijzelf geleerd, door Donna.'

En ik, dacht ik bij mezelf, door Angelo.

Na weer een lange tijd zei ze: 'Ben je nog wakker?'

'Ja.'

'Ik heb het eigenlijk niet begrepen, weet je, wat er allemaal gebeurd is. Ik bedoel, ik weet dat die afschuwelijke Angelo gearresteerd is wegens moord, allicht weet ik dat, en dat jij bij de politie geweest bent, maar je hebt me nooit precies verteld wat er allemaal aan de hand was.'

'Wil je dat serieus weten?'

'Allicht wil ik dat weten, anders zou ik het niet vragen.'
De bekende toon van ongeduld was weer duidelijk hoorbaar. Ze moest het zelf ook gehoord hebben, want meteen daarop zei ze op gematigder toon: 'Ik had graag dat je het me vertelde. Echt waar.'

'Goed,' zei ik, en ik vertelde haar vrijwel alles, te beginnen met de dag waarop Chris Norwood alles op gang had gebracht door de aantekeningen van Liam O'Rorke te stelen. Ik vertelde haar de gebeurtenissen in chronologische volgorde, niet op de warrige manier waarop ik ze aan de weet was gekomen, zodat uit al het heen en weer gereis van Angelo op zoek naar de bandjes een duidelijk patroon naar voren kwam.

Toen ik uitverteld was zei ze langzaam: 'Je wist de hele dag toen hij ons vastgebonden hield dat hij een moordenaar was.'

'Mm.'

'Mijn god.' Ze zweeg. 'Stond je er dan niet bij stil dat hij ons net zo goed had kunnen vermoorden? Donna en mij?'

'Ik dacht dat dat wel eens mogelijk zou kunnen zijn. Ik dacht dat hij dat op elk moment zou kunnen doen, zodra hij wist dat zijn vader de bandjes had. Ik dacht dat hij ons wel eens alle drie zou kunnen vermoorden, als hij het in zijn hoofd kreeg. Ik wist het niet zeker... maar ik kon het niet riskeren.'

Een lange stilte. Toen ze zei: 'Ik geloof wel, als ik erop terugkijk, dat hij dat van plan was. Bepaalde dingen die hij zei...' Ze zweeg. 'Ik was blij dat ik je zag.'

'En kwaad.'

'Kwaad, ja. Je was zó lang weggebleven... en Angelo was zo vervloekt ángstaanjagend.'

'Ik weet het.'

'Ik hoorde de geweerschoten. Ik was in de keuken aan het koken.'

'Ik was bang dat je tegen Angelo zou zeggen dat je ze gehoord had.'

'Ik sprak alleen maar tegen hem wanneer het absoluut

noodzakelijk was. Ik walgde van hem. Hij was zo arrogánt.'

'Je liet hem schrikken,' zei ik, 'toen je hem vertelde dat ik bij de Spelen geschoten had. Dat gaf de doorslag.'

'Daar had ik precies zin in... hem in zijn ego te treffen.'

Ik glimlachte in het donker. Angelo's ego had flink wat knauwen ondergaan uit handen van de Derry's.

'Weet je wel,' zei ik, 'dat we in geen maanden op deze manier gepraat hebben?'

'Er is zo'n hoop gebeurd,' zei ze. 'En ik voel me... anders.'

Er gaat toch niets boven een moordenaar, dacht ik, om je van mening te doen veranderen over je omgeving. Hij had ons allebei een dienst bewezen.

'Heb je soms zin om mee te gaan?' vroeg ik. 'Naar Amerika?'

Naar Amerika. Samen verder gaan. Het nog een tijdje proberen. Ik wist eigenlijk niet wat ik het liefste deed: de benen nemen, alle banden verbreken, scheiden, opnieuw beginnen, hertrouwen, kinderen krijgen, of het beste zien te maken van de oude, dode liefde, de wankele funderingen volstorten met verplichtingen, ze stevig herbouwen.

Het was Sarah, meende ik, die zou dienen te beslissen.

'Wil je dat we bij elkaar blijven?' vroeg ik.

'Heb je aan echtscheiding gedacht?'

'Jij dan niet?'

'Ja.' Ik hoorde haar zuchten. 'Dikwijls, de laatste tijd.'

'Het is nogal onherroepelijk, een echtscheiding,' zei ik.

'Wat dan?'

'Een tijdje afwachten,' zei ik langzaam. 'Kijken hoe het gaat. Zien wat we beiden eigenlijk echt willen. Blijven praten.'

'Goed,' zei ze. 'Dat zal wel lukken.'

Interval

Brief van Vince Akkerton aan Jonathan Derry.

Angel Keukens,
Newmarket,
12 juli.

Beste mijnheer Derry,
 Weet u nog dat u naar Chris Norwood vroeg, een poos
terug op een dag in mei? Ik weet niet of u nog steeds ge-
interesseerd bent in die computerbandjes waar u het over
had, maar ze zijn hier bij de Keukens boven water gekomen. We waren de kamer aan het opruimen waar we
ons verkleden, hij moest opgeschilderd worden, ziet u, en
toen kwam er een tas te voorschijn die van niemand bleek
te zijn. Daarom keek ik erin en vond een hoop volgeschre-
ven oude papieren en drie cassettes. Ik dacht, laat ik ze
eens op mijn cassettespeler afdraaien, want er zaten geen
etiketten op om te vertellen wat erop stond, maar er kwam
alleen maar een gierend lawaai uit. Nu, een maat van me
die het hoorde zei gooi ze niet weg, wat ik van plan was,
want dat is computergeluid, zei hij. Ik ben er daarom mee
naar Janet gegaan om te zien of zij eruit wijs kon worden,
maar ze zei dat de firma hun oude computer aan de kant
had gedaan, die was niet groot genoeg voor alles wat ermee gedaan moest worden, en ze hebben nu een computer
gehuurd of zo iets met geheugenschijven, zegt ze, en daar
gaan geen cassettes in.
 In elk geval moest ik toen opeens aan u denken, en ik
ontdekte dat ik nog steeds uw adres had, en daarom dacht
ik dat ik u maar eens moest vragen of u dacht dat dit
het is waar u het over had. Die beschreven blaadjes heb ik
in de vuilnisbak gegooid, niets aan te doen, die zijn weg,

179

maar als u die bandjes wilt hebben, stuur me dan een
tientje voor de moeite, dan kunt u ze krijgen.
    Hoogachtend,
    Vince Akkerton.

Brief van Harry Gilbert aan Marty Goldman, Ltd., bookmaker.

16 oktober.

Beste Marty,
    Gezien alles wat er gebeurd is wil ik je vragen mij te
ontslaan van de verplichting tot de overeengekomen over-
name. Mij ontbreekt de moed, beste vriend, nog meer
koninkrijken op te bouwen. Nu Angelo levenslang heeft
gekregen heeft het voor mij geen zin al je wedlokalen te
kopen. Je weet natuurlijk dat ze voor hem bestemd wa-
ren – in elk geval om de leiding ervan op zich te nemen.
    Ik weet dat je nog een paar aanbiedingen had, dus ik
hoop dat je geen schadevergoeding van me gaat eisen.
    Je oude vriend,
    Harry.

Brief van de executeurs-testamentair van mevrouw Maureen O'Rorke aan Jonathan Derry.

1 september.

Geachte heer,
    We sturen u hierbij het briefje terug dat u aan mevrouw
O'Rorke hebt geschreven, te zamen met de door u daarbij
ingesloten drie cassettes.
    Het trieste feit doet zich voor dat mevrouw O'Rorke
drie dagen voor uw zending ter post werd bezorgd thuis
vredig in haar slaap is overleden. Naar onze mening dient
de inhoud van het pakje daarom als u toebehorend te wor-
den beschouwd, om welke reden wij het hierbij retour-
neren.
    Inmiddels verblijven wij, met de meeste hoogachting,
    Jones, Pearce en Block, advocaten.

Brief van de personeelsafdeling van de Universiteit van
Oostelijk Californië aan Jonathan Derry.

Londen, 20 oktober.

Geachte mijnheer Derry,

*In vervolg op het gesprek dat we de afgelopen week in
Londen met u mochten hebben doet het ons genoegen u
een driejarige aanstelling als docent op de Natuurkundeafdeling aan te bieden. Gedurende het eerste jaar zal uw
salaris worden vastgesteld volgens schaal B (aangehecht),
nadien opnieuw te bezien. Schriftelijke opzegging door
beide partijen met een opzegtermijn van zes maanden.*

*We hebben begrepen dat u op 1 januari a.s. uw werk-
zaamheden zoudt kunnen beginnen en we wachten uw be-
vestiging af dat u onze aanbieding accepteert.*

*Na ontvangst van uw acceptatie zullen u verdere details
en richtlijnen worden toegezonden.*

Welkom op de universiteit!
Dr. Lance K. Barowska,
Hoofd personeelsselectie,
Faculteit der Natuurwetenschappen,
Universiteit van Oostelijk Californië.

Uittreksel uit een persoonlijke brief van de directeur van
de Albany-gevangenis, Parkhurst, eiland Wight, aan zijn
vriend, de directeur van de Wakefield-gevangenis, York-
shire.

*Nu, Frank, we laten Angelo Gilbert deze week vervroegd
vrij en onder ons gezegd heb ik daar een hard hoofd in. Ik
had graag afwijzend geadviseerd, maar hij heeft veertien
jaar opgeknapt en de strafwetvernieuwers hebben een
hoop druk uitgeoefend op de minister van Binnenlandse
Zaken om hem vrij te laten. Het gaat er niet om dat Gilbert zich gewelddadig of zelfs vijandig gedraagt, hij heeft
juist heel erg zijn best gedaan om deze voorlopige invrijheidstelling te krijgen, dus de afgelopen twee jaar hebben
we geen kind aan hem gehad.*

Maar je weet net zo goed als ik dat sommigen van hen nooit te vertrouwen zijn, hoe gedwee ze er ook uitzien, en ik heb het gevoel dat Gilbert er ook zo een is. Toen jij hem vijf jaar geleden bij je had, had je datzelfde gevoel, weet je nog wel? Het is denk ik niet mogelijk hem zijn leven lang opgesloten te houden, maar ik hoop bij god dat hij niet meteen nadat hij hier weg is de eerste de beste die hem voor de voeten loopt neerknalt.

Tot ziens, Frank.

Donald.

Deel twee
William

12

Ik legde mijn hand op Cassies borst en ze zei: 'Nee, William. Nee.'

'Waarom niet?' vroeg ik.

'Omdat het mij nooit goed bekomt, twee keer, zo vlug achter elkaar. Dat weet je.'

'Toe nou,' zei ik.

'Nee.'

'Je bent lui,' zei ik.

'En jij bent onverzadigbaar.' Ze pakte mijn hand en duwde hem weg.

Ik legde hem weer op dezelfde plaats. 'Laat mij je in elk geval omarmen,' zei ik.

'Nee.' Ze duwde mijn hand weer van zich af. 'Met jou komt altijd van het een het ander. Ik haal een paar glazen sinaasappelsap en laat het bad vollopen, en als je niet oppast kom je te laat.'

Ik wentelde mij op mijn rug en keek naar haar terwijl ze door de slaapkamer liep, een lang, mager meisje met te weinig rondingen en heel lange voeten. Als ik haar zo zag in al haar hoekige naaktheid had ze nog steeds dat zelfverzekerde waardoor ik mij destijds zo aangetrokken had gevoeld – een natuurlijke gereserveerdheid, zonder zich aan iemand te binden. Zo ze al aan zichzelf twijfelde, dan hield ze dat goed verborgen, zelfs voor mij. Ze ging naar beneden en kwam terug met twee glazen sinaasappelsap.

'William,' zei ze, 'kijk niet zo naar me.'

'Dat vind ik prettig.'

Ze liep naar de badkamer om de kranen open te draaien en kwam tandenpoetsend terug.

'Het is zeven uur,' zei ze.

'Heb ik gezien.'

'Je raakt dat jofele baantje van je nog kwijt als je niet

binnen tien minuten op de galoppeerplaats bent.'

'Twintig is ook goed.'

Ik stond niettemin op en glipte als eerste in het bad, onderweg mijn sinaasappelsap opdrinkend. Ik mocht mijn handen dichtknijpen, zei ik bij mezelf, terwijl ik mij inzeepte. Mijn handen dichtknijpen met Cassandra Morris, een beter meisje dan ik ooit had gehad; zeven maanden woonden we nu samen en iedere dag kon ik minder buiten haar. Mijn handen dichtknijpen voor de baan die niemand van negenentwintig jaar kon verwachten te krijgen. Mijn handen dichtknijpen omdat ik eindelijk eens genoeg geld had om een auto te kopen die geen afdankertje was dat door roest en mazzel bij elkaar werd gehouden.

Het oude, knagende verlangen om jockey te worden was vrijwel dood, maar ik dacht wel dat het mij altijd zou blijven spijten. Niet dat ik nooit in koersen had gereden; dat had ik wel degelijk, van mijn zestiende tot mijn twintigste, eerst als amateur en daarna als beroeps, gedurende welke periode ik vierentachtig steeple-chases en drieëntwintig hordenrennen had gewonnen en doodongelukkig mijn lichaam vervloekt had dat nog maar steeds langer bleef worden. Toen ik één meter vijfentachtig was had ik bij een val tijdens een race mijn been gebroken, drie maanden met een rekverband moeten liggen en was in bed nog vijf centimeter gegroeid.

Dat had praktisch het einde betekend. Natuurlijk waren er wel meer zeer lange springruiters geweest, maar ik was langzaam aan tot de ontdekking gekomen dat het mij, ook al hongerde ik mijzelf uit tot ik er haast bij neerviel, niet lukte mijn gewicht aan de veilige kant van de zeventig kilo te houden. Trainers begonnen te zeggen dat ik te lang en te zwaar was, jammer hoor, knaap, en namen iemand anders. Op mijn twintigste had ik daarom een baan als hulptrainer aangenomen, op mijn drieëntwintigste had ik voor een makelaar in raspaarden gewerkt en op mijn zesentwintigste in een stoeterij, waar ik te ver bij de renbaan vandaan bleef. Op mijn zevenentwintigste was ik in een soort ziekenhuis voor zieke renpaarden werkzaam geweest, dat ermee stopte omdat te veel eigenaars er de voorkeur aan gaven het blok aan hun been te laten afmaken, en daarna had ik een poosje klontjes voor paarden verkocht, en toen een paar maanden op kantoor gewerkt bij een veiling van raspaarden, waar ik goed verdiende maar mij doodverveelde; en tussen die banen in had ik telkens van mijn spaargeld om de wereld gezworven, waarbij ik wanneer mijn geld opraakte weer op huis aan ging, op zoek naar een nieuwe werkkring.

Op een van die momenten dat ik niets omhanden had was dat telegram van Jonathan gekomen.

'Pak het eerstvolgende vliegtuig. Mogelijk goede baan in Engelse renwereld als je onmiddellijk hierheen komt voor onderhoud. Jonathan.'

Zestien uur later stond ik bij hem op de stoep in Californië en de volgende ochtend vroeg had hij me naar 'iemand die ik op een fuif ontmoet heb' gestuurd. Een man, naar het bleek, van gemiddelde lengte, van middelbare leeftijd en met half grijs haar; een man die ik bij eerste oogopslag herkende. Iedereen die waar ook ter wereld maar iets met de rensport te maken had kende hem van gezicht. Hij beoefende de rensport als een groot bedrijf, incasseerde zijn winst in de vorm van raspaarden en verkocht zijn dekhengsten voor een tot honderd maal hogere prijs dan ze op de baan bij elkaar hadden verdiend.

'Luke Houston,' zei hij alleen maar, zijn hand uitstekend.

'Jawel, mijnheer,' zei ik, mijn adem weer een beetje terugvindend. 'Eh... William Derry.'

Hij bood mij aan met hem te ontbijten op een balkon dat uitkeek over de Stille Oceaan, waarbij hij zelf grapefruit en gekookte eieren at en mij hartelijke, glimlachende blikken toewierp die net zo terloops waren als röntgenstralen.

'Warrington Marsh, mijn rensportmanager in Engeland, heeft vier dagen geleden een beroerte gehad,' zei hij. 'Arme kerel, hij gaat vooruit – iedere ochtend krijg ik de doktersrapporten – maar het zal, vrees ik, nog wel een

tijd, een hele tijd, duren voor hij weer aan het werk kan.'
Hij maakte een gebaar naar mijn ontbijt dat ik nog niet
had aangeraakt. 'Eet je toast op.'

'Jawel, mijnheer.'

'Vertel me eens waarom ik jou zijn baan zou geven. Tijdelijk, natuurlijk.'

Goeie hemel, dacht ik. Ik bezat de ervaring noch de
relaties van de door ziekte getroffen, vereerde maestro.
'Ik zou hard werken,' zei ik.

'Weet je wat er allemaal aan vastzit?'

'Ik heb Warrington Marsh overal gezien, op renbanen,
bij verkopingen. Ik weet wat hij doet, maar niet tot hoe-
ver zijn autoriteit reikt.'

Hij sloeg zijn tweede ei stuk. 'Volgens je broer bezit je
een hoop kennis van zaken. Vertel me daar eens wat over.'

Ik somde al mijn banen op, die geen van alle erg indrukwekkend klonken, wat ze in feite ook niet geweest
waren.

'Diploma's?' vroeg hij op vriendelijke toon.

'Nee, ik ben op mijn zeventiende van school gegaan en
niet naar de universiteit geweest.'

'Een eigen inkomen?' vroeg hij.

'Mijn peetoom heeft me wat geld nagelaten voor mijn
schoolopleiding. Er is nog voldoende over voor eten en
kleding. Niet genoeg om van te leven.'

Hij dronk van zijn koffie en schonk mij gastvrij een
tweede kop in.

'Weet je bij welke trainers op de Britse eilanden ik
paarden heb?'

'Jawel, mijnheer. Bij Shell, Thompson, Miller en Sandlache in Engeland, en in Ierland bij Donavan.'

'Noem me maar Luke,' zei hij. 'Dat heb ik liever.'

'Luke,' zei ik.

Hij roerde zoetstof in zijn koffie.

'Zou je met de gelden om kunnen gaan?' vroeg hij.
'Warrington heeft altijd de volle verantwoordelijkheid.
Schrikken miljoenen je af?'

Ik liet mijn blik over de uitgestrekte blauwe oceaan

gaan en vertelde hem de waarheid. 'In zekere zin geloof ik wel, ja. Beter gesitueerden zijn maar al te gauw geneigd te denken dat een paar nulletjes meer of minder er niet toe doen.'

'Je zult geld moeten uitgeven om goede paarden te kopen,' zei hij. 'Zou je dat kunnen?'

'Ja.'

'Ga door,' zei hij vriendelijk.

'Paarden kopen waar mogelijk wat in zit is het probleem niet. Een prachtige jaarling bekijken, hem zien lopen, in de wetenschap dat je zult kunnen voorspellen dat zijn nakomelingschap vrijwel volmaakt zal zijn en dat je er het geld voor kunt uitgeven, dat is niet zo moeilijk. De voortreffelijke dieren tussen de tweede keus en de onbekende uithalen, dat is waar je inzicht voor nodig hebt.'

'Zou je kunnen garanderen dat ieder paard dat je voor mij kocht, of mijn trainers zou adviseren te kopen, zou winnen?'

'Nee, dat zou ik niet,' zei ik, 'want dat zou niet gebeuren.'

'Welk percentage verwacht je dan dat er zou winnen?'

'Ongeveer vijftig procent. Sommige ervan zouden nooit in een race uitkomen en andere zouden teleurstellen.'

Bijna een uurlang stelde hij me goedmoedig, kalm, langzaam en zonder druk uit te oefenen vragen, om aan de weet te komen wat ik zoal gedaan had, wat ik wist, hoe ik dacht over de uiteindelijke beslissingsbevoegdheid die ik zou hebben over trainers die ouder waren dan ikzelf, hoe ik dacht over de omgang met rensportautoriteiten, wat ik van boekhouden, bankzaken en geldmarkten afwist, of ik in staat was adviezen van dierenartsen en voedingsdeskundigen in de praktijk te vertalen. Ten slotte voelde ik mij binnenstebuiten gekeerd; alsof geen barstje in mijn hoofd op vriendelijke wijze onbeproefd bleef. Hij zou wel iemand kiezen die ouder was dan ik, meende ik.

'Wat zou je zeggen van een regelmatige werkkring,' zei hij tot slot, 'van negen tot vijf, de weekends vrij, met aan het eind een pensioen?'

Zonder erover na te denken schudde ik uit een diepge-
worteld instinct mijn hoofd. 'Nee,' zei ik.

'Dat was uit de grond van je hart, makker,' zei hij.

'Och...'

'Ik neem je een jaar op proef met een limiet waarboven
je met je uitgaven niet mag gaan. Ik zal over je schouder
meekijken, maar ik zal niet tussenbeide komen tenzij je
vast komt te zitten. Neem je het aan?'

Ik haalde diep adem en zei : 'Ja.'

Hij boog zich glimlachend naar voren om mij de hand te
schudden. 'Ik stuur je een contract,' zei hij. 'Maar ga nu
direct naar Engeland terug en neem het meteen over. De
zaken lopen maar al te vlug in het honderd wanneer er
niemand de leiding heeft. Ga dus regelrecht naar het huis
van Warrington en maak kennis met zijn vrouw Nonie –
ik zal haar opbellen dat je komt, en je werkt vanuit het
kantoor dat hij daar heeft tot je iets voor jezelf gevonden
hebt. Je broer vertelde me dat je een zwerver bent, maar
dat vind ik niet erg.' Weer glimlachte hij. 'Van dooie die-
ven heb ik nooit gehouden.'

Zoals zoveel in Amerika was het contract, dat mij al
heel snel over de grote vijver volgde, in volkomen contrast met de ontspannen manier van doen van de man die
het aanbood. Er werd in preciese bewoordingen in uiteen-
gezet waartoe ik verplicht was, waartoe ik gerechtigd was
en wat mij verboden was. Er stonden clausules in waaraan
ik nooit gedacht zou hebben. Hij had mij in bepaalde opzichten een heleboel vrijheid gelaten en in andere totaal
geen; maar dat was, meende ik, ook heel logisch. Hij zou
zijn hele Britse onderneming niet zonder nadrukkelijke
waarborgen door een onbekende factor in de waagschaal
willen stellen. Ik ging ermee naar een advocaat, die het
doorlas, floot en zei dat het was opgesteld door vennoot-
schapsjuristen die eraan gewend waren bedrijfsvoerders
als smakelijke hapjes op te peuzelen.

'Maar moet ik het tekenen?' vroeg ik.

'Als je die baan wilt hebben wel. Het is pittig, maar
voor zover ik het kan beoordelen eerlijk.'

Dat was acht maanden geleden geweest. Thuisgekomen was ik wijd verspreid en begrijpelijk ongeloof tegengekomen vanwege het feit dat mij een dergelijk buitenkansje in de schoot was geworpen. Ik was de beledigde houding van Nonie Marsh en het onsamenhangende gebrek aan behulpzaamheid van Warrington te boven gekomen; ik had verscheidene van Lukes weinig belovende tweejarige dieren zonder al te groot verlies verkocht, ik had de trainers weten te bepraten zodat ze mij voorlopig aanvaardden en ik had niets schrikbarend desastreus uitgehaald. Ondanks alle beslissingen en verantwoordelijkheid had ik er intens van genoten.

Cassie verscheen in de deuropening.

'Kom je nog eens uit dat bad?' vroeg ze. 'Dat zit daar maar in zichzelf te lachen.'

'Het leven is mooi.'

'En jij komt te laat.'

Ik stond op in het bad en terwijl ze me overeind zag komen zei ze automatisch: Denk om je hoofd.' Ik stapte op de vloer en kuste haar, waarbij het water langs haar nek droop.

'Kleed je in godsnaam aan,' zei ze. 'En je moet je scheren.' Ze gaf me een handdoek. 'De koffie is warm en we zitten zonder melk.'

Ik schoot vlug wat kleren aan en ging naar beneden, onderweg bukkend voor balken en lage deuropeningen. Het huisje dat we in het dorpje Six Mile Bottom (ongeveer tien kilometer ten zuiden van Newmarket) gehuurd hadden was voor zeventiende-eeuwse mannen ontworpen, die niet gebukt waren gegaan onder de twintigste-eeuwse voedingsleer. En zou twee meter vijftien, vroeg ik mij af terwijl ik bukkende de keuken inliep, in de vijfentwintigste eeuw als normaal worden beschouwd?

We woonden nu al de hele zomer in het huisje en het beviel ons ondanks de lage plafonds best. Er hingen nu appels in de tuin, en mist in de ochtend, en onder de dakrand probeerden slaperige wespen een warm kiertje te vinden. Beneden waren er vloeren met rode tegels en vloerkleden, de eetkamer die als kantoor gebruikt werd, de huiskamer met een gezellige open haard die we nog niet geprobeerd hadden; rood geblokte gordijnen, schommelstoelen, poppetjes van maïskolven en zacht licht. Een stukje landelijk speelgoed voor stadsmensen, maar genoeg, dacht ik soms bij mezelf, om iemand ernaar te doen verlangen zich voorgoed te vestigen.

Bananas Frisby had het voor ons ontdekt. Bananas, een jarenlange vriend die in het dorp een café had. Ik was er op een dag op de terugweg van Newmarket aangewipt en had hem verteld dat het mij maar steeds niet lukte ergens iets te vinden om te wonen.

'Wat mankeert er aan je oude boot?'

'Ben ik uitgegroeid.'

Hij keek mij lang aan. 'In geestelijk opzicht?'

'Ja. Ik heb hem verkocht. En ik heb een meisje ontmoet.'

'En die is er niet dol op om oude verf af te schuren,' begreep hij.

'Verre van dat.'

'Ik hou het in gedachten,' zei hij, en een week later had hij mij inderdaad bij Warrington thuis opgebeld om te zeggen dat er verderop aan de weg bij hem een opgeknapte dorpswoning stond waar ik eens naar kon gaan kijken; de eigenaars die in Londen gevestigd waren wilden het niet verkopen maar konden toch wat geld gebruiken, en ze waren bereid het aan iemand te verhuren die er niet eeuwig in zou blijven wonen.

'Ik heb ze verteld dat jij de zwerflust van een albatros bezit,' zei hij. 'Ik ken ze, het zijn geschikte lui, laat me geen figuur slaan.'

Bananas had zijn bijna even oude café, dat heel langzaam onder zijn gewoonte er niets aan te doen afbrokkelde, zelf in eigendom. Bananas had geen familie, geen erfgenamen, geen prikkel om zijn wereldse goederen in stand te houden; bij iedere nieuwe vochtplek die er op de wanden verscheen kocht hij dus een weelderige groene potplant om ervoor te zetten. Sinds ik hem had leren kennen had de camouflage van glanzende bladeren zich van drie tot acht vermenigvuldigd; bovendien was er nog een wingerd die intussen door de ramen klom. Als er ooit iemand een opmerking maakte over de donkere plekken op de wanden, zei Bananas dat dat van de planten kwam, en vreemden hadden nooit in de gaten dat het net anders-om was.

De voornaamste trots en vreugde van Bananas was het kleine restaurant naast de bar, waar hij een *cuisine min-ceur* van zulk een volmaaktheid serveerde, dat de helft van de Engelse jockeys dat er voorbijkwam er dwangmatig kwam eten. De eerste keer dat ik hem ontmoet had was bij zijn knapperig gebraden, onbeschrijflijk lekkere gebra-den eend geweest, en ik was een stevig gestrikte verslaaf-de geworden. De *délices* die ik er sindsdien genoten had waren niet meer te tellen.

Hij was als gewoonlijk reeds op toen ik op weg naar de galoppeerplaats naar hem zwaaide; de vloer aanvegend, alles opruimend, de ramen wijd open gooiend om de be-nauwde lucht van de vorige avond te verdrijven. Hoewel het een dikzak was bezat hij niettemin een onuitputtelijke energie en hield de hele zaak met behulp van twee vrou-wen op gang, één in de bar en één in de keuken, waar hij als een feodaal heerschap de baas over speelde. Betty stond in de keuken onder zijn arendsblikken onaandoen-lijk te koken en Bessie serveerde in de bar met een snel-heid die aan goochelarij grensde. Bananas was oberkelner en alle andere kelners, nam bestellingen op, serveerde de maaltijden, overhandigde rekeningen, ruimde de tafels af en dekte ze opnieuw, dit alles met een misleidend vertoon of hij alle tijd had voor een babbeltje. Ik had hem er zo vaak bij gadeslagen, dat ik zijn werkwijze kende; hij ver-spilde vrijwel nooit tijd door de keuken in te lopen. Het eten kwam bij Betty vandaan via een enorm dienluik dat aan het oog van het publiek was onttrokken en de lege borden verdwenen langs een flauw aflopende goot.

'Wie wast er af?' vroeg ik eens verbaasd.

'Ik zelf,' zei Bananas. 'Na sluitingstijd stop ik het alle-maal in de afwasmachine.'

'Slaap je dan nooit?'

'Slapen is stomvervelend.'

Hij had, bleek het, genoeg aan vier uur slaap per nacht. 'Waarom werk je zo hard? Waarom neem je niet wat meer hulp?'

Hij keek mij medelijdend aan. 'Personeel veroorzaakt net zo veel werk als ze verzetten,' zei hij. Later had ik ontdekt dat hij het restaurant ieder jaar omstreeks eind november sloot en naar West-Indië vertrok, om achter in maart wanneer de vlakkebaanrennen op gang kwamen weer terug te komen. Hij had een hekel aan de kou, zei hij; hij werkte zich acht maanden in het zweet voor vier maanden zon en palmen.

Die ochtend op de Limekilns was Simpson Shell met een zelfvoldaan gezicht zijn meest belovende dieren aan het trainen. Als oudste van de vijf trainers van Luke Houston had hij zich het moeilijkst bij mij kunnen neerleggen en nog steeds last van obsessies die dagelijks op zijn gezicht te lezen waren.

'Môge, William,' zei hij fronsend.

'Môge, Sim.' Ik bleef naar hem en de slanke jonge hengst staan kijken waarop Houston dat seizoen zo'n beetje zijn hoop gevestigd had. 'Hij loopt goed,' zei ik.

'Dat doet-ie altijd.' Zijn stem klonk geringschattend en ongeduldig. Ik glimlachte bij mezelf. Hij wilde ermee zeggen dat complimentjes noch gevlei hem van mening zouden doen veranderen waar het de over het paard getilde blaag betrof die zijn zin had doorgedreven in de kwestie van de verkoop van een tweetal tweejarige dieren. Hij had me verteld dat hij het totaal oneens was met mijn beleid om bepaalde paarden af te stoten, hoewel ik het hem van tevoren had voorgelegd en elk onnut dier dat van de hand moest worden gedaan met hem besproken had. 'Dat heeft Warrington nooit gedaan,' had hij gebulderd en hij had mij gewaarschuwd dat hij naar Luke zou schrijven om zich te beklagen.

Ik had er nooit iets van gehoord. Hij had of nooit geschreven, of Luke had mij gesteund; hij was er echter door gesterkt in zijn vijandigheid jegens Derry, niet in het minst omdat, hoewel ik Luke Houston een hele hoop overbodige trainingsgelden bespaard had, ik ze Simpson Shell tegelijkertijd door de neus geboord had. Ik wist dat hij erop zat te wachten dat de onnutte dieren bij hun nieuwe eigenaars zouden winnen, zodat hij victorie kon kraaien, en het was maar gelukkig voor me dat dit tot dusver niet gebeurd was.

Zoals alle trainers van Luke had hij daarnaast nog een heleboel andere eigenaars voor wie hij trainde. De paarden van Luke maakten op dat moment ongeveer een zesde van het totaal uit, wat een te groot aandeel was dan dat hij het risico kon lopen ze helemaal kwijt te raken; daarom deed hij beleefd tegen mij, maar ook niet meer dan dat.

Ik vroeg hem naar een merrieveulen dat de avond tevoren wat last had gehad van een spierontsteking in haar been en hij zei knorrig dat het er een stuk beter mee ging. Hij moest er niets van hebben dat ik een warme belangstelling toonde voor zijn acht paarden van Houston, hoewel ik er zo'n idee van had dat er in het tegenovergestelde geval weer halsoverkop een brief naar Californië zou gaan om te klagen dat ik mijn plichten verzuimde. Het was onmogelijk, dacht ik triest bij mezelf, het Sim Shell naar de zin te maken.

Verderop aan de Bury Road vertelde Mort Miller, jonger, neurotisch, met vingers die knipten als rotjes, mij dat de tien lievelingen van Luke goed aten en popelden om hun tegenstanders af te maken. Mort had het een opluchting gevonden dat de drie nietsnutten verkocht waren, waarbij hij had opgemerkt dat hij een hekel had aan die luie je-weet-wels en hun de haver die ze aten misgunde. De paarden van Mort waren altijd even gespannen als hijzelf, maar als het erop aankwam wonnen ze in elk geval.

Vrijwel elke dag wipte ik bij Mort aan omdat hij het was die, ondanks al zijn pertinente beweringen, mij in feite het vaakst om mijn mening vroeg.

Eén keer per week ging ik, meestal samenvallend met wedstrijdbesprekingen, aan bij de twee andere trainers,

Thompson en Sandlache, die vijftig kilometer van elkaar in de Berkshire Downs woonden, en zo eens per maand ging ik een paar dagen naar Donavan in Ierland. Met hen allen had ik bevredigende afspraken gemaakt, waarbij zij van hun kant toegaven dat de tweejarige dieren die ik van de hand had gedaan voor hen van geen nut waren geweest, en ik beloofde dat ik het geld dat ik aan trainingsgelden had uitgespaard in oktober aan nieuwe jaarlingen zou besteden.

Het zou mij spijten, dacht ik bij mezelf, wanneer mijn jaar voorbij was.

Nadat ik bij Mort was geweest stopte ik op de terugweg naar huis even in de stad om een radio op te halen die ik in reparatie had gegeven en nog eens om benzine te tanken, en weer bij het café van Bananas om wat bier mee te nemen.

Bananas stond in de keuken in een stuk kalfsvlees te porren dat in de marinade lag. Het zou nog een uur duren voor hij open ging. Alles in de zaak zag er fris en glimmend uit en de planten in hun potten hadden water gehad.

'Er is iemand geweest die naar je vroeg,' zei Bananas.

'Wat voor iemand?'

'Een grote kerel. Kende hem niet. Ik heb hem verteld waar je woonde.' Hij keek met een boos gezicht naar Betty, die onnadenkend druiven stond te ontvellen. 'Ik heb hem verteld dat je er niet was.'

'Heeft hij gezegd waarvoor hij kwam?'

'Niks.'

Hij gooide een schort aan de kant en ging met zijn enorme gestalte de bar in. 'Voor jou zeker nog te vroeg?' zei hij, terwijl hij achter de tapkast schoof.

'Wel een beetje.'

Hij knikte en stelde volgens een vast systeem zijn gebruikelijke ontbijt samen – een derde drinkglas met cognac, met daarbovenop twee scheppen vanille- en walnootijs.

'Cassie is naar haar werk gegaan,' zei hij, terwijl hij een lepel pakte.

'Jou ontgaat ook niet veel.'

Hij haalde zijn schouders op. 'Dat gele autootje zie je al op een kilometer afstand, en ik was aan de voorzijde de ramen aan de buitenkant aan het lappen.' Hij roerde het ijs door de cognac en schoof met de opgetogenheid van een lekkerbek de eerste hap in zijn mond. 'Da's beter,' zei hij.

'Geen wonder dat je zo dik bent.'

Hij knikte alleen maar. Het kon hem niets schelen. Hij had mij eens verteld dat zijn dikke klanten zich door zijn omvang beter voelden en meer besteedden, en dat zijn dikke klanten de magere op zoek naar een wonder in aantal overtroffen.

Hij was van nature een zonderling, die niets ongewoons zag in wat hij ook deed. Verschillende malen had hij, wanneer het 's avonds nogal laat was geworden, iets van zijn eigen innerlijk onthuld en onder de oppervlakkige jovialiteit had ik een paar glimpen opgevangen van een diepzittend pessimisme, een landerigheid die met wanhoop de ontoereikendheid beschouwde van het menselijk ras om in harmonie deze prachtige aarde te bewonen. Hij bezat geen politieke richting, geen god, geen aandrang om dingen op gang te brengen. Het kwam voor, betoogde hij, dat mensen op rijke, tropische bodem van de honger omkwamen; er waren mensen die het land van hun buren stalen; er waren mensen die andere mensen uitmoordden vanwege hun ras; er waren mensen die martelden en moordden uit naam van de vrijheid. Hij werd er kotsmisselijk van, zei hij. Vanaf de prehistorie was dit al aan de gang, en het zou blijven doorgaan tot de wraakzuchtige aap zou zijn uitgestorven.

'Jijzelf schijnt je er anders best bij te vermaken,' had ik eens opgemerkt.

Hij had me duister aangekeken. 'Jij bent een vogel. Altijd op de vleugels. Als je niet zulke lange benen had gehad zou je een sperwer zijn geweest.'

'En jij?'

'De enige andere mogelijkheid is zelfmoord,' zei hij.

'Maar op dit moment is dat niet nodig.' Hij had zich handig nog een glas cognac ingeschonken en het glas bij wijze van een soort saluut geheven. 'Op de beschaving, verdomme.'

Zijn eigenlijke voornamen, die boven de deur van het café stonden, waren John James, maar de bijnaam die hij had was een pudding. 'Bananas Frisby', een warm, luchtig roersel van eieren, rum, bananen en sinaasappel was een nagerecht dat vrijwel altijd op het menu stond, en hij was zelf 'Bananas' geworden. Die naam paste uitstekend bij zijn uiterlijke verschijningsvorm, maar totaal niet bij zijn innerlijk.

'Zal ik je eens wat vertellen?' zei hij.

'Wat?'

'Ik laat mijn baard staan.'

Ik keek naar de vage schaduw op zijn donkere wangen. 'Hij heeft mest nodig,' zei ik.

'Heel grappig. De dagen van de grote, dikke sloddervos zijn voorbij. Wat je voor je ziet is het begin van de grote, dikke, gedistingeerde caféhouder.' Hij nam een grote lepel ijs en een slok van de drank ter verzachting erachteraan, waarna hij met de rug van zijn hand de witte snor wegveegde.

Hij droeg zijn gebruikelijke werkkleding – een overhemd met open kraag, een kreukvrije grijs flanellen broek en oude tennisschoenen. Zo hier en daar groeiden op zijn schedel plukjes dunnend, donker haar, met één sluike lok die over een oor hing, en omdat de Frisby van 's avonds totaal niet verschilde van de Frisby van 's ochtends, zag ik niet in dat een baard iets aan de indruk zou kunnen veranderen. Zeker niet, dacht ik geïnteresseerd, terwijl hij nog moest groeien.

'Heb je een paar tomaten over?' vroeg ik. 'Van die Italiaanse?'

'Voor je lunch?'

'Ja.'

'Geeft Cassie je niet te eten?'

'Dat is haar werk niet.'

Hij schudde zijn hoofd vanwege onze abnormale huishoudelijke regelingen, maar als hij een vrouw zou hebben gehad, had ik mij toch afgevraagd wie van hen beiden gekookt zou hebben. Ik rekende het bier en de tomaten af, beloofde dat ik met Cassie zou langskomen om zijn bakkebaarden te bewonderen en reed naar huis.

Het leven was mij goed gezind, zoals ik tegen Cassie gezegd had. Op dat moment was het leven een heel eind verwijderd van de verschrikkingen van Bananas.

Ik parkeerde mijn wagen voor het huis en liep het pad af terwijl ik de radio, het bier en de tomaten in één hand probeerde vast te houden en met de andere naar mijn sleutels zocht.

Je verwacht niet dat er mensen uit het niets opdoemen die met honkbalknuppels zwaaien. Ik ving maar heel even een glimp van hem op toen ik mijn hoofd bij het geluid van zijn nadering omdraaide en de zwaar gebouwde gestalte zag, de wreedheid, zijn opgeheven arm. Nog voor ik tijd had om ongelovig te denken dat hij me ging slaan, had hij het al gedaan. Door de verpletterende klap op mijn hoofd dat ik juist omdraaide ging ik duizelend languit, de radio, bierblikjes en tomaten rondstrooiend. Ik viel half op het pad en half in een bed viooltjes, en bleef trillend en half bewusteloos liggen, waarbij ik de aarde kon ruiken, maar niet in staat was na te denken.

Ruwe vingers vlochten zich in mijn haren en trokken mijn hoofd omhoog van de grond. Op naar mijn idee grote afstand van mijn gesloten ogen sprak een schorre, zware stem een paar onzinnige woorden.

'Je bent het niet...' zei hij. '*God*verdomme.'

Hij liet mijn hoofd plotseling vallen en dat tweede tikje deed het hem. Ik was mij er niet van bewust. In mijn bewustzijn had de wereld om mij heen gewoon opgehouden te bestaan.

Het volgende dat tot mij doordrong was dat er iemand probeerde mij op te tillen en dat ik hem trachtte tegen te houden.

'Ook goed, blijf dan maar liggen,' zei een stem. 'Als je

denkt dat je je dan beter voelt.'

Ik voelde mij als een vormeloze gedaante die in de wereldruimte rondtolde. Weer probeerde hij me op te tillen, en binnen in mijn schedel werden de dingen opeens weer op hun plaats geschud.

'Bananas,' zei ik zwak, hem herkennend.

'Wie anders? Wat is er gebeurd?'

Ik probeerde te gaan staan en waggelde wat rond, waarbij ik nog een paar zwaar geteisterde viooltjes vertrapte.

'Hier,' zei Bananas, terwijl hij me bij mijn arm pakte. 'Kom mee naar binnen.' Hij ondersteunde me half en merkte dat de deur op slot zat.

'Sleutels,' mompelde ik.

'Waar zijn ze?'

Ik maakte een vaag gebaar met mijn arm en hij liet me los om ze te zoeken. Ik bleef met bonzend hart tegen de deurstijl geleund staan. Bananas vond de sleutels en kwam naar mij toe; bezorgd zei hij: 'Je zit onder het bloed.'

Ik keek omlaag naar mijn overhemd dat vol rode vlekken zat. Ik betastte de stof. 'Er zitten pitjes in dat bloed,' zei ik.

Bananas tuurde naar mijn borst. 'Je lunch.' Zijn stem klonk opgelucht. 'Kom mee naar binnen.'

We gingen het huis binnen, waar ik in een stoel ineen zakte en begon mee te voelen met lijders aan migraine. Bananas zocht alle kasten na en vroeg op klagelijke toon waar de cognac stond.

'Kun je niet wachten tot je thuis bent?' vroeg ik, zonder het als kritiek te bedoelen.

'Het is voor jou.'

'Er is niets meer.'

Hij ging er niet verder op in. Misschien dat hij zich herinnerde dat hij het was geweest die een week geleden het laatste restje had opgedronken.

'Kun je thee zetten?' vroeg ik.

'Dat denk ik wel,' zei hij berustend en ging het doen.

Terwijl ik de godendrank die hij gebrouwen had dronk, vertelde hij me dat hij een auto met een snelheid van ongeveer honderd twintig kilometer per uur uit de richting van het huis had zien wegrijden over de landweg. Het was de wagen, zei hij, van de man die eerder op de dag naar mij gevraagd had. Eerst had hij zich verbaasd, en daarna ongerust gevoeld, en ten slotte besloten er eens heen te kuieren om te zien of alles in orde was.

'En daar lag je,' zei hij. 'Als een gevelde giraffe.'

'Hij heeft me een klap gegeven,' zei ik.

'Je meent het.'

'Met een honkbalknuppel.'

'Je hebt hem dus gezien,' zei Bananas.

'Ja. Heel even maar.'

'Wie was het?'

'Geen idee.' Ik nam een slok thee. 'Een overvaller.'

'Hoeveel heeft hij van je gepikt?'

Ik zette mijn thee neer en betastte de zak waarin ik een kleine portefeuille had zitten. Hij zat er nog steeds. Ik haalde hem voor de dag en keek erin. Veel zat er niet in, maar er ontbrak ook niets aan.

'Zinloos,' zei ik. 'Wat wilde hij?'

'Hij vroeg naar je,' zei Bananas.

'Is het echt?' Ik schudde mijn hoofd, wat niet zo'n best idee was, daar er in alle richtingen naalden door mijn schedel schoten. 'Wat zei hij precies?'

Bananas dacht even na. 'Voor zover ik het mij kan herinneren vroeg hij: "Waar woont Derry?"'

'Zou je hem herkennen?' vroeg ik.

Hij schudde nadenkend zijn hoofd. 'Dat denk ik niet. Ik bedoel, ik heb een algemene indruk van hem – niet jong en ook niet oud, een ruw accent – maar ik was bezig en ik heb er niet zo op gelet.'

Hoewel ik hem maar een fractie gezien had van de tijd dat Bananas naar hem gekeken had, bezat ik toch een veel helderder herinnering aan mijn aanvaller. Een bevroren beeld, als van een foto, dat in mijn geheugen gegrift stond. Een zwaar gebouwde man met een geelachtige huid, grijzend haar, vurige ogen in donkere kassen. De bewogen zijkant van de foto was de neerwaartse klap met zijn arm. Ik kon niet zeggen of mijn herinnering betrouwbaar was en of ik hem zou herkennen.

Bananas zei: 'Ben je voldoende opgeknapt dat ik weg kan gaan?'

'O ja.'

'Zodra Betty klaar is met die druiven zal ze voor zich uit blijven staren,' zei hij. 'Het stomme mens werkt volgens vaste regels. Dat beweert ze. Volgens de regels werken, nou vraag ik je. Ze is geen lid van een vakbond. Ze heeft haar eigen regels uitgedacht. Regel nummer één is momenteel dat ze enkel en alleen doet wat ik haar met zoveel woorden opdraag.'

'Waarom dat?'

'Meer loon. Ze wil een pony kopen om mee over de heide te rijden. Ze kan niet rijden en ze is verdomme al bijna zestig.'

'Ga maar terug,' zei ik glimlachend. 'Ik red me wel.'

Half verontschuldigend liep hij naar de deur. 'In het ergste geval kun je altijd nog de dokter laten komen.'

'Dat ook.'

Hij opende de deur en gluurde de tuin in. 'Er liggen blikjes bier tussen de viooltjes.'

Hij zei onder het naar buiten lopen dat hij ze zou oprapen, en ik stond voorzichtig op van mijn stoel en ging hem achterna. Toen ik bij de deur was stond hij op het pad met drie blikjes bier en een tomaat in zijn handen aandachtig naar de purperen en gele bloemen te kijken.

'Wat is er?' vroeg ik.

'Je radio.'

'Die had ik juist laten maken.'

Hij keek mij aan. 'Ook zonde.'

Er klonk iets in zijn stem waardoor ik het pad afwaggelde om te kijken. Mijn radio lag inderdaad tussen de viooltjes – wat ervan over was. Kast, afstemschalen, bedrading, luidspreker, alles was zorgvuldig kapotgeslagen.

'Dat is smerig,' zei Bananas.

'Nijd,' gaf ik toe. 'En een honkbalknuppel.'

'Maar waaróm?'

'Ik denk,' zei ik langzaam, 'dat hij misschien dacht dat ik iemand anders was. Nadat hij me geslagen had leek hij verbaasd te zijn. Ik herinner me dat ik hem hoorde vloeken.'

'Een opvliegende aard,' zei Bananas, terwijl hij naar de radio keek.

'Mm.'

'Zeg het tegen de politie,' zei hij.

'Ja.'

Ik pakte het bier van hem aan en maakte een gebaar ten afscheid toen hij kordaat de weg afliep. Daarna stond ik een tijdje naar de kapotgeslagen radio te staren, terwijl er enigszins verontrustende gedachten door mij heen gingen – zoals hoe mijn hoofd er zou hebben uitgezien als hij er niet na één klap mee was opgehouden.

Met een inwendige huivering ging ik weer naar binnen en zette mij met mijn hersenschudding aan het schrijven van mijn wekelijkse rapport voor Luke Houston.

13

Ik kwam er niet toe de dokter te laten komen of de politie te waarschuwen. Ik zag niet in hoe de daaraan bestede tijd veel zou kunnen opleveren.

Cassie nam de hele zaak filosofisch op, maar zei dat ik toch wel een barst in mijn schedel moest hebben als ik geen zin had in vrijen.

'Morgen dubbel rantsoen,' zei ik.

'Mocht je willen.'

De hele volgende dag draaide ik op twee cilinders en 's avonds belde Jonathan op, zoals hij van tijd tot tijd deed om een lange-afstandsvinger op de pols van zijn kleine broertje te houden. Hij had die gewoonte om zich als een vader over mij te ontfermen nooit kunnen afleren, wat ik, om eerlijk te zijn, ook niet graag gewild zou hebben. Jonathan was, tienduizend kilometer ver weg, nog steeds mijn anker, mijn meest vertrouwde vriend.

Jammer van Sarah natuurlijk. Ik zou Jonathan vaker gezien hebben indien ik maar beter met Sarah had kunnen opschieten. Met haar bazigheid en sarcasme irriteerde ze mij als een allergische huiduitslag en ik kon nooit iets goeds bij haar doen. Destijds had ik een poosje het idee gehad dat hun huwelijk op weg naar de klippen was en daar was ik niet rouwig om geweest, maar ze waren op de een of andere manier toch van het randje teruggekrabbeld. Ze leek tegenwoordig in elk geval toegeeflijker tegenover Jonathan te zijn, maar wanneer ik er was kreeg haar stem nog steeds dat bekende scherpe kantje en ik bleef nooit lang bij hen. Dat ik nooit lang ergens bleef was trouwens volgens haar een van mijn minst vergeeflijke gebreken. Ik behoorde mij er, zei ze, eens voor in te spannen dat ik een behoorlijke baan kreeg.

Ze zag er tegenwoordig uitstekend uit, slank als een

meisje en gebruind door de zon. Ik veronderstelde dat menigeen die haar blonde haren, haar goede figuur, haar nog altijd strakke kaken en haar gracieuze bewegingen zag Jonathan zou benijden om zijn op vijfenveertigjarige leeftijd nog zo jonge vrouw. En dat alles zonder, voor zover ik wist, het mes van de plastisch chirurg.

'Hoe gaat het met Sarah?' vroeg ik werktuiglijk. Ik had plichtsgetrouw vrijwel mijn leven lang naar haar gevraagd, zonder dat het mij een barst kon schelen. De wapenstilstand die zij en ik omwille van Jonathan in acht hielden was heel broos; een kwestie van vormelijkheid, van nietszeggende beleefdheid, van glimlachjes zonder gevoel, van vragen naar elkaars gezondheid.

'Reuze,' zei hij. 'Echt reuze.' Zijn stem had na al die jaren een licht accent aangenomen en een heleboel uitdrukkingen van zijn nieuwe vaderland. 'Je moet de groeten van haar hebben.'

'Dank je.'

'En met jou?'

'De een of andere idioot heeft me een klap voor mijn kop gegeven, maar verder gaat het mij uitstekend.'

'Wat voor idioot?'

'De een of andere vent die me hier stond op te wachten en me een oplawaai verkocht heeft.'

'Alles goed met je?'

'O jawel. Niet erger dan een val van een paard.'

'Wie was het?' vroeg hij.

'Geen idee. Hij heeft in het café naar de weg gevraagd, maar hij had de verkeerde voor. Misschien dat hij naar Terry gevraagd heeft... dat klinkt haast hetzelfde. In elk geval ging hij ervandoor toen hij ontdekte dat hij een kleine vergissing begaan had, en dat was het dus.'

'Geen verdere schade?' bleef hij aandringen.

'Bij mij niet, maar je moest mijn radio eens zien.'

'Wat?'

'Toen hij tot de ontdekking kwam dat ik de verkeerde was koelde hij zijn woede op mijn radio. Ik was op dat moment buiten westen, moet je weten. Toen ik weer bij kwam lag hij daar, kapotgeslagen.'

Het bleef stil aan de andere kant en ik zei: 'Jonathan? Ben je daar nog?'

'Ja,' zei hij. 'Heb je de man gezien? Hoe zag hij eruit?'

Ik vertelde het hem – in de veertig, enigszins grijs, geel-achtig. 'Net een stier,' zei ik.

'Heeft hij iets gezegd?'

'Zo iets dat ik godverdomme niet degene was die hij verwachtte.'

'Hoe heb je hem kunnen horen als je buiten westen was?'

Ik legde het uit. 'Het enige wat ik eraan heb overgehouden is een pijnlijk plekje bij het haarkammen,' zei ik. 'Zit er dus verder maar niet over in.'

De rest van onze gebruikelijke zes minuten spraken we over ditjes en datjes, en tot slot zei hij: 'Ben je morgen-avond thuis?'

'Ja, dat denk ik wel.'

'Misschien dat ik je terugbel,' zei hij.

'Oké.' Ik vroeg maar niet waarom. Hij had er een hand-je van geen rechtstreeks antwoord te geven op een recht-streekse vraag wanneer hem dat niet uitkwam, en deze ter-loopse opmerking zei me dat dit een van die gelegenheden was.

We namen vriendschappelijk afscheid, waarna Cassie en ik naar bed gingen en onze normale bezigheden her-vatten.

'Wat denk je, zouden we hier ooit genoeg van krijgen?' vroeg ze.

'Vraag me dat nog maar eens wanneer we tachtig zijn.'

'Tachtig? Nee, dat is onmogelijk,' zei ze, en zo leek het ons alle twee inderdaad toe.

Cassie ging iedere dag met haar gele autootje naar Cam-bridge om achter haar bureau bij een bouwonderneming over hypotheken te praten. Cassies hoofd zat vol termen als vruchtgebruik en boete bij vervroegde aflossing, en ik vond het soms opmerkelijk dat ze nimmer een vijfentwintig jaar lange molensteen om mijn nek had voorgesteld.

Eén keer eerder had ik geprobeerd met iemand samen te leven – bijna een jaarlang, met een aanhalige blondine die op trouwen en een nestje bouwen uit was. Ik had het gevoel gehad dat ik stikte en was hem naar Zuid-Amerika gesmeerd, wat volgens haar ouders schandalig van me geweest was. Zo was Cassie echter niet, en misschien besefte ze evenals ik dat ik altijd naar Engeland terugkwam, dat de trek naar het geboorteland behoorlijk sterk was. Mogelijk dat ik op een dag, peinsde ik, op een dag in de verre toekomst... en wie weet samen met Cassie... heel misschien, en volstrekt vrijblijvend, een huis zou kopen.

Per slot van rekening kon je het altijd weer verkopen.

Jonathan belde de volgende avond inderdaad nogmaals op en kwam direct ter zake.

'Herinner je je nog die zomer,' vroeg hij, 'toen Peter Keithly in zijn boot om het leven is gekomen?'

'Allicht. Dat vergeet je niet zo gauw, wanneer je eigen broer bij een moord betrokken raakt.'

'Het is veertien jaar geleden,' zei hij met twijfel in zijn stem.

'Dingen die gebeuren wanneer je vijftien bent staan voor altijd in je geheugen gegrift.'

'Misschien heb je wel gelijk. In elk geval weet je dus wie ik bedoel als ik het over Angelo Gilbert heb?'

'De moordenaar,' zei ik.

'Precies. Volgens mij zou de man die jou op je hoofd heeft geslagen wel eens Angelo Gilbert geweest kunnen zijn.'

Een mooie, die broer van me, als het er op aankwam je de schrik te bezorgen. Met een benepen stem zei ik: 'Je lijkt er nogal kalm onder,' maar dat was ook wel logisch. Hij was altijd kalm. In de ergste noodsituatie zou het Jonathan zijn die sprak en handelde of er niets aan de hand was. Hij had me als klein kind eens bij een brand naar buiten gedragen terwijl ik de indruk had gehad dat er niets aan de hand was, dat er niets bijzonders was aan de vlammen en het geloei en gekraak overal om ons heen, omdat hij glimlachend op mij had neergekeken.

'Ik heb het nagevraagd,' zei hij. 'Angelo Gilbert is zeventien dagen geleden voorwaardelijk in vrijheid gesteld.'

'Vrij...'

'Hij zal er enige tijd voor nodig hebben gehad om zich te oriënteren en je te vinden. Ik bedoel, als het hem geweest is moet hij ons tweeën verwisseld hebben.'

Ik liet dat tot mij doordringen en vroeg: 'Waardoor denk je dat hij het geweest is?'

'Door je radio in feite. Hij leek er genoegen in te scheppen dergelijke dingen te vernielen. Televisietoestellen. Stereo-installaties. Bovendien moet hij nu veertig zijn, en zijn vader deed mij aan een stier denken. Toen je dat zei moest ik er opeens weer aan denken.'

'Goeie genade.'

'Ja.'

'Denk je echt dat hij het geweest is?'

'Ik ben bang dat de kans erin zit.'

'Wel,' zei ik. 'Nu hij weet dat hij de verkeerde te pakken heeft gehad zal hij me misschien niet meer lastigvallen.'

'Monsters verdwijnen niet door niet naar ze te kijken.'

'Hè?'

'Best mogelijk dat hij terugkomt.'

'O, dank je wel.'

'William, vat het ernstig op. Angelo was gevaarlijk toen hij in de twintig was en het lijkt erop dat hij dat nog steeds is. Hij heeft de computerprogramma's waarvoor hij aan het moorden sloeg nooit te pakken gekregen en dat kwam door mij. Wees dus voorzichtig.'

'Misschien is het hem helemaal niet geweest.'

'Ga ervan uit dat hij het wel geweest is.'

'Ja,' zei ik. 'Tot kijk, professor.' De schampere toon waarop ik dat zei moet hem duidelijk geweest zijn.

'Blijf uit de buurt van paarden,' zei hij.

Ik legde de hoorn met een sip gevoel neer. Paarden betekenden in zijn ogen ongehoorde risico's.

'Wat is er aan de hand?' vroeg Cassie. 'Wat zei hij?'

'Dat is een heel lang verhaal.'

'Vertel het dan.'

Met horten en stoten vertelde ik haar gedurende de volgende paar uur het hele verhaal, mij de dingen bij gedeelten herinnerend en niet altijd in de volgorde waarin ze gebeurd waren, vrijwel net zoals Jonathan het mij al die jaren terug verteld had. Voor hij naar Canada was gegaan om te schieten had hij mij aan het eind van dat zomertrimester rechtstreeks van school gehaald en waren we naar Cornwall gegaan, alleen wij beiden, om een paar dagen te gaan zeilen. We hadden daar al twee of drie keer eerder een fantastische vakantie gehad, maar dat jaar stond er een storm en goot het doorlopend van de regen, en terwijl we door de druipende ruiten van de jachtclub naar buiten zaten te staren en te wachten op de weersverbetering die niet kwam had hij me ter afleiding over mevrouw O'Rorke en Ted Pitts verteld en over de Gilberts, en hoe hij magneetjes in de doosjes had gestopt. Ik was er zo door geboeid geraakt dat het mij niet had kunnen schelen dat we niet hadden kunnen zeilen.

Ik was er niet zeker van dat mij elk steegje van het labyrint getoond was; mijn kalme, schoolmeesterachtige broer was bij gedeelten nogal terughoudend geweest en ik had altijd het vermoeden gehad dat dat geweest was omdat hij waarschijnlijk op de een of andere manier zijn geweren erbij gebruikt had. Ik mocht ze nooit van hem aanraken en het enige waar ik hem ooit bang voor heb gezien was dat zijn vuurwapenvergunning zou worden afgepakt.

'Dat is het dus,' zei ik ten slotte. 'Door Jonathan is Angelo in de bak terechtgekomen. En nu is hij weer vrij.'

Cassie had afwisselend verschrikt en geamuseerd geluisterd, maar uiteindelijk was het de twijfel die overbleef.

'Wat dus nu?' vroeg ze.

'Dus nu kunnen we, indien Angelo als een wildeman rondholt, nog meer vijandigheden verwachten.'

'Nee toch!'

'En er zijn verschillende ongunstige omstandigheden

waarmee Derry nummer twee te kampen kan krijgen.' Ik telde ze op mijn vingers na. 'Ten eerste kan ik niet schieten. Ten tweede weet ik praktisch niets van computers af. En ten derde heb ik er, als Angelo de gevangenis uit is komen stormen met de bedoeling zijn verspeelde buit te achterhalen, geen idee van waar die zich bevindt en of hij zelfs nog maar bestaat.'

Ze fronste haar voorhoofd. 'Denk je dat het hem daar om te doen is?'

'Zou je niet denken?' zei ik somber. 'Je zit veertien jaar lang in een cel te piekeren over wat je bent kwijtgeraakt en op wraak te zinnen, en jawel, je krijgt de kans eruit te komen om naar allebei op zoek te gaan – en een kleinigheid zoals de verkeerde te hebben aangepakt zal je heus niet van je doel afbrengen.'

'Kom mee naar bed,' zei Cassie.

'Ik vroeg mij af of hij nog altijd net zo denkt als toen.' Ik keek naar haar mij steeds liever wordende gezicht. 'Ik voel er niets voor dat hij hier komt binnendringen om jou als gijzelaar te houden.'

'Zonder Jonathan om de telefoon af te snijden en de politie te laten komen? Kom mee naar bed.'

'Ik vraag mij af hoe hij dat geflikt heeft.'

'Wat?'

'De telefoon afsnijden. Zo eenvoudig is dat niet.'

'Met een kniptang in de paal geklommen,' zei ze.

'Het lukt je nooit om in een paal te klimmen. Behalve helemaal bovenin zitten er geen voetsteunen aan.'

'Waarom breek je je daar na al die jaren nog het hoofd over? Kom mee naar bed.'

'Vanwege een klap op mijn hoofd.'

'Maak je je echt bezorgd?' vroeg ze.

'Ongerust.'

'Dat moet wel. Ik heb al drie keer het woord bed genoemd en je zit daar nog steeds.'

Ik grinnikte tegen haar en stond op – en op dat moment vloog de voordeur met een ontzaglijke klap open, met versplinterend hout en een gebroken slot.

In de deuropening stond Angelo. Minder dan een seconde stond hij daar om zijn evenwicht te hervinden na de trap waardoor hij was binnengekomen, met zijn zwaaiende honkbalknuppel en zijn gezicht strak vertrokken van boosaardigheid.

Cassie noch ik had tijd om te protesteren of te gillen. Hij kwam regelrecht naar binnen gestapt, om zich heen slaand, alles in zijn buurt kapotsmijtend, een lamp, een paar poppen van maïskolven, een vaas, een schilderij... de televisie, het hele gezellige interieur verwoestte hij en toen ik met een sprong op hem af vloog kreeg ik een vuist in mijn gezicht en miste zijn vlug opgestoken knie mijn kruis op een haar na, ik rook zijn zweet en hoorde zijn adem reutelen van inspanning en het drong tot mij door wat hij hortend zei – alleen maar de naam van mij en mijn broer, telkens en telkens weer.

'Derry – Derry – godverdommese *Derry*.'

Cassie trachtte mij te hulp te komen, maar hij sloeg naar haar met de zware houten knuppel en raakte haar arm. Ik zag haar van pijn ineenkrimpen en verblind van woede sloeg ik een arm om zijn nek en probeerde zijn hoofd naar achteren te rukken, om hem genoeg pijn te bezorgen dat hij zijn wapen liet vallen en om de waarheid te zeggen waarschijnlijk ook om hem te wurgen. Hij wist echter meer van smerige vechtmethoden af dan ik ooit geleerd had en hij had er niet meer dan twee stoten met zijn ellebogen en een achterwaartse ruk die mijn vingers haast verbrijzelde voor nodig om zich los te wringen. Hij schudde mij met zoveel kracht van zich af dat ik half viel, maar ik hing nog steeds als een octopus met al mijn tentakels aan zijn kleren, om te verhinderen dat hij zijn handen vrij kreeg om nog eens met die knuppel uit te halen.

Alles omver smijtend bolderden we in de geruïneerde kamer rond, terwijl hij zich trachtte te bevrijden en ik mij met minstens even grote felheid aan hem vastklampte; het was Cassie die er ten slotte een eind aan maakte. Cassie, die de koperen kolenschop van de haard bij zijn glimmende handvat had beetgepakt en hem op armlengte in een boog rondzwaaide, op Angelo's hoofd gericht. Ik zag een flits van het glanzende metaal en voelde de klap door Angelo's lichaam gaan; ik liet hem los en hij viel languit op het vloerkleed.

'O god,' zei Cassie. 'O god.' Er stonden tranen in haar ogen en ze hield haar linkerarm een eindje van haar lichaam vandaan op een manier die ik maar al te goed kende.

Angelo haalde zichtbaar adem. Alleen maar verdoofd. Het zou niet lang duren voor hij weer bijkwam.

'We moeten hem vastbinden,' zei ik buiten adem. 'Wat hebben we daarvoor?'

Cassie zei pijnlijk: 'Waslijn,' en voor ik haar kon tegenhouden verdween ze in de keuken en kwam vrijwel meteen daarop terug met een nieuwe waslijn die nog in de verpakking zat; staaldraad met plastic omhulsel, stond er op het felgekleurde etiket. Inderdaad sterk genoeg voor een stier.

Terwijl ik het met nog trillende vingers loswikkelde klonk er buiten het geluid van iemand die langs het pad kwam aangestampt, en ik had maar net tijd voor een gevoel van absolute wanhoop voor ik zag wie het was.

Bananas kwam op een holletje naar de donkere deuropening en stond daar stokstijf de ravage in ogenschouw te nemen.

'Ik zag zijn auto terugkomen,' zei hij. 'Ik was net aan het sluiten...'

'Help mij even hem te binden,' zei ik, naar Angelo knikkend, die zich onheilspellend bewoog. 'Dit is allemaal zijn werk. Hij is weer bezig bij te komen.'

Bananas draaide Angelo op zijn gezicht en hield zijn handen bij elkaar op zijn rug terwijl ik om zijn polsen een aantal knopen op elkaar legde, waarna hij het karwei overnam en de lijn van de polsen naar beneden doortrok om hem met nog twee knopen om de enkels vast te binden.

'Hij heeft Cassies arm gebroken,' zei ik.

Bananas keek naar haar, en toen naar mij en naar Angelo, en liep vastbesloten naar het tafeltje waarop de telefoon als door een wonder onbeschadigd stond.

'Wacht,' zei ik. 'Wacht even.'

'Maar Cassie heeft een dokter nodig. En ik bel de politie...'

'Nee,' zei ik. 'Nog niet.'

'Maar dat moet.'

Ik veegde mijn neus af met de rug van mijn hand en keek afwezig naar de bloedveeg. 'In de badkamer liggen pethedine en een injectiespuit,' zei ik. 'Daardoor zal de pijn van Cassie een stuk verminderen.'

Hij knikte begrijpend en zei dat hij het zou pakken.

'Neem de trommel mee waarop "Eerste Hulp" staat. Hij staat op de plank boven de kranen van het bad.'

Terwijl hij heen en weer liep met een snelheid waar ik nog steeds verbaasd van stond, hielp ik Cassie op een stoel met haar linkerarm op een kussen dat ik op het telefoontafeltje legde. Het was haar onderarm, merkte ik, die gebroken was; waarschijnlijk beide botten, aan haar hand te zien die er hulpeloos bij hing.

'Niet doen, William,' zei ze witjes. 'Dat doet zeer. Niet doen.'

'Lieveling... lieveling... Het moet ondersteund worden. Laat gewoon zo liggen. Je er niet tegen verzetten.'

Ze deed zonder een kik te geven wat ik zei en zag er bleker uit dan ooit.

'Ik voelde het niet,' zei ze. 'Niet zoals nu... in het begin niet.'

Bananas kwam met de eerste-hulptrommel terug en maakte hem open. Ik haalde de injectiespuit uit zijn steriele verpakking en vulde hem uit de ampul met pethedine. Ik trok Cassies rok hoog op boven haar door de zon gebruinde benen en spoot het pijnstillende middel dat de spieren deed ontspannen in de lange spier van haar dijbeen.

'Tien minuten,' zei ik, terwijl ik de naald eruit trok en de plek met mijn knokkels wreef. 'De pijn zal er een stuk door afnemen. Dan kunnen we je naar de ongevallenafdeling van het ziekenhuis van Cambridge brengen om het te laten zetten. Op dit uur van de nacht zal er dichterbij niets open zijn.'

Ze knikte heel even met voor het eerst iets van een glimlachje, en op de vloer deed Angelo pogingen om te gaan schoppen.

Bananas liep opnieuw naar de telefoon, maar weer hield ik hem tegen.

'Maar William...'

Ik keek om mij heen naar de uiteengereten bewijsstukken van een hartstochtelijke wraakzucht; de uitbarsting van veertien jaar opgekropte haat.

Ik zei: 'Hij heeft dit gedaan omdat mijn broer hem in de gevangenis heeft laten gooien wegens moord. Hij is voorwaardelijk vrij. Als we de politie roepen gaat hij weer achter de tralies.'

'Nou, allícht dan,' zei Bananas, terwijl hij de hoorn opnam.

'Nee,' zei ik. 'Leg neer.'

Hij keek mij onthutst aan. Op de vloer begon Angelo te mompelen alsof hij ijlde; een mengelmoes van woeste verwensingen en luide, onverstaanbare, onafgemaakte zinnen.

'Gevangenistaal,' zei Bananas, luisterend.

'Heb je het eerder gehoord?'

'In mijn vak hoor je uiteindelijk alles.'

'Luister,' zei ik. 'Wat gebeurt er als ik hem naar de gevangenis terug laat sturen? De volgende keer zal het niet zo lang duren voor hij weer buiten staat en dan zou hij een geheel nieuwe, felle wrok hebben om bot te vieren. En misschien dat hij tegen die tijd wat verstandiger is geworden en niet met een stuk hout komt aanzetten om af te gaan als een gieter, maar wacht tot hij een pistool te pakken heeft gekregen en mij over drie of vier jaar stiekem afmaakt. Dit...' gebaarde ik met mijn hand, 'heeft niets te maken met verstandig overleg. Ik ben alleen maar Jonathans broer. Ik heb hem niets gedaan. Dit is woede tegen het leven. Blinde, ontzagwekkende, onbeheerste razernij. Ik voel er niets voor dat hij zijn woede in de toekomst

helemaal op mij persoonlijk gaat richten.' Ik zweeg even.
'Ik moet een betere... een afdoende oplossing vinden. Als
het me lukt.'

'Je bedoelt toch niet...?' zei Bananas aarzelend.

'Wat?'

'Hem... hem... Nee, dat kun je niet menen.'

'Niet díé afdoende oplossing, nee. Hoewel het geen gek
idee is. Laarzen met cement en een reisje naar de bodem
van de Noordzee.'

'Een bak vol piranha's,' zei Cassie.

Bananas keek haar opgelucht aan en moest haast lachen,
maar legde ten slotte de telefoonhoorn terug op het toestel.

Angelo hield op met mompelen en kwam volledig bij
kennis. Toen hij besefte waar hij was, en in welke toestand, werd zijn huid, die tot dan toe bleek was geweest,
vlekkerig rood – zijn gezicht, zijn nek, zelfs zijn handen.
Hij rolde zich een halve slag om op zijn rug en vulde de
kamer met zijn ziedende razernij.

'Als je begint te vloeken stop ik een prop in je mond,'
zei ik.

Het kostte hem moeite, maar hij zei niets meer, en ik
keek hem voor het eerst recht en aandachtig in zijn gezicht. Er was niet veel meer over van de man wiens foto
in de krant ik eens bestudeerd had – niet jong meer,
geen zwart haar meer, geen smalle kaken, geen lange,
smalle neus. Leeftijd, erfelijkheid, gevangenisvoedsel,
dat alles had hem vetafzettingen bezorgd waardoor de
omtrek van zijn gezicht verslapt en zijn lichaam aangezet
was.

Een middelmatig stel hersens, had Jonathan gezegd.
Niet intelligent. Vertrouwt op zijn vermogen de mensen
schrik aan te jagen en boekt daar succes mee. Minacht
iedereen. Noemt hen slijmerds en uilskuikens.

'Angelo Gilbert,' zei ik.

Hij maakte een abrupte beweging en keek verrast, alsof
hij gedacht had dat ik hem niet herkend zou hebben; en
dat zou ik ook niet als Jonathan mij niet gebeld had.

'Laten we het even duidelijk stellen,' zei ik. 'Het is niet mijn broer geweest die je in de gevangenis heeft doen belanden. Dat heb je aan jezelf te danken gehad.'

Cassie mompelde: 'Misdadigers zitten uit eigen vrije wil in de gevangenis.'

Bananas keek haar stomverbaasd aan.

'Mijn arm voelt een stuk beter aan,' zei ze.

Ik keek Angelo strak aan. 'Je koos voor de gevangenis toen je Chris Norwood neerschoot. Die veertien jaar waren je eigen schuld, dus waarom probeer je het nu op míj te verhalen?'

Het maakte geen indruk op hem. Dat had ik ook eigenlijk niet verwacht. Iemand anders de schuld geven van je eigen moeilijkheden was de gemiddelde mens eigen.

Angelo zei: 'Dat schijthuis van een broer van je heeft me bedonderd. Hij heeft gestolen wat van mij was.'

'Hij heeft niets van jou gestolen.'

'Wel waar.' De woorden kwamen er op lage toon uit, vurig en fel, een gegrom in zijn keel. Cassie huiverde van de kwaadaardigheid die er van Angelo, ook al lag hij smadelijk samengebonden op de vloer van een woonhuis, uitging.

De pot met geld, bedacht ik opeens, zou toch wel eens van pas kunnen komen.

Angelo leek een inwendige strijd te voeren, maar ten slotte kwamen de woorden naar buiten, woedend, teleurgesteld, nog altijd barstend van woede waarvoor hij geen uitweg wist. *Waar is hij?* vroeg hij. 'Waar is dat schijthuis van een broer van je? Ik kan hem niet vinden.'

Levende heiligen...

'Hij is dood,' zei ik koudweg.

Angelo vertelde niet of hij me geloofde of niet, maar de boodschap veranderde niets aan zijn gemoedsgesteldheid. Bananas en Cassie gaven blijk van een zekere verstarring, maar hielden zich gelukkig stil.

Ik zei tegen Bananas: 'Zou je hem even in de gaten willen houden terwijl ik opbel?'

'Uren, als het moet.'

'Alles goed met je?' vroeg ik aan Cassie.

'Dat spul is fantastisch.'

'Ik blijf niet lang weg.' Ik pakte de hele telefoon van de tafel naast haar en liep ermee het kantoor in, waarbij ik de deur achter mij dichtdeed.

Ik belde naar Californië, in de mening dat Jonathan wel niet thuis zou zijn, dat ik Sarah zou krijgen, dat het siësta-tijd zou zijn onder de gouden zon. Maar Jonathan was thuis en nam zelf op.

'Er viel mij net iets in,' zei ik. 'Die bandjes die Angelo Gilbert wilde hebben, heb je die nog altijd?'

'Goeie genade,' zei hij. 'Dat denk ik niet.' Een stilte terwijl hij nadacht. 'Nee, we hebben alles opgeruimd toen we uit Twickenham weggingen. Je weet nog wel, we heb-ben de meubelen verkocht en hier nieuwe aangeschaft. Ik heb vrijwel alles van de hand gedaan. Behalve de geweren natuurlijk.'

'Heb je de bandjes weggegooid?'

'Hm,' zei hij. 'Er was een stel dat ik naar mevrouw O'Rorke gestuurd heb en weer terug heb gekregen. O ja, ik heb ze aan Ted Pitts gegeven. Als iemand ze nog heeft moet het Ted zijn. Maar ik dacht niet dat je er na al die jaren nog veel mee zou kunnen doen.'

'De bandjes zelf of het goksysteem?'

'Het systeem. Het moet al lang verouderd zijn.'

Dat zou niet al te veel uitmaken, dacht ik.

'Er bestaan hier tegenwoordig een heleboel computer-programma's om je te helpen op paarden te winnen,' zei Jonathan. 'Er zijn erbij die het doen, zegt men.'

'Heb je ze niet geprobeerd?'

'Ik ben geen gokker.'

'O nee?'

'Waar wil je die bandjes voor hebben?' vroeg hij.

'Om Angelo nogmaals mee in de luren te leggen.'

'Kijk maar uit.'

'O jawel. Waar kan ik Ted Pitts vinden?'

Hij zei me met twijfel in zijn stem dat ik bij de East Middlesex Scholengemeenschap moest informeren, waar ze allebei les hadden gegeven, maar hij zei erbij dat het niet waarschijnlijk was dat hij daar nog werkte. Sinds hij geëmigreerd was hadden ze totaal geen contact meer met elkaar gehad. Misschien dat ik Ted via de onderwijzersbond op het spoor kon komen, waar ze misschien zijn adres zouden hebben.

Ik bedankte hem en legde neer, en ging toen terug naar de huiskamer, waar iedereen er nog vrijwel net zo uitzag als toen ik ze alleen had gelaten.

'Ik zit met een probleem,' zei ik tegen Bananas.

'Eentje maar?'

'Tijd.'

'Aha. Waar alles om draait.'

'Mm.' Ik keek peinzend naar Angelo. 'Er is een kelder onder dit huis.'

Angelo kende geen angst – die zou je hem moeten bijbrengen. Ik kon heel duidelijk zien dat hij begreep dat ik niet van plan was hem te laten gaan en toch was zijn enige reactie er een van vechtlust, waarbij hij zich met felle kracht tegen de waslijn verzette.

'Hou hem in de gaten,' zei ik tegen Bananas. 'Er ligt wat rommel in de kelder. Ik zal het even opruimen. Als het ernaar uitziet dat hij zich bevrijdt geef je hem nog maar een dreun op zijn kop.'

Bananas keek mij aan alsof hij me nog nooit eerder gezien had; en misschien was dat ook wel zo. Ik legde in het voorbijgaan mijn hand heel even verontschuldigend op Cassies schouder en schoof in de keuken de schuif van de houten deur die toegang gaf tot de keldertrap.

Daar beneden was het koel en droog; een gemetselde ruimte met een betonnen vloer en een enkele lamp die aan het plafond hing. Toen we het huis hadden betrokken hadden we de tuinstoelen daar opgeslagen aangetroffen, maar nu stonden ze buiten op het gras, waardoor er alleen nog maar oude rommel stond, zoals een oliekachel, een paar blikken verf, een ladder en een hoop visgerei. Ik droeg alles in gedeelten de trap op en gooide het allemaal in de keuken neer.

Toen ik ermee klaar was lag er niets meer in de kelder om een gevangene te helpen ontsnappen; niettemin zou ik hem vastgebonden moeten laten vanwege de niet zo stevige deur waar geen slot op zat. Die deur bestond eenvoudigweg uit verticale planken met boven, onder en in het midden een dwarsbalk, het geheel vastgeschroefd met de schroefkoppen gelukkig aan de keukenzijde. Aan de bovenkant zaten er over de hele breedte zes gaten ter groote van een duimdikte, waarschijnlijk voor ventilatie. Stevig genoeg om tegen alle mogelijke omstandigheden opgewassen te zijn, maar niet betrouwbaar genoeg om weerstand te bieden aan een schop als waarmee de vijand zich daarnet toegang tot het huis had verschaft.

'Mooi,' zei ik, terwijl ik de huiskamer weer binnenliep. 'Jij, Angelo, gaat de kelder in. Je enige andere keus is meteen terug naar de gevangenis, want door dit alles...' ik wees de kamer rond, '...en dat...' Cassies arm, '...is het gedaan met je voorlopige invrijheidstelling en ga je weer regelrecht achter slot en grendel.'

'Dat kan je verdomme niet maken,' zei hij woedend.

'Dat kan ik verdomme wél. Jij bent hiermee begonnen. Dan zul je de gevolgen ook maar moeten dragen.'

'Ik maak je *kapot*.'

'Ja. Probeer het maar. Je hebt het bij het verkeerde eind, Angelo. Ik ben mijn broer niet. Die was knap en slim en nam een loopje met je, maar hij zou nooit lichamelijk geweld gebruikt hebben; ik wel, uilskuiken dat je bent, ik wel.'

Angelo gebruikte woorden die Bananas met zijn ogen deden knipperen en een bezorgde blik naar Cassie werpen.

'Die heb ik al eens gehoord,' zei ze.

'Je kunt kiezen, Angelo,' zei ik. 'Je laat toe dat mijn vriend en ik je voorzichtig de trap af dragen zonder dat je je verzet, of wel je verzet je en dan sleep ik je aan je benen naar beneden.'

Het gezichtsverlies dat hij leed door zich niet te verzetten bleek te veel voor hem. Hij probeerde mij te bijten

toen ik naar hem toe liep om mijn armen onder zijn oksels
te steken, en daarna deed ik wat ik gezegd had – ik greep
de waslijn beet waarmee zijn enkels zaten vastgebonden
en sleepte hem met zijn voeten vooruit de huiskamer uit,
de keuken door en de keldertrap af, waarbij hij de hele
weg bleef schreeuwen en vloeken.

14

Ik sleepte hem een flink stuk uit de buurt van de trap en liet zijn benen los, waarna ik naar de keuken terugging. Hij schreeuwde mij nog wat godslasterlijkheden achterna en ik kon hem toen de deur alweer dicht was nog steeds horen. Laat hem zijn gang maar gaan, dacht ik stoïcijns; ik liet echter wel de ene lamp aan, waarvan de schakelaar zich buiten de kelder tegen de muur van de keuken bevond.

De deurschuif zette ik vast door het heft van een mes in de gleuf te laten glijden en ik stapelde voor de goede orde de ladder, de tafel en een stel stoelen stevig achter elkaar tussen de koelkast en de kelderdeur op, waardoor het onmogelijk werd hem naar de kant van de keuken gewoon open te draaien.

In de huiskamer zei ik zonder ze te reppen: 'Oké. Tijd om een beslissing te nemen, makkers.' Ik keek Bananas aan. 'Jij staat hier buiten. Jij kunt terug naar de afwas als je dat liever doet en vergeten wat hier gebeurd is.'

Hij keek gelaten de kamer rond. 'Ik heb beloofd dat je dit huis zou achterlaten zoals je het had aangetroffen. Praktisch mijn hand ervoor in het vuur gestoken.'

'Ik zal vernieuwen wat ik kan en de rest vergoeden. En mij in het stof buigen. Is dat voldoende?'

'Je kunt die bruut niet in je eentje aan.' Hij schudde zijn hoofd. 'Hoe lang ben je van plan hem vast te houden?'

'Tot ik iemand gevonden heb die Pitts heet.' Ik legde aan hem en Cassie uit wat ik wilde doen en waarom, en Bananas zuchtte en zei dat het onder de gegeven omstandigheden tamelijk verstandig leek, en dat hij behulpzaam zou zijn zoveel hij kon.

We schoven Cassie heel behoedzaam in mijn auto en ik

reed met haar naar Cambridge, terwijl Bananas op zijn doeltreffende wijze aan de gang ging om de huiskamer aan kant te brengen. Aan de versplinterde voordeur die niet meer op slot kon viel op dat moment niet veel te doen en hij beloofde in huis te blijven tot we terug waren.

Het kwam zo uit dat ik alleen terugkwam. Ik bracht met Cassie lange tijd wachtend door in het doodstille ziekenhuis terwijl men iemand trachtte te vinden om een foto van haar arm te nemen, maar het scheen dat de röntgenafdeling na middernacht stevig op slot zat, dat alle röntgenologen thuis in bed lagen en dat ze zich slechts voor de allernoodzakelijkste chirurgische noodgevallen lieten oproepen.

Cassies arm werd zorgvuldig gespalkt van haar schouder tot haar vingertoppen en ze kreeg nog een pijnstillende injectie en een bed; toen ik met een zoen afscheid van haar nam zei ze: 'Vergeet niet de stier te eten te geven,' wat de verpleegsters voor gebazel onder invloed van de verdoving hielden.

Bananas lag te slapen toen ik terugkwam, languit op de bank en naar ik durfde wedden dromend van palmen. De bende die ik had achtergelaten was op wonderbaarlijke wijze opgeruimd zonder dat er nog maar één kapot stukje huisraad te zien was. Veel dingen ontbraken er, maar over het geheel genomen leek het meer op een kamer die de eigenaars als de hunne zouden herkennen. Dankbaar liep ik op kousevoetjes de keuken in en zag dat mijn barricade veranderd was en met vier planken versterkt die in de garage hadden gelegen, zodat de deur nu van boven tot onder dichtgespalkt zat.

De lichtschakelaar stond omhoog. Afgezien van mogelijk wat flauwe lichtstraaltjes door de ventilatie-openingen lag Angelo in het donker.

Hoewel ik mij stil had gehouden was Bananas toch wakker geworden; hij zat overeind in de rug van zijn neus te knijpen en zijn zware oogleden knipperden open en dicht.

'Alle brokken liggen in de garage,' zei hij. 'Niet in de

vuilnisbak. Ik dacht dat je ze misschien op de een of andere manier nog nodig zou kunnen hebben.'

'Je bent reusachtig,' zei ik. 'Heeft Angelo proberen uit te breken?'

Bananas trok een gezicht. 'Een verschrikkelijke kerel, die daar.'

'Heb je met hem gesproken?'

'Hij schreeuwde door de deur dat je zijn bloedsomloop had afgebonden doordat zijn polsen te stijf vastgesnoerd zaten. Ik ging kijken, maar het was niet waar, zijn vingers waren roze. Hij was al halverwege de trap en hij probeerde me omver te schoppen. Probeerde mijn voeten onder me vandaan te trappen zodat ik zou vallen. God weet wat hij ermee trachtte te bereiken.'

'Waarschijnlijk dat ik hem uit angst zou laten gaan.'

Bananas krabde zich op zijn ribben. 'Ik ben weer naar boven gekomen, heb de deur achter me dichtgedaan en het licht bij hem uitgedraaid, maar hij heeft nog een eeuwigheid gebruld wat hij wel niet allemaal met je zou doen zodra hij eruit was.'

Om zich moed in te praten, dacht ik.

Ik keek op mijn horloge. Vijf uur. Het zou gauw licht zijn. Gauw vrijdag zijn met al zijn problemen. 'Ik zou denken dat een paar uurtjes de ogen sluiten geen kwaad zou kunnen,' zei ik gapend.

'En die dan?' Hij maakte een beweging met zijn hoofd in de richting van de keuken.

'Hij zal niet stikken.'

'Je doet me versteld staan,' zei Bananas.

Ik grijnsde tegen hem en ik denk dat hij me even meedogenloos vond als onze bezoeker. Hij vergiste zich echter. Ik was er redelijk zeker van dat Angelo die avond teruggekomen was om mij te vermoorden, om af te maken wat hij eerder begonnen was, intussen wetend wie ik was en geen Cassie verwachtend. Bij hem vergeleken was ik nog zachtaardig.

Bananas ging naar huis, naar zijn afwasmachine, en ik nam zijn plaats op de bank in, omdat de slaapkamer naar mijn gevoel te ver buiten bereik was. Ondanks de wilde nacht viel ik onmiddellijk in slaap en werd om zeven uur met een hoofd dat verontwaardigd tegenstribbelde wakker en zette de wekker af. De paarden zouden op de Heath aan het werk zijn. Simpson Shell had een oefenrit georganiseerd voor twee driejarigen en als ik er niet was om te kijken zou hij naar Luke Houston schrijven dat ik een spijbelaar was... en ik wilde in elk geval, Angelo of geen Angelo, zien hoe die paarden het deden.

Ik hield van de Heath in de vroege morgen, met wapperende manen onder wijde luchten. Mijn liefde voor paarden zat zo diep en ging zo ver terug, dat ik mij het leven zonder hen niet kon voorstellen. Het waren leden van een bevriende mogendheid die in ons land verbleven, die toestonden dat hun menselijke buren hen verzorgden en voedden, die hen tegelijk als dienaren en als meesters accepteerden. Snel, fascinerend, in wezen ongetemd, waren ze mijn vertrouwde omgeving, mijn oude schoenen, de plaats waarnaar mijn hart telkens terugkeerde, voor mij even noodzakelijk als de zee is voor zeelui.

Zelfs die ochtend beurden ze mij op en ik keek naar de oefenrit met een concentratie waar Angelo niet tussen kon komen. Een van de driejarigen finishte beslist zeer snel en Simpson merkte met zorgvuldige beleefdheid op dat hij hoopte dat ik aan Luke zou vertellen hoe goed het jonge dier eruitzag.

'Ik zal Luke vertellen dat je wonderen met hem verricht hebt. Weet je nog wat voor een onevenwichtige indruk hij in mei maakte? Volgende week wint hij, dacht je ook niet?'

Hij staarde mij op zijn gebruikelijke, ambivalente manier aan, hij had mijn officiële goedkeuring nodig, wat hij verfoeide. Inwendig glimlachend liet ik hem alleen en reed het kleine eindje naar waar Mort zijn paarden aan het onderrichten was.

'Alles oké?' vroeg ik.

'O jawel,' zei Mort. 'Genotti komt nog steeds beter in vorm voor de Leger.' Hij knipte zes keer vlug achter elkaar met zijn vingers. 'Kun je mee naar huis komen om te ontbijten? Het veulen van Bungay eet nog altijd niet goed, en ik dacht dat we er eens over konden praten wat we eraan kunnen doen. Jij hebt vaak wel goeie ideeën. En de rekening voor Luke ligt klaar. Ik wil er een paar posten van uitleggen voor je er vraagtekens bij plaatst.'

'Mort,' viel ik hem spijtig in de rede, 'kunnen we dat een paar dagen uitstellen? Er is iets voorgevallen dat ik eerst moet afhandelen.'

'O? O,' klonk het verbluft, omdat ik het nog nooit eerder afgewezen had. 'Weet je het zeker?'

'Het spijt me heus,' zei ik.

'Misschien dat ik je vanmiddag nog zie,' zei hij, terwijl hij ontzettend zenuwachtig stond te wiebelen.

'Hm, jawel. Natuurlijk.'

Hij knikte vergenoegd en liet me goedgunstig gaan, en ik vroeg mij af of ik die dag wel naar het dagelijkse programma van de renbaan van Newmarket zou gaan kijken, ook al liepen er drie paarden van Luke mee.

Op de terugweg door de stad hield ik stil bij enkele winkels die vroeg open waren en deed een paar boodschappen ten behoeve van mijn gevangene, eten en wat kleinigheden. Toen racete ik de tien kilometer terug naar het dorp en hield eerst bij het café stil.

Bananas, die volkomen in zijn normale doen leek, had de afwas gedaan, de bar schoongemaakt en Betty tegen zich in het harnas gejaagd door te zeggen dat ze te oud was om nog rijles te nemen.

'Het oude kreng verdomt het om de mousse célérie voor de lunch te maken. Houdt zich aan haar stomme regels.' Met de pest in stelde hij zijn ontbijt samen, gehakte gember over het ijs strooiend en het geheel rijkelijk met cognac overgietend. 'Ik ben nog een keer bij je thuis geweest. Geen kik van onze vriend.' Hij roerde zijn mengseltje met een verwachtingsvol gezicht om. 'Je kunt hem buiten niet horen, hoe hard hij ook gilt. Dat merkte ik gisteravond. Als je eventuele bezoekers maar in de tuin houdt kan je niks gebeuren.'

'Bedankt.'

'Als ik dit op heb kom ik je helpen.'

'Reusachtig.'

Ik had het hem niet willen vragen, maar ik was hem heel dankbaar voor zijn aanbod. Ik reed door naar huis en legde alle boodschappen in de keuken neer, en terwijl ik bezig was etenswaren in een boodschappentas te pakken verscheen Bananas op zijn tennisschoenen. Hij keek naar het stapeltje dingen dat ik bij de deur had klaargezet.

'Laten we het maar meteen doen,' zei hij. 'Ik zal dit wel dragen.'

Ik knikte. 'Hij zal het eerste ogenblik door het licht verblind zijn, dus zelfs als hij zichzelf bevrijd heeft zijn wij in het voordeel.'

We begonnen de barricade bij de deur af te breken en toen hij voldoende open kon haalde ik het mes uit de deurschuif, pakte de boodschappentas op, draaide het kelderlicht aan en stapte de gevangenis binnen.

Angelo lag met zijn gezicht omlaag in het midden van de vloer, nog altijd vastgebonden zoals we hem hadden achtergelaten – met zijn armen op zijn rug, de witte waslijn slap hangend tussen zijn samengebonden polsen en enkels.

'Het is ochtend,' zei ik opgewekt.

Angelo bewoog zich nauwelijks. Hij mompelde een paar woorden, waarvan 'stuk stront' de enige waren die ik verstond.

'Ik heb wat eten voor je gebracht.' Ik zette de boodschappentas in een hoek neer, waarin twee gesneden broden, enkele pakken melk, wat water in een plastic fles, twee grote, gebraden kippen, wat appelen en een heel stel repen in allerlei soorten zaten. Bananas zette zonder iets te zeggen de stapel die hij had meegebracht en die bestond uit een deken, een goedkoop kussen, een paar pocketboeken en twee plastic po's met deksel op de grond neer.

'Ik laat je er niet uit,' zei ik tegen Angelo, 'maar ik zal je losmaken.'

'Loop naar de verdommenis,' zei hij.

'Hier is je horloge.' Dat had ik de avond tevoren van zijn pols gehaald om hem beter te kunnen vastbinden. Ik haalde het uit mijn zak en legde het op de vloer naast zijn hoofd. 'Vanavond om elf uur lichten uit,' zei ik.

Daarna leek het wijs Angelo's zakken na te zoeken, maar het enige wat hij bij zich had was geld. Geen messen, geen lucifers, geen sleutels – niets dat hem kon helpen te ontsnappen.

Ik knikte naar Bananas en we begonnen allebei de knopen los te maken, ik aan zijn polsen, Bananas aan zijn enkels, maar het geworstel van Angelo had ons oorspronkelijke werkstuk zo aangetrokken dat het verwijderen ervan een heleboel tijd en moeite kostte. Toen Angelo los was rolden we de lijn op en trokken ons via de trap terug, vanwaar ik hem stijf in een knielende houding overeind zag komen, met zijn armen waar hij nog niet veel mee kon doen slaphangend.

De lucht in de kelder had tamelijk fris geleken. Ik sloot de deur en deed de schuif erop, en Bananas stapelde de barricade met methodische nauwgezetheid weer op.

'Hoeveel eten heb je hem gegeven?' vroeg hij.

'Genoeg voor twee tot vier dagen. Hangt ervan af hoe vlug hij het opeet.'

'Hij is eraan gewend opgesloten te zitten, dat komt erbij.'

Bananas was zijn overgebleven twijfel in slaap aan het sussen, dacht ik. Hij schoof de vier planken op hun plaats tussen de kelderdeur en de koelkast, terloops opmerkend dat hij het hout gedurende de nacht had afgezaagd zodat het paste.

'Zo is het zekerder,' zei hij. 'Hij komt er niet uit.'

'Ik hoop dat je gelijk hebt.'

Bananas deed met zijn handen in zijn zij een paar passen achteruit om zijn knutselwerk te bekijken, en inderdaad was ik er zo zeker van als wat dat Angelo daar al schopte hij nog zo hard niet doorheen zou komen, temeer daar hij dat zou moeten proberen terwijl hij op de trap stond.

'Zijn wagen moet ergens in de buurt staan,' zei ik. 'Zodra ik naar het ziekenhuis gebeld heb ga ik ernaar zoeken.'

'Bel jij maar, dan zoek ik wel,' zei Bananas en hij liep de deur uit.

Er werd mij verteld dat de arm van Cassie in de loop van die ochtend onder narcose gezet zou worden. Als alles goed ging kon ik haar die avond om zes uur ophalen.

'Zou ik haar mogen spreken?'

'Een ogenblik.'

Haar stem klonk traag en slaperig over de lijn. 'Ik ben helemaal stoned van de pre-operatie,' zei ze. 'Hoe gaat het met je gast?'

'Opgeruimd als een kangoeroe met blaren.'

'Springt-ie uit zijn vel?'

'Die pre-operatie werkt niet,' zei ik.

'Toch wel. Mijn lichaam zweeft, maar mijn hoofd bruist met miriaden vonken. Heel gek.'

'Ze zeggen dat ik je om zes uur kan komen ophalen.'

'Kom niet... te laat.'

'Zou wel eens kunnen gebeuren,' zei ik.

'Je houdt niet van me.'

'Jawel.'

'Sweet William,' zei ze. 'Een leuk bloemetje.'

'Cassie, ga slapen.'

'Mm.'

Ze klonk ontzettend doezelig. 'Dag,' zei ik, maar ik geloof niet dat ze me hoorde.

Vervolgens belde ik naar haar kantoor, vertelde haar baas dat ze van de keldertrap gevallen was en haar arm gebroken had, en dat ze waarschijnlijk ergens in de komende week weer aan het werk zou kunnen.

'Wat lastig nou,' zei hij. 'Eh... voor haar natuurlijk.'

'Natuurlijk.'

Net toen ik de hoorn neerlegde kwam Bananas terug en vertelde dat de auto van Angelo onschuldig aan het eind

van de landweg geparkeerd stond, waar het verharde gedeelte overging in een karrespoor. Angelo had de sleutels
in het contact laten zitten. Bananas gooide ze op tafel.

'Als je iets nodig hebt roep je maar,' zei hij. Ik knikte
dankbaar en hij ging ervandoor, een krachtcentrale onder
een speklaag.

Ik ging aan het werk om Ted Pitts te vinden, waarvoor
ik eerst naar de oude school van Jonathan belde, de East
Middlesex Scholengemeenschap. Een vrouwenstem vertelde mij op pinnige toon dat er momenteel niemand van die
naam bij de school werkzaam was, en dat niemand van
het huidige onderwijzend personeel mij kon helpen omdat
er niemand was – het zou nog een week duren voor het
nieuwe trimester begon. De enige leraar die veertien jaar
geleden ook al lesgaf aan de school moest, dacht zij, mijnheer Ralph Jenkins zijn, de onderdirecteur, maar die was
aan het eind van het zomertrimester gepensioneerd en het
zou trouwens niet erg waarschijnlijk zijn dat een van zijn
vroegere assistenten met hem in contact zou zijn gebleven.

'Hoe dat zo?' vroeg ik nieuwsgierig.

Na een heel korte aarzeling zei de stem op vlakke toon:
'Dat zou mijnheer Jenkins niet hebben aangemoedigd.'

Of met andere woorden, dacht ik, mijnheer Jenkins
was een chagrijnige ouwe kerel geweest. Ik bedankte haar
voor het weinige dat ze mij had weten te vertellen (meer
had ik ook eigenlijk niet verwacht), en vroeg of ze mij het
adres van de onderwijzersbond kon geven.

'Wilt u hun telefoonnummer ook hebben?'

'Graag.'

Ze gaf mij alle twee en ik belde hun kantoor op. Ted
Pitts? Edward? Dat neem ik aan, zei ik. Kon ik even
wachten? Ja, dat kon ik.

De stem die antwoord gaf, van een man ditmaal, vertelde me na korte tijd dat Edward Farley Pitts geen lid
meer was. Hij had zijn lidmaatschap vijf jaar tevoren op-
gezegd. Zijn laatst bekende adres was nog steeds in
Middlesex. Wilde ik het hebben? Ja, graag, zei ik.

Weer kreeg ik een telefoonnummer erbij. Weer een

vrouwenstem die opnam, dit keer met harde muziek en kinderstemmen op de achtergrond.

'Wat?' zei ze. 'Ik kan u niet verstaan.'

'Ted Pitts,' brulde ik. 'Kunt u mij vertellen waar hij woont?'

'U bent verkeerd verbonden.'

'Hij heeft in uw huis gewoond.'

'Wat? Wacht even... stil jullie, verrekte blagen. Wat zei u?'

'Ted Pitts...'

'Terry, zet die vervloekte stereo af. Ik kan mijn eigen woorden niet verstaan. Zet hem af. Vooruit, zet af.'

De muziek hield plotseling op.

'Wat zei u eigenlijk?' vroeg ze weer.

Ik legde haar uit dat ik mijn verloren vriend, Ted Pitts, probeerde te vinden.

'Een vent met drie dochters?'

'Inderdaad.'

'We hebben dit huis van hem overgenomen. Terry, als je Michelle nou nog één keer met haar hoofd tegen de muur slaat krijg je een optater van me. Waar was ik gebleven? O ja, Ted Pitts. Hij heeft ons een adres gegeven om dingen na te sturen, maar het is al jaren geleden en ik weet niet waar mijn man het gelaten heeft.'

Het was echt van belang, zei ik.

'Nu, als u even wacht zal ik eens kijken. Terry. *Terry*!'

Er klonk geluid van een klap en het gehuil van een kind. De vreugden van het moederschap, dacht ik.

Ik wachtte een eeuwigheid, onderwijl luisterend naar flarden lawaai van de kibbelende bloedverwanten, wachtte zo lang dat ik al meende dat ze me helemaal vergeten was en mij gewoon naast de haak had laten liggen, maar ten slotte kwam ze toch terug.

'Sorry, dat het zo lang duurde, maar in dit huis is nooit iets terug te vinden. In elk geval heb ik gevonden waar hij heen verhuisd is.'

'U bent een engel,' zei ik, terwijl ik het opschreef.

Ze lachte gevleid. 'Zin om eens langs te komen? Die

verdomde kinderen zitten me tot hier!'

'De school begint volgende week.'

'Ik dank de goeie god.'

Ik hing op en probeerde het nummer dat ze mij gegeven had, maar dat gaf geen gehoor. Tien minuten later probeerde ik het nog eens, maar weer zonder resultaat.

Ik ging naar de keuken. Alles rustig in de kelder. Ik at wat cornflakes, liep rusteloos heen en weer, en probeerde het nummer nogmaals.

Geen sjoege.

Toch kon ik wel iets aan die voordeur doen, dacht ik terwijl ik ernaar keek. Op dat moment paste hij zelfs niet in de sponning, maar met een beitel en een stuk schuurpapier... Ik haalde ze uit het gereedschapsrek in de garage en werkte de scherpe splinters bij tot gladde randen, terwijl ik de deur uiteindelijk weer sluitend kreeg door het kapotte slot er helemaal uit te halen. Van de buitenkant zag het er prima uit, maar je hoefde er maar met je vinger naar te wijzen of hij zwaaide al open – terwijl we lieve, maar nieuwsgierige buren hadden die soms langskwamen om ons honing te verkopen.

Ik draaide nog eens het mogelijke telefoonnummer van Ted Pitts. Geen gehoor.

Mijn schouders ophalend sleepte ik een ladenkastje naar de binnenkant van de voordeur en klom door het raam van de eetkamer naar buiten. Ik reed naar het café en vertelde Bananas hoe hij binnen kon komen.

'Verwacht je dat *ik*...?'

'Nou nee. Alleen maar voor het geval dat.'

'Waar ga je heen?' vroeg hij.

Ik liet hem het adres zien. 'Er is een kleine kans.'

Het was een adres in Mill Hill aan de noordelijke buitenrand van Londen. Ik reed erheen met mijn gedachten resoluut bij het verkeer en niet bij Cassie, die buiten bewustzijn lag, en bij Angelo, die gevangen zat. Het toppunt van rampspoed zou wel zijn dat ik de auto op dat moment in de prak reed.

Toen ik het huis gevonden had bleek het een vrijstaande woning van gemiddelde grootte in een slaperige straat met bomen te zijn; bovendien stond het leeg.

Ik liep de inrit op en keek door de ramen. Kale muren, een kale vloer, geen gordijnen.

Zonder veel hoop belde ik bij het huis ernaast aan en hoewel het duidelijk bewoond was, was ook daar niemand thuis. Ik probeerde het bij nog een aantal huizen, maar geen van de mensen die ik sprak wist iets meer van Ted Pitts af dan dat ze er wel eens een paar meisjes in en uit hadden zien gaan, maar met al die bomen en struiken was je natuurlijk van je buren afgeschermd, wat betekende dat jij hen natuurlijk ook niet kon zien.

Uiteindelijk vond ik in een van de huizen schuin aan de overkant, vanwaar niet meer dan een hoekje van de tuin van de familie Pitts te zien was, iemand die mij op weg kon helpen. De voordeur werd dertig centimeter geopend door een grote vrouw met rode krulspelden, die een hele horde hondjes in verschillende soorten bij zich had die zich rond haar benen verdrongen.

'Ik heb niets nodig, als u soms wat te koop hebt,' zei ze.

Ik schotelde haar het verhaal voor dat ik inmiddels bedacht had en vertelde dat Ted Pitts mijn broer was, dat hij me zijn nieuwe adres gestuurd had maar dat ik dat was kwijtgeraakt, en dat ik dringend met hem in contact wilde komen. Na het zes keer verteld te hebben geloofde ik het haast zelf.

'Ik heb hem niet gekend,' zei ze, terwijl ze de deur geen haarbreed verder opende. 'Hij heeft hier niet lang gewoond. Ik geloof niet dat ik hem ooit gezien heb.'

'Maar eh, u hebt gemerkt dat ze hier zijn komen wonen... en weer verhuisd zijn.'

'Terwijl ik de honden uitliet, ziet u.' Ze keek met genegenheid op het stel neer. 'Ik kom daar dagelijks langs.'

'Weet u nog hoe lang het geleden is dat ze zijn vertrokken?'

'O, al een hele tijd. Gek dat uw broer u dat niet verteld heeft. Het huis heeft nog weken nadat ze weg waren te koop gestaan. Het is feitelijk eerst kort geleden verkocht.

Vorige week pas zag ik dat de makelaar het bord weg-haalde.'

'U kunt zich de naam van de makelaar zeker niet meer herinneren?' vroeg ik voorzichtig.

'Goeie hemel,' zei ze. 'Ik moet er wel honderd keer langs zijn gekomen. Laat me eens denken.' Ze staarde naar haar honden, met rimpels in haar voorhoofd van het nadenken. Ik zag nog steeds niet meer dan de helft van haar lichaam, maar ik wist niet of de onverbiddelijke kier bedoeld was om de honden binnen dan wel mij buiten te houden.

'Hunt bleach,' riep ze uit.

'Wat?'

'Hunt komma BLEACH.' Ze spelde het. 'Zo heette die makelaar. Een geel bord met zwarte letters. Als je goed kijkt zie je het overal staan.'

'Heel hartelijk bedankt,' zei ik enthousiast.

Ze knikte met de rode krulspelden en sloot zichzelf weer op, en ik reed rond tot ik een geel bord ontdekte met het adres ter plaats van Hunt, Bleach: The Broadway, Mill Hill.

Het verhaal betreffende de broer leverde de inmiddels bekende oogst op van medelevende en/of medelijdende blikken, maar uiteindelijk had ik er toch succes mee. Een beetje sloom uitziend meisje zei dat het huis was afgehan-deld door mijnheer Jackman bij hen op kantoor, die nu met vakantie was.

'Zou u het na kunnen kijken?'

Ze ging bij diverse collega's te rade, die op mijn aan-dringen aarzelend toegaven dat ze dat onder de gegeven omstandigheden misschien wel zou kunnen doen. Ze liep naar een zijkantoor en ik hoorde haar archiefladen open en dicht schuiven.

'Alstublieft, mijnheer Pitts,' zei ze terwijl ze terugkwam, en ik had er een fractie van een seconde voor nodig om mij te realiseren dat ik natuurlijk ook Pitts heette. 'Ridge View, Oaklands Road.'

Ze noemde er geen plaatsnaam bij. Hij woont nog

steeds híér, dacht ik.

'Kunt u mij ook zeggen hoe ik daar moet komen?' vroeg ik.

Ze schudde van nee, maar een van haar collega's zei: 'Als u The Broadway terugrijdt, rechtsaf om het verkeerscircuit heen tot u de richting Londen voor u hebt, dan de eerste weg links, de heuvel op, rechtsaf, dat is de Oaklands Road.'

'Fantastisch.' Ik bedankte hen uit de grond van mijn hart, wat ze als vanzelfsprekend aannamen, en ik volgde hun aanwijzingen stipt en vond het huis. Het zag er als een klein, bruin geval uit; bruine stenen, bruine dakpannen, aan weerskanten van de voordeur een smal raam, veel meer was er door het struikgewas niet te zien. Ik parkeerde mijn auto op wat er als een overdreven brede oprit uitzag, voor een gesloten garage, en belde vol twijfel aan.

Er was binnen in het huis geen enkel geluid te horen. Ik luisterde naar het gegons van verkeer in de verte en het gegons van bijen om een kuip met donkerrode bloemen dichterbij, en ik drukte nog eens op de bel.

Er gebeurde niets. Als ik er niet zo op gebrand was geweest Ted Pitts te vinden zou ik het op dat moment hebben opgegeven en weggereden zijn. Het was zelfs geen weg waar je bij de buren kon informeren; er lagen maar aan één kant huizen, met aan de andere kant een steile, beboste heuvel, en de huizen zelf lagen er ver uit elkaar en afgezonderd bij, zich aan het oog van jan en alleman onttrekkend.

Uit besluiteloosheid belde ik nog eens, ik wist niet of ik zou wachten, of later terugkomen, of een briefje achterlaten met het verzoek of Pitts mij wilde opbellen.

De deur ging open. Een prettig ogende, jeugdige vrouw stond daar; niet jong, nog niet van middelbare leeftijd, met een los hangende groene zonnejurk aan met brede banden over haar door de zon gebruinde schouders.

'Ja?' zei ze vragend. Donker krullend haar, blauwe ogen, een glimmend bruin gezicht van zomerse genoegens.

'Ik ben op zoek naar Ted Pitts,' zei ik.

'Die woont hier.'

'Ik ben op zoek geweest naar zijn adres. Ik ben de broer van een oude kennis van hem. Een kennis die hij jaren geleden had, bedoel ik. Denkt u dat ik hem zou kunnen spreken?'

'Hij is er momenteel niet.' Ze keek mij achterdochtig aan. 'Hoe heet uw broer?'

'Jonathan Derry.'

Het duurde maar heel even of de behoedzame uitdrukking op haar gezicht veranderde in een welkom; een glimlach bij de herinnering aan vervlogen tijden.

'Jonathan! We hebben in geen jaren iets van hem gehoord.'

'Bent u... mevrouw Pitts?'

Ze knikte. 'Jane.' Ze zwaaide de deur wijd open en deed een stap achteruit. 'Kom binnen.'

'Ik ben William,' zei ik.

'Zat jij niet...' ze dacht fronsend na, 'ergens buiten op school?'

'Kleine kinderen worden groot.'

Ze keek mij aan. 'Ik was vergeten hoe lang het alweer geleden is.' Ze ging mij voor door een koele, donkere hal. 'Deze kant op.'

We kwamen bij een brede trap die naar beneden liep, met lage treden waarop groen tapijt lag, en ik zag nu wat vanaf de hoger gelegen rijweg totaal niet te zien was geweest, namelijk dat het huis ontzaglijk groot en hypermodern was, in de flank van de heuvel ingebouwd en absoluut adembenemend.

De trap kwam onmiddellijk uit in een enorm vertrek dat voor de helft in de open lucht lag en waarvan de vloer voor een deel met groen tapijt bedekt was en voor een deel uit een zwembad bestond. Aan de kant van de trap stonden zitbanken en salontafeltjes, en aan de overkant van het zwembad, in de zon, hier en daar ligstoelen van bamboe met rode, witte en groene kussens; en aan beide kanten strekten zich de zijvleugels van het huis beschermend uit, met naar alle waarschijnlijkheid slaapkamers en comfort en een leven van puur genoegen. Ik keek het opzienbarende, gezellige vertrek rond en dacht bij mezelf dat geen onderwijzer zo iets zou kunnen bekostigen.

'Ik zat daarginds,' zei Jane Pitts, terwijl ze naar de zonkant wees. 'Ik had haast niet opengedaan. Meestal laat ik maar bellen.'

We liepen erheen, langs met bloemen gevulde priëlen van wit latwerk en met kussens beklede bamboe banken waarop achteloos neergeworpen badhanddoeken lagen. Het water van het zwembad zag er zeegroen en glad uit, glinsterend en uitnodigend na mijn afmattende speurtocht.

'De twee meisjes zijn wel ergens in de buurt,' zei Jane. 'Melanie, onze oudste, is natuurlijk getrouwd. Ted en ik zullen heel binnenkort grootouders zijn.'

'Ongelooflijk.'

Ze glimlachte. 'We zijn op de universiteit getrouwd.' Ze gebaarde naar de stoelen en ik ging op de rand van een van de ligstoelen zitten, terwijl zij zich weelderig op een tweede neervlijde. Achter het huis liep het grasveld geleidelijk af tot een wijd, overweldigend uitzicht over Noordwest-Londen, met een horizon die in nevelig purper en blauw verloren ging.

'Een fantastisch huis,' zei ik.

Ze knikte. 'We hebben ontzettend geboft dat we het te pakken hebben gekregen. We zitten hier pas drie maanden, maar ik denk wel dat we hier altijd zullen blijven wonen.' Ze wees naar het open dak. 'Dit kan helemaal dicht, weet u. Er zitten zonnepanelen in die eroverheen schuiven. Ze zeggen dat het huis de hele winter warm is.'

Ik bewonderde alles van harte en vroeg of Ted nog steeds les gaf. Losjes zei ze dat hij zo af en toe nog wel eens cursussen in computerprogrammeren aan de universiteit gaf en dat hij spijtig genoeg pas de volgende avond vrij laat zou thuiskomen. Hij zou het heel jammer vinden dat hij mij had misgelopen, zei ze.

'Ik had hem eigenlijk dringend willen spreken.'

Ze schudde zachtjes haar hoofd. 'Ik weet eerlijk niet

waar hij zit, alleen dat het ergens in de buurt van Manchester moet zijn. Hij is vanochtend vertrokken, maar hij wist niet waar hij zou overnachten. Ergens in een motel, zei hij.'

'Hoe laat is hij morgen terug?'

'Laat. Ik weet het niet.'

Ze keek naar de bezorgdheid die duidelijk op mijn gezicht te lezen moet zijn geweest en zei verontschuldigend: 'Als het zo belangrijk is zou je zondag vroeg misschien kunnen komen.'

15

De zaterdag kroop voorbij.

Cassie scharrelde met haar ingegipste arm in een draagdoek rond en Bananas kwam drie of vier keer aangewipt, beiden bezorgd door het uitstel, zonder het met zoveel woorden te zeggen. Het had donderdagsavonds redelijk geleken om Angelo op te sluiten, toen we nog verbijsterd waren van wat hij had aangericht in de huiskamer en Cassie pijn leed, maar zaterdagsavonds waren zij en Bananas van aanvankelijke gereserveerdheid en onbehagen tot regelrechte bezorgdheid gekomen.

'Laat hem gaan,' zei Bananas toen hij na sluitingstijd nog laat aankwam. 'Als iemand het ontdekt krijg je er echt last mee. Hij weet nu dat er met jou niet te spotten valt. Die zal heus wel te bang zijn om terug te komen.'

Ik schudde mijn hoofd. 'Hij is veel te verwaand om bang te zijn. Hij wilde wraak nemen en hij zal terugkomen om die te volvoeren.'

Ze zaten elkaar mistroostig aan te kijken. 'Kop op,' zei ik. 'Ik had in mijn hoofd hem een week... twee weken, vast te houden... zolang het ging duren.'

'Ik snap gewoon niet,' zei Bananas, 'hoe je rustig naar de paardenrennen hebt kunnen gaan.'

Ik was onrustig naar de paardenrennen gegaan. Evenals 's ochtends naar de galoppeerplaats en naar Mort om te ontbijten, maar geen van de mensen die ik had gesproken had kunnen raden wat er thuis gaande was. Ik ontdekte dat het vrij gemakkelijk viel achter de houding die je in het openbaar aannam een misdrijf te verbergen waar je mee bezig was – dat werd tenslotte door honderden mensen gedaan.

'Ik mag aannemen dat hij nog steeds in leven is,' zei Cassie.

'Om vier uur stond hij achter de deur te vloeken.' Bananas keek op zijn horloge. 'Negen en een half uur geleden. Ik heb geschreeuwd dat hij op moest houden.'

'En deed hij dat?'

'Hij vloekte alleen maar terug.'

Ik glimlachte. 'Dan is hij niet dood.'

Als om het te bewijzen begon Angelo tegen de deur te schoppen en zijn inmiddels vertrouwd geworden dreigementen naar ons hoofd te slingeren. Ik ging naar de keuken, dicht bij de barricade, en toen hij lucht hapte voor de volgende uitbarsting, zei ik luid: 'Angelo.'

Even was het stil, en toen kwam er een felle, woedende, grommende schreeuw: *'Schoft.'*

'Over vijf minuten gaat het licht uit,' zei ik.

'Ik vermoord je.'

Misschien dat ik kippevel had moeten krijgen van dat woeste dreigement, maar dat was toch niet het geval. Hij was al té lang moorddadig aan de gang, was van nature moorddadig, en het was niets nieuws voor me. Ik luisterde naar zijn al maar voortdurende woede en het deed me niets.

'Over vijf minuten,' zei ik nogmaals en liep weg.

In de huiskamer zag Bananas er een klein beetje als een piraat uit in zijn hemd met open kraag en op gymschoentjes en met zijn stugge zwarte baard van vier dagen, maar uit zichzelf zou hij nimmer iemand gekielhaald hebben. Met zijn sombere ondergangsdenken betreurde hij wat ik aan het doen was, zelfs al moest hij de noodzaak ervan toegeven, en ik kon bijna voelen hoe hij opnieuw worstelde met de oude tegenstrijdigheid dat je om geweld te bestrijden soms geweld diende te gebruiken.

Hij zat op de bank en dronk kort na elkaar twee fikse glazen cognac met zijn arm om Cassie heen geslagen, die dat nooit kon schelen. Hij was het zat, had hij gezegd, dat we door zijn lievelingsneutje heen waren en daarom had hij zelf een fles meegebracht. 'Wil je er wat roomijs bij hebben?' had Cassie voorgesteld en hij had serieus gevraagd: 'Wat voor smaak?'

Ik gaf Angelo zijn beloofde vijf minuten de tijd en draaide toen het licht uit, waarop er een onheilspellende stilte volgde in de kelder.

Bananas gaf Cassie een borstelige zoen, zei dat ze er vermoeid uitzag, zei dat alle borden in het café afgewassen moesten worden, zei bij wijze van proost: 'Barbados!' en sloeg zijn glas achterover. 'God zij met alle gevangenen. Goeienavond.'

Cassie en ik keken zijn verdwijnende rug na. 'Hij heeft half en half medelijden met Angelo,' zei ze.

'Mm. Het is altijd een misverstand te denken dat omdat je medelijden hebt met de tijger in de dierentuin, hij je niet zal opeten als hij de kans krijgt. Angelo kent geen medelijden. Niet dat van anderen voor hem. Noch voelt hij zelf ook maar zo iets. Bij anderen vat hij het als een zwakte op. Wees dus nooit vriendelijk tegen Angelo, lieveling, in de verwachting dat hij vriendelijk terug zal doen.'

Ze keek mij aan. 'Je bedoelt dit als waarschuwing, is het niet?'

'Je bent nogal teerhartig.'

Ze dacht hier een ogenblik over na, pakte toen een potlood en schreef met grote letters een boodschap voor zichzelf op het witte gips.

DENK AAN DE TIJGERS.

'Zo goed?'

Ik knikte. 'En als hij zegt dat zijn blindedarm op springen staat of dat hij aan builenpest lijdt, dan geef je hem alleen maar een paar aspirientjes door de ventilatiegaten, en doe het in een stuk papier gerold en niet met je blote vingers.'

'Daar heeft hij nog niet aan gedacht.'

'Dat komt nog wel.'

We gingen de trap op naar bed, maar net als de nacht tevoren deed ik alleen maar een paar korte, rusteloze tukjes, de hele tijd attent op eventueel lawaai uit de kelder. Cassie sliep rustiger dan tevoren, daar het gips haar minder problemen bezorgde naarmate ze eraan gewend raakte. Haar arm deed geen pijn meer, zei ze; ze voelde zich alleen moe. Ze zei dat het spel zou worden hervat zodra het weer verbeterde.

Ik lag te kijken hoe de donkere hemel begon te gloren tot streperige, marineblauwe wolken over een sombere oranje gloed, een vreemde, benauwende ochtend, als de uitstraling van de man beneden. Nog nooit eerder, dacht ik, was ik bij een hiermee te vergelijken botsing van wilskracht betrokken geweest; nog nooit was mijn bereidheid om de leiding te nemen zo diepgaand op de proef gesteld. Ik had mezelf nooit als een leider beschouwd, en toch had ik, als ik naar het verleden keek, er nooit veel zin in gehad om geleid te worden.

In de afgelopen maanden had ik ervaren dat het omgaan met de vijf trainers van Luke mij makkelijker was gevallen dan ik verwacht had, waarbij het geleken had of de kracht daartoe zich ontwikkelde naarmate de noodzaak zich voordeed. De kracht die nodig was om Angelo in de kelder te houden, ook die was op komen zetten, niet alleen lichamelijk, maar ook geestelijk. Misschien dat iemands vermogens zich altijd uitbreidden om aan de noodzaak te voldoen; maar wat deed je wanneer de noodzaak zich niet meer voordeed? Wat deden generaals met hun volwassen overmoed wanneer de oorlog was afgelopen? Wanneer de hele wereld niet meer gehoorzaamde wanneer zij 'springen' zeiden?

Ik dacht: tenzij men zijn gevoelens van macht voortdurend aan de lopende behoefte kon aanpassen, bestond de kans dat men op een ingevreten ongenoegen met de wending van het lot afstevende. De kans bestond dat men chagrijnig werd, hongerig naar macht, een despoot. Zodra de kwestie-Angelo was opgelost, het jaar bij Luke voorbij was, kon ik maar het beste weer tot het normale formaat inkrimpen, meende ik. Indien je de noodzaak hiervan inzag, misschien lukte het dan wel.

De vlammende hemel vervaagde langzaam tot paarsgrijze wolken die over een zee van goud dreven, en toen aarzelend tot vriendelijk wit op heel bleek blauw, en ik

stond op en kleedde mij aan met de gedachte dat de boodschap die de lucht mij bracht niet juist was – problemen
losten zich niet op naarmate de zon hoger steeg en Kaïn
zat nog steeds beneden.

Toen ik de deur uit ging zeiden Cassies ogen alles wat
haar tong verzweeg. Schiet vlug op. Kom terug. Ik voel
mij hier niet veilig met Angelo.

'Ga bij de telefoon zitten,' zei ik. 'Bananas komt halsoverkop.'

Ze slikte. Ik kuste haar en reed weg, over de lege zon-
dagse wegen naar Mill Hill scheurend. Het was nog pas
half negen toen ik de Oaklands Road indraaide, het aller-
vroegste tijdstip waarop ik volgens Jane Pitts kon aankomen, maar ze was al op en in natte badkleding gehuld
om open te doen.

'Kom binnen,' zei ze. 'We zijn in het zwembad.'

'We', dat waren twee knappe, lenige jonge meisjes en
een pezige, kalende man die zonder gespetter rondzwom,
als een zeehond. Door het open dak was de onbewolkte
hemel te zien en op een van de lage bamboe tafeltjes stond
een ontbijt van graanprodukten en fruit klaar, en niemand
van de familie Pitts scheen op te merken of kon het deren
dat de nieuwe dag nog altijd fris was.

De pezige man glipte met een gladde, afgemeten beweging op de rand van het zwembad en stond, zich het
water van het hoofd schuddend, zo'n beetje in mijn richting te kijken.

'Ik ben Ted Pitts,' zei hij, terwijl hij een natte hand uit-
stak. 'Ik kan geen barst zien zonder mijn bril.'

Ik schudde zijn hand en glimlachte naar de niet scherp
ziende ogen. Jane kwam aangelopen met een zwaar, zwart
montuur dat de bruine vis in een gewone, bijziende sterve-
ling veranderde, en hij liep druipend om het zwembad
naast mij heen naar een ligstoel waarop zijn handdoek lag.

'William Derry?' zei hij, terwijl hij het water uit zijn
oren bette.

'Jawel.'

'Hoe gaat het met Jonathan?'

'Je moet de groeten hebben.'

Ted Pitts knikte, wreef zich energiek met de handdoek over zijn borst, hield er toen abrupt mee op en zei: 'Jij was het die mij vertelde hoe ik aan die rensportgidsen kon komen.'

Zoveel jaar geleden... zo'n achteloos gegeven inlichting. Ik keek naar het verbazingwekkende huis om mij heen en stelde de vraag die zich opdrong: 'Het wedsysteem dat op die bandjes stond,' vroeg ik. 'Heeft het gewerkt?'

De glimlach van Ted Pitts was een glimlach van onuitsprekelijke tevredenheid. 'Wat zou je denken?' zei hij.

'Dit allemaal...?'

'Dit allemaal.'

'Ik heb er nooit in geloofd,' zei ik, 'tot ik hier van de week langskwam.'

Hij droogde zijn rug af. 'Het is natuurlijk behoorlijk hard werken. Ik reis heel wat af. Maar als je bij je thuiskomst dit aantreft... loont het de moeite.'

'Hoelang...?' vroeg ik langzaam.

'Hoelang ik met gokken bezig ben? Vanaf het moment dat Jonathan me die bandjes gegeven heeft. Die eerste Derby... Ik leende honderd pond met mijn auto als onderpand om aan wat geld te komen dat ik kon inzetten. Gekkenwerk, weet je. Het zou een ramp geweest zijn als ik verloren had. In die tijd kwam het voor dat we soms nauwelijks genoeg te eten hadden. Het was voornamelijk uit wanhoop dat ik het deed, maar het systeem zag er wiskundig natuurlijk oké uit en het had het al jaren goed gedaan voor de man die het had uitgedacht.'

'En je won?'

Hij knikte. 'Vijfhonderd. Een fortuin. Ik zal die dag nooit vergeten, nooit. Ik voelde me zo beroerd.' Hij liet een levendige glimlach zien, met in zijn eenvoud nog steeds kinderlijke triomf. 'Ik heb het tegen niemand gezegd. Niet tegen Jonathan. Zelfs niet tegen Jane. Ik was niet van plan het nog een keer te doen, zie je. Ik was zo dankbaar dat het goed was uitgekomen, maar de spánning...' Hij liet de natte handdoek over de armleuning van een stoel vallen. 'En toen, weet je, dacht ik: waarom niet?'

Hij keek naar zijn dochters die het zwembad indoken met hun armen om elkaars middel geslagen. 'Ik heb toen nog maar één trimester les gegeven,' zei hij kalm. 'Ik kon het hoofd van de wiskundeafdeling niet uitstaan. Jenkins heette hij.' Hij glimlachte. 'Het lijkt nu gek, maar ik voelde mij onderdrukt door die man. In elk geval beloofde ik mijzelf dat, als ik gedurende de zomervakantie genoeg won om een computer te kopen, ik met Kerstmis weg zou gaan, en dat ik als dat niet lukte zou aanblijven en de computer van school zou blijven gebruiken, en tevreden zijn met zo af en toe een meevaller.'

Jane kwam met een pot koffie naar ons toe. 'Vertelt hij je hoe hij begonnen is met wedden? Ik vond dat hij gek was.'

'Maar dat heeft niet lang geduurd.'

Ze schudde glimlachend haar hoofd. 'Toen we uit onze caravan naar een echt huis verhuisden – zo maar helemaal van Teds winst gekocht – toen begon ik te geloven dat het zou aanhouden, dat het veilig was. En nu zitten we hier, in zo goede doen dat je er gewoon niet bij kunt, en dat allemaal dank zij je broer Jonathan.'

De meisjes klommen druipend uit het zwembad en werden voorgesteld als Emma en Lucy, die naar het ontbijt verlangden. Ik kreeg zemelen, yoghurt, tarwekiemen en verse perziken aangeboden, waarvan ze allemaal met mate, doch genietend aten.

Ik at mee, doch dacht onontkoombaar aan Angelo en aan Cassie die alleen met hem in huis was. Die planken zouden wel houden... ze hadden hem twee volle dagen opgesloten gehouden. Geen enkele reden om te denken dat ze het vanochtend zouden begeven... geen enkele reden, alleen maar een sterk gevoel dat ik haar had moeten overhalen bij Bananas te wachten.

Het was bij de koffie, toen de meisjes weer aan het zwemmen waren en Jane in huis was verdwenen, dat Ted zei: 'Hoe ben je hier gekomen?'

Ik keek hem aan. 'Bedoel je niet: "waarom"?'

'Misschien wel, ja.'

'Ik ben gekomen om je te vragen of ik kopieën van die bandjes mag hebben.'

Hij haalde diep adem en knikte. 'Dat dacht ik al.'

'En vind je het goed?'

Hij zat een tijdje naar het glinsterende zwembad te kijken en zei: 'Weet Jonathan ervan dat je dit vraagt?'

'Jawel. Ik vroeg hem waar de bandjes nu waren en hij zei dat jij de enige was die dat eventueel zou kunnen weten. Jij en jij alleen, zei hij.'

Ted Pitts knikte nogmaals en nam een besluit. 'Eerlijk is eerlijk. Ze zijn eigenlijk van hem. Maar ik heb geen reservebandjes.'

'Ik heb er een paar meegebracht,' zei ik. 'Ze liggen in de auto. Zal ik ze halen?'

'Goed.' Hij had zijn besluit genomen en knikte. 'Terwijl jij ze pakt trek ik droge kleren aan.'

Ik haalde de computerbandjes die ik voor dat doel had meegebracht en hij vroeg: 'Zes? Je hebt er maar drie nodig.'

'Twee stel?' stelde ik voor.

'O. Nu ja, waarom ook niet?' Hij draaide zich om. 'De computer staat beneden. Wil je hem zien?'

'Heel graag.'

Hij ging mij voor naar het binnenste van het huis en we liepen een met tapijt beklede trap af naar een lager gelegen verdieping. 'Kantoor,' zei hij kortaf, terwijl hij voorging, een vertrek binnen van normaal formaat vanwaar men hetzelfde wijde uitzicht had over Londen als boven. 'Het is eigenlijk een slaapkamer. Daarginds is de badkamer,' wees hij. 'Daarachter een logeerkamer.'

Het kantoor was beter gezegd een zitkamer met fauteuils, televisie, boekenplanken en grenehouten wandpanelen. Op een rechte stoel tegen een van de wanden stond een paar afgetrapte bergschoenen, met ernaast op de vloer het laatste snufje op het gebied van warmte-isolerende slaapzakken nog half in zijn kartonnen doos. Ted volgde mijn blik. 'Over een week of twee ga ik naar Zwitserland.

Doe je zelf aan klimmen?'

Ik schudde mijn hoofd.

'Aan de pieken waag ik mij niet,' zei hij ernstig. 'Ik ga liever wandelen, meestentijds.' Hij trok een gedeelte van de grenen wandbekleding weg, waardoor een lange wandtafel zichtbaar werd waarop een menigte elektronische apparatuur stond. 'Voor de rensportprogramma's heb ik dit niet allemaal nodig,' zei hij, 'maar ik ben gek op computers...' en hij liet zijn vingers liefkozend over het metalen oppervlak glijden.

'Ik heb die rensportprogramma's nooit gezien,' zei ik.

'Zou je dat willen?'

'Graag.'

'Goed dan.' Met een door langdurige ervaring verkregen behendigheid schoof hij een bandje in de cassetterecorder en legde uit dat hij het apparaat naar het 'Epsom'-bestand liet zoeken. 'Wat weet je van computers af?' vroeg hij.

'Er stond er destijds een op school. We speelden er "Space invader" op.'

Hij keek mij een moment medelijdend aan. 'Vandaag de dag zou iedereen in staat moeten zijn een simpel programma te schrijven. Computertaal is de universele taal van de nieuwe wereld, zoals Latijn dat van de oude was.'

'Vertel je dat aan je studenten?'

'Eh... ja.'

Op het kleine beeldscherm verscheen opeens 'READY?' Ted drukte op een paar toetsen op het toetsenbord en het scherm vroeg 'WELKE RACE IN EPSOM?' Ted typte DERBY, en in een flits kwam er op het scherm te staan:

EPSOM: DE DERBY

NAAM VAN PAARD?

Hij tikte er zijn eigen naam in en beantwoordde in het wilde weg de erop volgende vragen, wat eindigde met:

TED PITTS   WINSTFACTOR: 24

'Simpel,' zei ik.

Hij knikte. 'Het geheim zit hem erin welke vragen je moet stellen en welke waarde aan de antwoorden moet worden toegekend. Er is niets mysterieus aan. Iedereen zou een dergelijk systeem kunnen ontwikkelen wanneer je hem de tijd geeft.'

'Jonathan zegt dat er in de Verenigde Staten verscheidene van zijn.'

Ted knikte. 'Ik heb er een hier.' Hij trok een la open en haalde iets voor de dag dat er als een zakcalculator uitzag. 'Een mini-computer met hele leuke programma's,' zei hij. 'Uit nieuwsgierigheid heb ik hem gekocht. Hij is natuurlijk alleen maar voor Amerikaanse wedstrijden geschikt, want een van de uitgangspunten ervan is dat alle renbanen eender van vorm zijn, linksom gaande ovalen. Hij is er voornamelijk op ingesteld om het winnende paard aan te wijzen. Ik geloof wel dat je, als je je strikt aan het instructieboekje houdt, zeker kunt winnen, maar je moet er natuurlijk, net als bij het systeem van Liam O'Rorke, je eigen verbeteringen in aanbrengen om tot resultaten te komen.'

'En nooit op een ingeving afgaan?'

'Zeer zeker niet,' zei hij ernstig. 'Ingevingen zijn hopeloos onwetenschappelijk.'

Ik keek hem nieuwsgierig aan. 'Hoe vaak ga je naar de rennen?'

'Naar de rennen zelf? Praktisch nooit. Ik kijk er natuurlijk wel eens naar op de televisie. Maar om te winnen is dat niet nodig. Het enige wat je nodig hebt zijn de rensportgidsen en objectiveit.'

Het leek mij een dorre kijk op de wereld waarin ik mijn leven doorbracht. Die prachtige wezens, hun snelheid, hun moed, hun vastberadenheid, dat alles teruggebracht tot statistische waarschijnlijkheden en micro-chips.

'Die kopieën voor je,' zei hij. 'Wil je dat het open kopieën worden, zodat iedereen ze kan gebruiken?'

'Hoe bedoel je dat?'

'Als je wilt kun je ze met wachtwoorden krijgen, zodat ze het niet doen als iemand anders ze van je zou stelen.'

'Meen je dat nou?'

'Allicht,' zei hij, alsof hij nooit iets anders deed. 'Ik

voeg altijd overal wachtwoorden tussen.'

'Eh, hoe doe je dat?'

'Niets makkelijker dan dat. Ik zal het je laten zien.' Hij wipte een paar schakelaars om en opeens verscheen er op het scherm 'READY?'

'Zie je dat vraagteken?' zei Ted. 'Een vraagteken houdt altijd in dat de computeroperateur moet antwoorden door iets in te typen. In dit geval zal het programma indien je niet de juiste reeks letters intypt ter plaatse stoppen. Probeer maar. Kijk maar wat er gebeurt.'

Gehoorzaam typte ik EPSOM. Ted drukte de toets in waarop ENTER stond. Het scherm liet een soort flikkering zien en ging meteen weer terug naar 'READY?'

Ted glimlachte. 'Het wachtwoord voor dit bandje is QUITE. Op dit moment in elk geval. Je kunt het wachtwoord makkelijk veranderen.' Hij typte QUITE en drukte op 'Enter', waarop het scherm in een flits antwoordde met WELKE RACE IN EPSOM?

'Zie je dat vraagteken?' vroeg Ted. 'Daarop moet altijd een antwoord volgen.'

Ik dacht na over vraagtekens en zei dat ik liever geen wachtwoorden had, als hij het niet erg vond.

'Je zegt het maar.'

Hij typte BREAK en LIST 10 – 80, en het scherm gaf opeens een heel ander beeld te zien.

'Dit is het programma zelf,' zei Ted. 'Zie je regel 10?'

Op regel 10 stond 'INPUT A IF A: = QUITE THEN 20 ANDERS PRINT "READY?"'

Op regel 20 stond 'PRINT "WELKE RACE IN EPSOM?"'

'Als je geen QUITE typt,' zei Ted, 'kom je nooit bij regel 20.'

'Keurig,' gaf ik toe. 'Maar wat weerhoudt je ervan net zoals wij nu doen het programma te bekijken en te zien dat je QUITE moet typen?'

'Het is een koud kunstje om het voor iedereen onmogelijk te maken het programma af te draaien. Als je programma's van anderen koopt kun je ze praktisch nooit afdraaien. Omdat je ze niet kunt afdraaien, kun je ook geen kopieën maken, want niemand voelt er iets voor dat zijn werk op die manier gegapt wordt.'

'Hm,' zei ik. 'Ik zou graag bandjes hebben die je wél kunt afdraaien, en zonder wachtwoorden.'

'Oké.'

'Hoe krijg je dat wachtwoord eruit?'

Hij glimlachte even, typte 10 en drukte toen op 'Enter'. Daarna typte hij nogmaals LIST 10–80, maar toen het programma dit keer op het scherm verscheen, was er helemaal geen regel 10 meer. Regel 20 was de eerste.

'Doodeenvoudig, zie je wel,' zei hij.

'Inderdaad.'

'Ik heb er wel een tijdje voor nodig om de wachtwoorden eruit te lichten en de kopieën te maken,' zei hij. 'Zou je niet liever boven bij het zwembad gaan zitten? Om je de waarheid te zeggen schiet ik in mijn eentje vlugger op.'

Omdat ik al blij was dat hij het deed ging ik terug naar de luie stoelen en luisterde naar Jane, die het over haar dochters had. Er kroop een uur voorbij voor Ted weer verscheen met de cassettes bij zich, en ook toen nog lukte het mij niet er vandoor te gaan voordat ik eerst een instructieles had gekregen.

'Om die bandjes uit te voeren heb je of wel een oude Grantley-huiscomputer nodig, en daarvan bestaan er tegenwoordig niet veel meer, ze zijn verouderd, of een willekeurig merk huurcomputer die je uit een cassetterecorder kunt laden.'

Hij zag dat ik er niet veel van begreep en herhaalde wat hij gezegd had.

'Gesnapt,' zei ik.

Hij vertelde me hoe ik het Grantley-Basic, dat als eerste onderwerp op kant één van de bandjes stond, in een huurcomputer, die geen eigen ingebouwde taal bezat, kon laden. Weer vertelde hij het me twee keer.

'Gesnapt.'

'Geluk ermee dan,' zei hij.

Ik bedankte hem, en ook Jane, uit het diepst van mijn

hart en ving zo vlug als mij fatsoenshalve mogelijk was de terugweg naar huis aan.

Toen ik nog geen kilometer gereden had hield ik, door angst gedreven, bij een telefooncel stil en belde Cassie op. Bij het eerste gerinkel nam ze al op en ze klonk nogal nerveus, wat niets voor haar was.

'Ik ben zo blij dat jij het bent,' zei ze. 'Hoelang blijf je nog weg?'

'Een uurtje.'

'Schiet alsjeblieft op.'

'Is Angelo...?'

'Vanaf het moment dat je vertrokken bent staat hij al tegen de deur te schoppen en eraan te wrikken. Ik ben in de keuken geweest. Die planken houden het niet, als hij zo door blijft gaan rukt hij de deur uit zijn scharnieren. Ik kan de barricade niet verstevigen. Ik heb het geprobeerd, maar met mijn ene arm...'

'Cassie,' zei ik. 'Ga naar het café.'

'Maar...'

'Ga erheen, schat. Doe het alsjeblieft.'

'Maar als hij dan uitbreekt?'

'Als hij uitbreekt heb ik jou graag veilig ginds bij Bananas.'

'Goed dan.'

'Tot zo meteen,' zei ik en hing op. Ik reed als een razende naar huis, hier en daar een hoop risico nemend, maar het lukte aldoor nog net. Als een bliksemschicht over de Royston Heath, tussen de zondagsrijders door wevend. De stad zelf door; over het laatste stuk van de M11-autoweg scheurend en ten slotte van de hoofdweg af naar het dorp Six Mile Bottom.

Mij de hele weg afvragend wat Angelo zou doen als hij inderdaad zou uitbreken. Het huis kort en klein slaan? Het in brand steken? Ergens op de loer liggen tot ik terugkwam?

Het enige wat hij niet zou doen was gedwee weggaan.

16

Ik liep voorzichtig het pad af naar de voordeur zonder slot, waar we ditmaal de kast niet voor hadden geschoven omdat Cassie het te moeilijk vond om door het raam te klimmen.

De vogels floten in de tuin. Zouden ze fluiten als Angelo tussen hen in verscholen zat in de bosjes? Nee, allicht niet. Ik was bij de deur en duwde hem open.

Het was doodstil in huis, alsof het sinds lang verlaten was, en met de moed in de schoenen liep ik naar de keuken.

Angelo had een van de deurbalken weggebroken en twee van de extra planken die waren aangebracht om hem dicht te klemmen van hun plaats gerukt. De deur zat nog steeds dicht, maar het mes was uit de schuif verdwenen.

Het gat in de deur was groot genoeg om een arm door te steken, maar niet om een volwassen man door te laten. De tafel, de stoelen en de twee onderste planken waren niet verschoven, maar zoals hij nu bezig was kon het niet lang meer duren of ze moesten het begeven. Ik was geen minuut te vroeg gekomen.

'Angelo,' zei ik.

Hij verscheen vrijwel terstond bij het gat in de deur, met een woedende blik omdat ik terug was. Hij plaatste alle twee zijn handen in de opening en probeerde uit alle macht de planken aan weerskanten los te rukken, waarbij ik zag dat hij al bloedde van zijn inspanningen.

'Ik ga je eruit laten,' zei ik. 'Je kunt je de moeite besparen.'

'Ik krijg je wel.' Weer dat diepe gegrom. Zijn regeringsverklaring.

'Ja,' zei ik. 'Dat zal wel. Luister goed, want dit zul je wel willen horen.'

Hij wachtte, met ogen die in de schaduw duister stonden van woestheid, af.

Ik zei: 'Jij gelooft dat mijn broer je een paar computerbandjes afhandig heeft gemaakt. Ze waren om te beginnen niet van jou, maar daar zullen we niet over twisten. Op dit moment heb ík die bandjes. Ik heb ze hier in huis. Het heeft me nogal wat tijd gekost om ze te pakken te krijgen, dat is de reden waarom je hier al die tijd in de kelder hebt moeten zitten. Ik zal je die bandjes geven. Luister je?'

Hij wilde het niet toegeven, maar hij was een en al oor.

'Je hebt veertien jaar zitten piekeren over het fortuin dat je was misgelopen. Ik zal ze je geven. Veertien jaar lang heb je gezworen dat je mijn broer zou vermoorden. Hij is dood. Je bent hierheen gekomen om geweld te plegen, en dat zou je je voorlopige invrijheidstelling kunnen kosten. Ik ben bereid je niet aan te geven. In ruil voor de computerbandjes en je verdere vrijheid kun je ophoepelen en me van nu af aan strikt met rust laten.'

Hij staarde door de deur zonder dat er veel op zijn gezicht veranderde en zeker zonder blijdschap.

Ik zei: 'Misschien dat je zoveel jaren op wraak hebt gezonnen, dat je niet tegen het vooruitzicht op kunt dat het er niet meer is om je op de been te houden. Misschien dat je naar de bliksem gaat omdat je geen doel meer hebt.' Ik haalde mijn schouders op. 'Maar áls ik je de vrijheid geef en de schat waar het je om te doen is, dan verwacht ik dat we van weerskanten de lei schoonvegen. Begrijp je me?'

Hij zei nog steeds geen enkel woord.

'Als je het met mijn aanbod eens kunt zijn,' zei ik, 'dan hoef je dat mes dat je uit de deurschuif gehaald hebt maar naar buiten te gooien en ik zal je de drie bandjes geven en de sleutels van je auto, die nog altijd staat waar je hem hebt achtergelaten.'

Stilte.

'Als je dit aanbod niet wilt aannemen,' zei ik, 'dan bel ik naar de politie dat ze je kunnen komen ophalen, en dan zal ik ze alles vertellen over de arm van mijn vriendin die je gebroken hebt.'

'Ze pakken je omdat je mij hier opgesloten hebt gehouden.'

'Misschien. Maar als ze dat doen krijg je die bandjes nooit. En dat meen ik. Nóóit. Ik vernietig ze meteen.'

Hij verdween van achter de deur vandaan, maar na een lange minuut verscheen hij er weer.

'Je haalt een kunstje met me uit,' zei hij. 'Net als je broer.'

Ik schudde mijn hoofd. 'Dat is het niet waard. Ik wil dat je helemaal en voorgoed uit mijn leven verdwijnt.'

Hij maakte een felle beweging met zijn ongeschoren kin naar voren, een gebaar dat als instemming kon worden opgevat.

'Goed dan,' zei hij. 'Geef hier.'

Ik knikte. Ik draaide mij om. Ik liep naar de huiskamer, zocht één exemplaar van elk bandje uit en legde de drie reservebandjes achter slot in een ladenkastje. Toen ik terugkwam stond Angelo nog altijd bij de deur; nog altijd achterdochtig, nog altijd op zijn hoede.

'Bandjes.' Ik liet ze hem zien. 'Autosleutels.' Ik hield ze in de hoogte. 'Waar is het mes?'

Hij stak zijn hand op en liet het mij zien – een tafelmes, niet erg scherp, maar gevaarlijk genoeg om rekening mee te houden.

Ik legde de drie cassettes op een schaaltje en stak ze hem toe, en hij stak zijn arm door de opening om ze beet te graaien.

'Nu het mes,' zei ik.

Hij liet het op het schaaltje vallen. Ik pakte het op en legde de sleutels ervoor in de plaats.

'Mooi,' zei ik. 'Ga de trap af. Ik zal de barricade weghalen. Dan kun je naar boven komen en vertrekken. En mocht je van plan zijn me te overrompelen, denk dan aan je voorlopige invrijheidstelling.'

Hij knikte nors.

'Hebben jullie nog altijd die computer die je veertien

jaar geleden gekocht hebt?'

'Pa heeft hem kapotgeslagen. Toen ik voor schut ging. Van woede.'

Zo zoon, zo vader... 'De bandjes zijn nog altijd in dezelfde computertaal gesteld,' zei ik. 'Grantley-Basic. De taal zelf staat erop, op kant één. Dat dien je te weten.'

Hij trok een kwaad gezicht. Het allerlaatste wat je van hem mocht verwachten was dat hij zich verzoend toonde, laat staan blij.

'Schiet op,' zei ik. 'Ik zal de deur vrijmaken.'

Hij verdween bij het geïmproviseerde venster en ik trok de zo nuttig gebleken planken weg en sleepte de tafel en stoelen van hun plaats, waarna ik ten slotte buiten bereik van zijn armen erachter ging staan.

'Kom boven,' riep ik. 'Doe de schuif maar opzij en verdwijn.'

Hij kwam snel naar buiten, met de cassettes in zijn ene, met bloed besmeurde hand geklemd en de sleutels in de andere; hij wierp mij een korte, harde blik toe, die niettemin zijn eerdere dreiging vrijwel verloren had, en verdween via de huiskamer naar de voordeur. Ik liep achter hem aan en zag hem het pad aflopen, eerst met versnelde pas en haast op een drafje toen hij het weggetje insloeg, en daarna werkelijk uit het gezicht sprintend naar waar hij zijn auto had achtergelaten. Na korte tijd kwam hij weer langs gestoven, met een vaart of hij bang was dat ik hem nog steeds op de een of andere manier zou tegenhouden; het enige waar ik in werkelijkheid echter naar verlangde was voor eens en voor al van hem bevrijd te zijn.

De lege kelder stonk als het leger van een beest.

Ik wierp er even een blik in en besloot dat dit een klus was voor een schop, een tuinslang, een bezem en een krachtig ontsmettingsmiddel, en ik was die dingen nog bij elkaar aan het zoeken toen Bananas en Cassie bezorgd aan kwamen lopen van het café.

'We zagen je thuiskomen,' zei ze, 'en we zagen hem

wegrijden. Ik wilde hierheen, maar Bananas zei dat we de zaak misschien in de war zouden sturen.'

'Gelijk had hij.' Ik zoende haar stevig, zowel uit liefde als van opluchting. 'Angelo heeft er een afschuwelijke hekel aan zijn gezicht te verliezen.'

'Heb je hem de bandjes gegeven?' vroeg Bananas.

'Ja.'

'Hopelijk stikt-ie erin,' zei Cassie.

Ik glimlachte. 'Ik denk het niet. Ik schat dat Ted Pitts goed is voor een miljoen.'

'Echt?' Haar wenkbrauwen schoten omhoog. 'Waarom gaan wíj dan niet...?'

'Daar gaat tijd en werk in zitten. Ted Pitts woont vlak bij het eind van de MI aan de Londense kant, op nog geen kilometer van de grootste verkeersader van het land. Ik durf te wedden dat hij een onnoemelijk aantal dagen langs die weg zit naar plaatsen in het Noorden, van het ene wedlokaal naar het andere sjokkend, om de honing op te zuigen. Daar heb ik in elk geval zo'n vermoeden van. Gisteren was hij in de buurt van Manchester, zei zijn vrouw. Elke dag een andere stad, zodat niemand hem begint te kennen.'

'Wat maakt dat nou voor verschil?' vroeg Bananas.

Ik legde uit wat er met lui gebeurde die constant wonnen. 'Ik wed dat er geen enkele bookmaker is die Ted Pitts van gezicht kent.'

'Als jíj eraan zou beginnen,' zei Bananas nadenkend, 'denk ik dat ze je meteen zouden herkennen.'

Ik schudde mijn hoofd. 'Alleen maar op de renbanen. In de achteraf gelegen wedlokalen in de grote steden zou ik alleen maar een willekeurig uilskuiken zijn.'

Ze keken me allebei verwachtingsvol aan.

'Ja,' zei ik. 'Ik zie mij al op die manier mijn leven doorbrengen.'

'Denk eens aan wat het oplevert,' zei Bananas.

'En belastingvrij,' zei Cassie.

Ik dacht aan het schitterende huis van Ted Pitts en aan mijn eigen gebrek aan aardse goederen. Ik zag hem in mijn gedachten langs Zwitserse berghellingen wandelen, om frisse moed op te doen, rondzwervend maar altijd weer thuiskomend. Ik dacht aan een geregeld levenspatroon dat mij zelf ontbrak en aan mijn afkeer van gebonden zijn. Ik dacht aan het plezier dat ik in de afgelopen maanden had gehad, besluiten nemen, een zaak beheren, al die tijd wetend dat het maar voor een jaar was en niet voor een heel leven, en door het tijdelijke ervan op mijn gemak gesteld. Ik dacht aan de warme zomerdagen en natte wintermiddagen die ik in wedlokalen zou moeten doorbrengen, terwijl ik met percentages goochelde, zonder vreugde, met vaste regelmaat een miljoen bijeengarend.

'En?' zei Bananas.

'Misschien eens een keer, wanneer ik honger heb.'

'Je bent gek.'

'Doe jij het dan,' zei ik. 'Geef je café eraan. Geef het koken eraan. Ga de hele dag langs de weg zitten.'

Hij staarde mij aan terwijl hij erover nadacht, maar toen trok hij een gezicht en zei: 'Er is meer in het leven dan geld verdienen. Niet veel, maar toch wel iets.'

'Een dezer dagen,' zei Cassie met lieve overtuiging, 'doen jullie het alle twee. Zelfs een heilige is niet in staat op een goudmijn te blijven zitten terwijl hij te lui is om de goudklompjes op te rapen.'

'Jij denkt dus dat het alleen maar luiheid is?'

'Dat denk ik zeker. Waar is je boekaniershart gebleven? Waar is het vonkje piraterij? Waar is de strijdkreet van die oude industriëlen uit het Noorden – waar drek ligt zit geld?' Ze straalde van geestdrift, een gloed die naar ik aannam evenzeer voortkwam uit het feit dat Angelo weg was, als uit de gedachte aan een fortuin dat voor het grijpen lag.

'Als je er wanneer ik voor Luke Houston ophoud nog net zo over denkt,' zei ik, 'wil ik het wel eens proberen. Zo maar voor een tijdje.'

'Kieskeurig. Dat ben je,' zei ze.

Niettemin ging ik beter gehumeurd de kelder schoonmaken zodat het visgerei het er weer in zou uithouden;

laat in de middag zaten we met zijn drieën in de zon op het gras voor het huis, terwijl Cassie en Bananas met elkaar bespraken hoe ze het geld zouden besteden waarmee ik ongetwijfeld zou thuiskomen.

Ze hadden al net als ik het gevoel dat Angelo's wraakzucht eindelijk vervlogen was, en ze zeiden dat hij ons zelfs een dienst had bewezen, omdat ik zonder zijn gewelddadige inval nooit op zoek zou zijn gegaan naar Ted Pitts.

'Kwaad kan in goed verkeren,' zei Cassie voldaan.

En goed in kwaad, dacht ik. Door de goocheltoeren van Jonathan was Angelo keurig in de val gelopen en ze hadden gemaakt dat hij met lege handen veroordeeld was. Ze hadden ervoor gezorgd dat hij veertien jaar lang niemand anders had kunnen doden. Maar die bijzonder goede reeks dingen die hij gedaan had, die destijds zo afdoende hadden geleken, was slechts een kurk op een ziedende vulkaan gebleken. De psychopatische jongeman was uiteindelijk als een volslagen verloederde moordenaar losgebarsten, niet meer zoals Jonathan hem had beschreven, van tijd tot tijd verblind door vermetelheid, maar bezeten van een simpeler, alles omvattend geweld.

De tijd plaatste de dingen in een ander daglicht. Rampen konden nog een voorspoedige afloop krijgen en voorspoedige gebeurtenissen een rampzalige. Alleen jammer, dacht ik, dat je op het moment zelf nooit wist of je moest huilen of juichen.

Geleidelijk aan nam ons leven weer normale vormen aan. Cassie ging met haar arm in een draagdoek weer aan het werk en Bananas bedacht een nieuwe heerlijkheid, waaraan met kruidenextract behandeld rundvlees te pas kwam; ikzelf maakte een serie strooptochten langs stoeterijen om alvast een oogje te wagen aan de jaarlingen die spoedig bij de verkopingen aangeboden zouden worden, mij er maar al te zeer van bewust dat het hoogtepunt van mijn jaar naderbij kwam, de toets waarnaar Luke mij, achteromkijkend, zou beoordelen. Als ik jonge paarden kon kopen die zouden winnen, zou dat voldoening schenken; als ik een jonge hengst kon kopen die de stamvader van een dynastie zou worden, zou dat een buitenkansje betekenen. Ergens tussen die beide uitersten in lag een terrein waarbij zou blijken of mijn oordeel juist, van geen invloed, of verkeerd was geweest, en juist hierbij hoopte ik zo weinig mogelijk vergissingen te maken.

Ongeveer een weeklang sjouwde ik overal rond, met een paar uitstapjes naar wedstrijden en naar de twee trainers van Luke in Berkshire, en bracht ik elke minuut die ik vrij was door met het paardenstamboek. Sim Shell zei streng dat hij erbij wilde zijn en volledig geraadpleegd wilde worden wanneer ik iets kocht dat hij zelf zou moeten trainen, en Mort vroeg, terwijl ieder spiertje in zijn gezicht trok, om Sir Ivor, Nijinsky en Northern Dancer, allemaal tegelijk en als uiterste minimum.

Cassie ging met mij mee naar de avondveiling op de eerste dag van de verkoping, ze was nauwelijks bij te benen terwijl ze rondzwierf en met grote oren luisterde naar de conversaties. Elk jaar was de openbare verkoping in Newmarket getuige van sneller verspeelde fortuinen dan ineenstortende effectenmarkten, maar de gesprekken gingen slechts over hoop en verwachtingen, over vliegende vaart en fokprestaties, een en al genoegzaamheid vanwege de eerste dag en de ongebruikte cheques.

'Wat een opwinding,' zei Cassie. 'Je ziet het op ieders gezicht.'

'De blijdschap om een nieuwe aanwinst. De desillusie komt de volgende week. De sombere verwachtingen. Daarna, als je geluk hebt, de voldane opluchting.'

'Maar vandaag...'

'Vandaag,' knikte ik. 'Vandaag heb je altijd nog de kans dat je de winnaar van de Derby koopt.'

Ik kocht die avond twee jonge hengsten en een merrieveulen voor prijzen waarvan je achterover sloeg, tot op zekere hoogte gerustgesteld doordat ik tegen een paar van de meest vooraanstaande makelaars in renpaarden had moeten opbieden, maar toch ook achtervolgd door de knagende vrees dat ik het was geweest die te ver had doorgeboden en niet zij die te vroeg met bieden waren gestopt.

We bleven tot het eind van de veiling, ten dele omdat Cassie gefascineerd was door de voor haar nieuwe wereld, maar ook omdat je wanneer de grote kopers naar huis waren gegaan soms tegen een koopje opliep, en ik kocht inderdaad het laatste kavel van die dag, een mager geval dat er meer als een pony uitzag, omdat ik vond dat hij zo helder uit zijn ogen keek.

De fokker bedankte me. 'Is het werkelijk voor Luke Houston?'

'Ja,' zei ik.

'Hij zal er geen spijt van hebben. Hij is schrander, dat kleine ding.'

'Daar ziet hij naar uit.'

'Hij zal nog groeien, weet je,' zei hij ernstig tegen mij. 'Van zijn moeders kant zijn het allemaal late groeiers. Laten we er eentje nemen. Het gebeurt niet elke dag dat ik er een aan Luke Houston verkoop.'

We gingen echter terug om bij Bananas te eten en te drinken, en vandaar naar huis, waar ik per telex een verslag aan Luke verstuurde, want middernacht bij ons was bij hem drie uur in de middag.

Luke hield van telexboodschappen. Als hij hetgeen ik gestuurd had wilde bepraten belde hij altijd na zijn diner op, waarbij hij me om zes uur 's ochtends nog net thuis trof voor ik naar de galoppeerplaats ging, maar normaal gesproken antwoordde hij per telex of helemaal niet.

De eetkamer stond vol apparatuur waar Luke voor gezorgd had: een video-disc-recorder om eerder gelopen koersen nog eens te bekijken en te analyseren, een schrijvende rekenmachine, een fotokopieerapparaat, een rij archiefkasten, een elektrische schrijfmachine, het telexapparaat en een ingewikkeld geval dat de telefoon beantwoordde, boodschappen aannam, boodschappen doorgaf en ieder woord dat het hoorde opnam, met inbegrip van de gesprekken die ik met iemand op kantoor had. Het was aangesloten op een lijn die niets te maken had met de telefoon in de huiskamer, een goede regeling waarbij onze privé-gesprekken op de simpelste wijze gescheiden bleven van de zakengesprekken voor Luke en die de mogelijkheid gaf dat ik de eerste afrekende en hem de laatste liet betalen. Het enige wat hij me niet gegeven had – of mij had toegestaan bij een tegenstribbelende Warrington Marsh weg te laten halen – was een computer.

Toen ik de volgende ochtend beneden kwam zag ik dat de telex gedurende de nacht gebabbeld had.

'Waarom heb je de jonge hengst van Fisher niet gekocht? Waarom heb je die goedkope jonge hengst gekocht? Doe Cassie de groeten van me.'

Hij had Cassie nog nooit ontmoet, maar haar alleen een paar keer over de telefoon gesproken. Deze beleefdheid was zijn manier om te laten uitkomen dat zijn vragen simpelweg vragen waren en geen aantijgingen. Alle telexboodschappen die zonder 'groeten aan Cassie' binnenkwamen betroffen zaken waar ik terstond achterheen diende te gaan.

Ik telexte terug: 'Twee particuliere eigenaars die elkaar niet kunnen luchten of zien, Schubman en mevrouw Crickington, joegen elkaar op tot driehonderdveertigduizend voor de hengst van Fisher, een heel stuk boven zijn normale waarde. Over de goedkope hengst zou je toch nog wel eens verbaasd kunnen staan. Groeten, William.'

Cassie werd in die dagen gehaald en gebracht door een beetje te vriendelijke man die bij het café woonde en een straat bij Cassie vandaan in Cambridge werkte. Ze zei dat hij steeds vaker zijn hand op haar knie in plaats van op het stuur legde en dat ze bijzonder blij zou zijn als ze zowel hem als het gips kwijt was. Met uitzondering van autorijden had ze zich aan haar gips gewend en onze nachtelijke activiteiten waren weer even plezierig als tevoren.

Overdag repareerden of vervingen we langzaam aan alles wat kapotgeslagen was, waarbij we de stukken die Bananas in de garage had gelegd als voorbeeld gebruikten. Televisie, vazen, lampen, allemaal zo eender mogelijk als de oorspronkelijke. Er hingen zelfs weer maïspoppetjes in hun mobile, zes poppetjes die nieuw waren en vernuftig gevlochten uit de glanzende stengels van de nieuwe oogst door een al wat oudere dame in volksdracht die zei dat je er de maïs tegenwoordig speciaal met de hand voor moest snijden, omdat de oogstmachines het stro te kort hakten.

Bananas meende dat het vervangen van de maïspoppetjes misschien een tikkeltje te ver ging, maar Cassie zei sinister dat ze heidense goden voorstelden die gunstig gestemd moesten worden – en dat je zo ver van de bewoonde wereld vandaan *maar nooit wist.*

Ik timmerde nieuwe stukken in alle twee de beschadigde deuren en zette een nieuw slot in de voordeur. Alles wat nog aan Angelo herinnerde verdween geleidelijk aan, alles, behalve zijn honkbalknuppel die in de vensterbank lag die op de weg uitkeek. We hadden die daar in de eerste plaats bewust laten liggen om een wapen bij de hand te hebben voor het geval hij terug zou komen, maar ook toen de ene dag na de andere vreedzaam verstreek en we ons steeds meer op ons gemak begonnen te voelen, lieten we hem daar liggen – eveneens als tegemoetkoming aan het boze oog, misschien.

Jonathan belde me op een avond op en hoewel ik op mijn vingers kon natellen dat hij het niet eens zou zijn met wat ik gedaan had, vertelde ik hem alles wat er was voorgevallen.

'Heb je hem in de *kelder* opgesloten?'

'Ja.'

'Goeie god.'

'Het schijnt geholpen te hebben.'

'Mm. Toch vind ik het jammer dat Angelo dat systeem uiteindelijk toch in handen heeft.'

'Ik weet het. Ik vind het ook jammer, na alles wat jij gedaan hebt om het uit zijn handen te houden. Ik heb het echt met tegenzin aan hem gegeven. Maar je had gelijk, hij is gevaarlijk en ik voel er niets voor hem naar Californië te smeren, het leven dat ik mij wens bevindt zich hier op de Engelse renbanen. En wat het systeem betreft... Vergeet niet dat het niet voldoende is dat je het hebt, je dient er heel voorzichtig mee om te springen. Angelo weet nagenoeg niets van paardenrennen af en hij is een onstuimig en onbeheerst iemand, in plaats van uitgekookt en kalm.'

'Het is ook mogelijk dat hij denkt dat het systeem iedere keer met een winnaar op de proppen komt, wat niet zo is,' zei Jonathan. 'De oude mevrouw O'Rorke zei dat het met vaste regelmaat een gemiddelde van één winnaar op de drie races opleverde.'

'Angelo contra de bookmakers moet wel op een knok-partij uitdraaien. En tussen twee haakjes, ik heb hem ver-teld dat jij dood was.'

'O, wel bedankt.'

'Nou ja, had je dan liever gehad dat hij op een goeie dag bij je op je zonnige stoep zou staan?'

'Hij zou nooit een visum krijgen.'

'Je kunt over de Canadese grens wandelen zonder dat er een haan naar kraait,' zei ik.

'En de Mexicaanse,' gaf hij toe.

Ik beschreef hem in details het huis van Ted Pitts en hij leek oprecht verheugd. 'En de kleine meisjes? Hoe gaat het daarmee?'

'Opgegroeid tot knappe meiden.'

'Ik benijdde hem vanwege die kinderen.'

'Echt?' zei ik.

'Ja. Maar ja... zo gaat het nu eenmaal. Je hebt het niet voor het zeggen in het leven.'

Ik beluisterde de spijt in zijn stem en begreep hoe zeer hij zelf naar een dochter verlangd had, of een zoon... en ik dacht bij mezelf dat het mij op zekere dag ook zou spijten indien ik geen... en dat het misschien machtig leuk zou zijn als Cassie...

'Ben je daar nog?' vroeg hij.

'Jawel. Als ik trouw, kom je dan over voor de bruiloft?'

'Je meent het!'

'Je weet maar nooit. Ik heb haar nog niet gevraagd. Misschien dat ze er niets voor voelt.'

'Hou me op de hoogte.' Het leek of hij pret had.

'Ja. Hoe gaat het met Sarah?'

'Reuze, bedankt.'

'Tot kijk,' zei ik, en hij zei: 'Tot kijk,' waarop ik net als altijd de hoorn neerlegde met een dankbaar gevoel dat ik een broer had en wel heel in het bijzonder dat die broer Jonathan was.

Weer gingen er een paar dagen voorbij. Aan het eind van de eerste week van de verkoping had ik twaalf jaarlingen voor Luke gekocht en was ik er vijf kwijtgeraakt aan hogere bieders, en ik had Sim geraadpleegd tot hij er beroerd van was en Mort een merrieveulen gegeven dat, al was ze dan geen Dancer, in elk geval stond te trappelen van ongeduld, en had twee avonden met de Ierse trainer Donavan in de Bedford Arms gezeten, terwijl ik luisterde naar zijn geweeklaag en hem langzaam dronken zag worden.

'Er zitten meer goeie paarden in Ierland dan ooit aan het licht komt,' zei hij, terwijl hij een onzekere vinger voor mijn neus heen en weer zwaaide.

'Dat geloof ik graag.'

'Dan moet je erheen komen. Dan moet je de stoeterijen afsnuffelen, voor je naar de verkoping gaat.'

'Ik kom binnenkort,' zei ik. 'Voordat de volgende verkoping over twee weken begint.'

'Dat moet je doen.' Hij knikte verstandig. 'Ik heb een oogje op een jonge hengst, ergens de kant van Wexford uit. Die hengst zou ik graag trainen. Ik wou dat je die kleine knaap voor Luke kocht, dat wou ik.'

Dat jaar werd de eerste verkoping van jaarlingen te Newmarket bij wijze van proef vroeg gehouden, begin september. De premieverkoping, waarbij het merendeel van de jonge dieren van het edelste bloed onder de hamer zou komen, was als gewoonlijk aan het eind van die maand. De jonge hengst waar Donavan een oogje op had zou over twee weken verkocht worden, maar jammer genoeg had niet alleen Donavan er zijn oog op laten vallen. Heel Ierland en het grootste deel van Engeland scheen eveneens steelse blikken in die richting te werpen. Ook al nam je de Ierse overdrijving in aanmerking, dan nog leek die hengst het beste nieuws van het seizoen.

'Luke zou die knaap best willen hebben,' zei Donavan.

'Ik zal op hem bieden,' zei ik vriendelijk.

Hij tuurde mij met drankogen aan. 'Wat je moet doen is Luke zien over te halen dat je net zo hoog mag gaan als je wilt. Geen limiet, dat moet je hebben.'

'Ik zal tot de uiterste prijs gaan die Luke noemt.'

'Je bent een reuzevent. En dan te bedenken dat ik aan Luke geschreven heb, moet ik bekennen, dat je zo groen was als gras en waardeloos voor de baan die hij je gegeven heeft, voor de mensen en voor de paarden.'

'Heb je dat geschreven?'

'Nou ja, als je me die jonge hengst bezorgt zal ik nog een keer schrijven om te zeggen dat ik me vergist heb.' Hij knikte heftig en viel zowat van de barkruk. Op de galoppeerplaats of bij de koersen, of zelfs maar tijdens de verkoping zelf was hij nooit dronken, maar op alle andere momenten – meestentijds. De eigenaars leek het niet te kunnen schelen, evenmin als de paarden; of hij nu dronken was of nuchter, Donavan leverde jaar in jaar uit evenveel winnaars af als wie ook in Ierland. Er was geen sprake van wel of niet mogen. Ik handelde mijn zaken voor tien uur 's ochtends met hem af en 's avonds luisterde ik aandachtig naar hem, het tijdstip waarop hij door wolken whisky heen de waarheid sprak. Menigeen vond hem een ongelikte beer, wat hij ook was. Menigeen vond dat Luke wel een wat netter man had mogen uitkiezen met betere omgangsvormen, maar misschien had Luke, net als ik inmiddels, gezien en gehoord hoe innig Donavan met paarden omging en de onschatbare inhoud verkozen boven een schitterende verpakking. Ik was respect gaan krijgen voor Donavan. Twee dagen onafgebroken in zijn gezelschap waren ruimschoots voldoende geweest.

Toen de stortvloed van kopende trainers en makelaars en op eigen houtje biedende eigenaars tijdelijk de stad was uitgestroomd, draafde Sim een bruin merrieveulen met korte nek voor het laatst nog een keer af en zei daarna een beetje uitdagend tegen mij dat ze in uitstekende vorm was om de laatste koers op de dag van de St. Leger te winnen, zaterdags.

'Ze ziet er fantastisch uit,' zei ik. 'Je hebt eer van je goede zorgen.'

Sim keek me met een half kwaad gezicht aan. 'Je gaat toch ook naar Doncaster?'

Ik knikte. 'Ik blijf er overnachten, vrijdagnacht. Mort laat Genotti in de St. Leger meelopen.'

'Wil je me helpen bij het opzadelen van de mijne?' vroeg Sim.

Ik trachtte mijn verbazing over deze grootmoedig toegestoken olijftak te verbergen. Gewoonlijk probeerde hij me zo ver mogelijk bij de paarden die meeliepen vandaan te houden.

'Met plezier,' zei ik.

Hij knikte met zijn normale bruuskheid. 'Dan zie ik je daar wel.'

'Hou je haaks.'

Hij ging er 's woensdags al heen voor het hele vierdaagse wedstrijdprogramma, maar daar had ik niet bijzonder veel zin in, niet in de laatste plaats omdat Cassie nog steeds moeite had zich in haar eentje te redden met haar stijve arm. Toch liet ik haar vrijdags alleen achter en reed naar Doncaster, waar vrijwel de eerste die ik zag toen ik het hek van de renbaan binnenliep Angelo was.

Ik bleef stokstijf staan en wendde mij af, omdat ik geen zin had door hem gezien en aangesproken te worden.

Hij kocht twee toegangskaartjes bij een van de loketten bij de ingang, de rij wachtenden ophoudend terwijl hij het kleingeld uitzocht.

Ik nam aan dat ik hem, als hij inderdaad vaak naar de paardenrennen ging, vandaag of morgen onvermijdelijk een keer tegen het lijf moest lopen, maar toch was het een schok. Ik was blij toe dat hij zich van het loket in de tegenovergestelde richting omdraaide; zo er al een wapenstilstand tussen ons bestond dan was die toch maar heel broos.

Ik keek hoe hij zich onbehouwen een weg baande tussen de aangroeiende menigte door, met ellebogen als stormrammen en dijbenen als rotsen; hij sloeg niet de richting in van een van de plaatsen waar hij kon wedden, maar naar het minder drukke gedeelte bij de omheining van de baan zelf, waar de supporters nog niet waren samengestroomd om de eerste koers te zien. Bij de omheining gekomen bleef hij staan naast een al wat oudere man in een rolstoel en duwde hem zonder veel omhaal een van de toegangskaartjes in handen. Meteen daarop draaide hij zich om en ging hardhandig en vastberaden op weg naar de aaneengesloten rij bookmakers onder de tribune, waarbij ik hem, goddank, voor de rest van de dag uit het oog verloor.

's Zaterdags was hij er echter terug. Hoewel ik nooit veel gaf om gokken besloot ik een klein bedragje op Genotti in de St. Leger in te zetten, ongetwijfeld aangestoken door Morts fanatieke geestdrift, en toen ik bij een kleine bookmaker uit Wales stond die ik al lange tijd kende, zag ik Angelo, die op tien meter afstand zwaar fronsend over een klein notitieboekje gebogen stond.

'Genotti,' zei mijn vriend de bookmaker tegen zijn bediende die iedere transactie in het boek schreef. 'Drie tientjes tegen vijf. William Derry.'

'Bedankt, Taff,' zei ik.

Verderop langs de rij begon Angelo ruzie te maken over een koers van uitbetaling die hem geboden werd en die blijkbaar lager was dan hij billijk achtte.

'Ieder ander geeft vijf tegen één.' Zijn stem klonk als het gegrom dat ik maar al te goed kende.

'Probeer het dan ergens anders. Voor jou niet meer dan vier, mijnhéér Gilbert.'

Deels had ik een tevreden gevoel dat Angelo, in tegenstelling tot Liam O'Rorke en Ted Pitts, die zich ervoor gehoed hadden slapende honden wakker te maken, inderdaad halsoverkop aan de gang ging met het systeem, maar tegelijk voelde ik mij onbehaaglijk omdat hij al zo gauw weerstand opriep. Ik had er echt behoefte aan dat hij een poosje winst zou maken. Ik had mijzelf nooit wijsgemaakt dat hij zich aan het anonieme gezwoeg zou houden dat voor succes op lange termijn noodzakelijk was, maar de wittebroodsweken hadden niet nu al voorbij moeten zijn.

Taff de bookmaker keek achterom naar de woorden-wisseling en trok met ten hemel geslagen ogen een gezicht tegen zijn bediende.

'Waar gaat al die herrie om?' vroeg ik.

'Dat is wel zo'n zak, die man.' Taff verdeelde zijn op-merking onpartijdig tussen zichzelf, zijn bediende en de wereld in het algemeen.

'Angelo Gilbert.'

Taff keek mij met toegeknepen ogen strak aan. 'Ken je hem?'

'Iemand wees hem mij aan... hij heeft jaren geleden iemand vermoord.'

'Dat klopt. Hij is net uit de lik. En *stom* – dat hou je niet voor mogelijk.'

'Wat heeft hij gedaan?'

'De vorige week kwam hij naar York met een handvol bankbiljetten, die hij om zich heen strooide of er geen dag van morgen meer was, terwijl wij op dat moment niet wisten wie hij was. En wij nog allemaal het gevoel hebben dat we een klein kind zijn lollies afpakten, toen, wammes, de outsider waar hij zo'n zes lappies in gestoken had uit het niets komt aangalopperen, en wij allemaal maar uitbeta-len en met onze ogen knipperen en ons op onze kop krab-ben waar hij die tip vandaan had, want de trainer had er voor zover wij wisten nog niet zoveel als een pond op ge-zet. Lancer, die snuiter die daarginds met die Gilbert staat te bekvechten, vraagt die vrijer dus op de man af wie hem de winnaar aan de hand heeft gedaan en de stomme zak zegt grijnzend dat dat Liam O'Rorke geweest is.'

Taff tuurde naar mijn gezicht, dat naar mijn idee mijn gevoel of ik door de grond ging weerspiegeld moest heb-ben, maar blijkbaar stond er niets op te lezen want Taffy, die een goede zestig-plusser was, maakte een klakkend geluid met zijn tong en zei: 'Is voor jouw tijd geweest, neem ik aan.'

'Wat?'

Taffs aandacht werd afgeleid door een aantal klanten dat zich verdrong om weddenschappen af te sluiten, en toen ze weg waren leek hij een beetje verbaasd dat hij mij daar nog altijd zag staan.

'Stel je er zoveel belang in?' vroeg hij.

'Ik heb toch niets anders te doen.'

Taff keek even naar waar Angelo gestaan had, maar die was weg. 'Dertig jaar geleden. Misschien ook vijfendertig. De tijd gaat zo vlug. Er was toen een ouwe Ier, Liam O'Rorke, en die had het enige systeem uitgedacht waar ik ooit van gehoord heb, waarmee je gegarandeerd won. Allicht dat we er, toen we er eenmaal achter waren gekomen, niet meer zo happig op waren om weddenschappen van hem aan te nemen. Ik bedoel maar, dat was toch normaal, niet, terwijl we wisten dat hij ons hoe dan ook te glad af was? In elk geval heeft hij nooit afstand willen doen van zijn geheim, hoe hij het flikte, zodat hij het met zich mee in het graf heeft genomen, en opgeruimd was netjes, tussen ons gezegd.'

'En nu?'

'En nu laat die zak ons steil achterover slaan met zijn enorme winst in York, en lacht ons dan nog op de koop toe uit ook en noemt ons uilskuikens, zegt dat we nog niet weten wat ons allemaal boven het hoofd hangt en dat hij gebruik maakt van het oude systeem van Liam O'Rorke dat is herrezen. En nu is hij opeens verontwaardigd en klaagt dat we hem geen goeie prijs geven. Een en al woede en gepikeerdheid.' Taff lachte minachtend. 'Ik bedoel maar, hoe kan iemand zo stom zijn?'

17

Genotti won de St. Leger zonder moeite met vier lengten voorsprong.

Mort leek na afloop letterlijk boven de grond te zweven, terwijl de statische elektriciteit om hem heen knetterde in de droge septemberzon. Hij omklemde mijn hand met zo'n geestdrift dat de botten ervan kraakten en danste in de afzadelruimte rond, onderwijl verrukt alle gelukwensen beantwoordend, met zo'n ongecompliceerde opgetogenheid reagerend dat de hele menigte om hem heen moest glimlachen. Je kwam er licht toe, dacht ik bij mezelf, Mort als een door en door simpel iemand te beschouwen, terwijl, zoals ik stukje bij beetje tot de ontdekking was gekomen, zijn gedachtenwereld een doolhof vol kronkelige paden was, waarin de voors strijd leverden met de tegens als zetten op een schaakbord en waarbij de voornemens en oplossingen die zo voor de hand leken te liggen wanneer ze eenmaal juist waren gebleken, de vrucht waren van de dwaalwegen.

Ik inde mijn winst bij Taff, die somber opmerkte dat hij geen mens vijf tegen één zou hebben gegeven indien hij van tevoren geweten had dat Angelo Gilbert zijn oog op Genotti had laten vallen.

'Heeft Angelo gewonnen?' vroeg ik.

'Allicht. Hij moet duizend piek hebben ingezet. Niemand van ons zou zijn geld bij de finish hebben aangepakt.'

'Hij heeft dus geen vijf tegen één gekregen?'

'Eerder gelijke kansen,' zei hij zuur.

Bij gelijke kansen moest Angelo toch nog altijd zijn geld verdubbeld hebben, maar dat zou voor Angelo misschien niet genoeg zijn. Ik kon mij voorstellen dat het gevoel van gegriefdheid hem wel eens op zeer kwaadaardige gedachten zou kunnen brengen.

'Er bestaat geen systeem waarbij je iedere keer weer kunt winnen,' zei ik. 'Dat zal ook Angelo niet lukken.'

'Misschien niet,' zei Taffy obstinaat. 'Maar je mag van mij aannemen dat geen enkele bookmaker op de renbaan die verwaande je-weet-wel veel meer dan gelijke kans zal geven, ook al wedt hij op een paard met drie lamme poten, dat tien kilo overwicht meesjouwt en gereden wordt door mijn ouwe heer.'

'Bij gelijke kansen zou er in het totaal genomen geen winst voor hem inzitten,' zei ik.

'Daar zal niemand een traan om laten. Je snapt toch wel dat we geen liefdadige instelling zijn.'

'De uilskuikens het vel over de oren halen?'

'Net zo je zegt.'

Hij begon andere succesvolle gokkers uit te betalen met een door lange ervaring verkregen rapheid, maar het gebeurde toch niet vaak dat hij van een renbaan naar huis terugkeerde met minder baar geld dan hij had meegebracht. Er waren niet veel bookmakers die in hun hart een gokker waren en alleen de goede wiskundigen onder hen hielden het vol.

Ik slenterde bij hem vandaan en dronk een glas champagne met de al net zo bruisende Mort, waarna ik even later Sim hielp bij het opzadelen van de jonge merrie, die er met een klein hoofd voorsprong alweer een hoera-voor-Houston-dag van maakte. Sim nam het kalmer op dan Mort, maar toch met haast even grote voldoening, en hij leek eindelijk toe te geven en te erkennen dat ik geen onwetende, bazige blaag was, maar een collega die het goed bedoelde en dat we uiteindelijk allemaal belang hadden bij de successen van Luke. Ik kon niet met zekerheid zeggen wanneer en waardoor hij van mening veranderd was, ik wist alleen maar dat het een maand tevoren nog ondenkbaar was geweest dat we samen op een renbaan in de bar hadden zitten drinken om de overwinning te vieren van een paard van Houston.

Met mijn gedachten meer bij Mort en Sim en de paarden dan bij de nog altijd levendige spookverschijning van Angelo, reed ik uit Doncaster weg om Cassie op te halen, en vandaar naar een laat dineetje bij Bananas. Ook hij had, naar het bleek, op Genotti gewed, en meer dan twee keer zoveel winst gemaakt als ik.

'Ik had er honderd op gezet,' zei hij.

'Ik wist niet dat jij ooit wedde.'

'Zo af en toe, kalmpjes aan. Hoe zou ik het kunnen laten, bij alles wat ik hier hoor?'

'Wat had je dan over Genotti gehoord?'

Hij keek mij medelijdend aan. 'Iedere keer dat je die jonge hengst op de galoppeerplaats aan het werk zag, kwam je terug als een kind dat kaartjes voor de bekerfinale had gekregen.'

'Waar het meer op aankomt is de vraag,' zei Cassie, 'of Genotti te voorschijn zou zijn gekomen als je het systeem van Liam O'Rorke gebruikt had.'

'Aha.' Ik las het nieuwe menu van Bananas en vroeg mij af wat hij bedoelde met Gedetineerde kip. Achteloos zei ik: 'Angelo Gilbert gokte op hem.'

'Wat?'

Ik deed het hele verhaal van Angelo, de bookmakers en stommiteit in het algemeen.

'Hij heeft het verpest,' zei Cassie, niet zonder voldoening.

Ik knikte. 'Er niets van heel gelaten.'

Bananas keek mij peinzend aan. 'Welke uitwerking zal dat hebben op het humeur van de goeie man?'

'Daar kan William toch niets aan doen,' zei Cassie.

'Zo'n kleinigheid heeft hem tot nog toe niet weerhouden.'

Cassie fronste haar wenkbrauwen en keek geschrokken. 'Wat is Gedetineerde kip?' vroeg ik.

Bananas grijnsde. 'In citroensap gemarineerde kuikenborst, gebraden met eroverheen een traliewerk van lucifer-dunne stukjes kruidendeeg.'

'Lijkt mij nogal droog,' zei ik bevooroordeeld.

'Water en brood kunnen naar verkiezing extra bijbesteld worden.'

Cassie lachte en de gedachte aan Angelo werd een beetje teruggedrongen. We aten Gedetineerde kip, die zoals ik wel had kunnen voorspellen verrukkelijk sappig en smakelijk was en ons totaal niet aan zijn inspiratiebron deed denken.

'Ik ga morgen naar Ierland,' zei ik tegen Cassie. 'Zin om mee te gaan?'

'Ierland? Op en neer?'

Ik knikte. 'Om met iemand over paarden te praten.'

'Wat anders?'

We besteedden dus een deel van mijn winst aan een vliegbiljet voor haar en gingen naar de stoeterij ten zuiden van Wexford om de jonge hengst te bekijken die iedereen wilde hebben; de halve wereld was er zo te zien met hetzelfde doel aanwezig en stond met gezichten waarop niets te lezen viel op een rommelig stalerf in het rond, allemaal op hun hoede dat ze geen blijk zouden geven van gedachten die door hen allen heen gingen.

Cassie stond toe te kijken terwijl de prachtig gefokte bruine jaarling onder de kalmerende handen van de stalknecht ronddraafde, en noemde hem onprofessioneel 'lief'.

'Een geldmachine op hoeven,' zei ik. 'Kijk eens naar de begerigheid op al die gesloten gezichten.'

'Voor mij zien ze er allemaal ongeïnteresseerd uit.'

'Als ze zich geestdriftig tonen schiet de prijs omhoog.'

Enkelen van de verveeld kijkende toeschouwers stapten naar voren om een onderzoekende hand over de rechte, jonge botten te laten glijden, en deden dan met de niets onthullende ogen van pokerspelers weer een stap terug, dit alles zonder overbodig geluid te maken, als in een kerk.

'Moet jij niet aan zijn benen voelen?' vroeg Cassie.

'Kon ik eigenlijk wel doen.'

Ik voerde op mijn beurt het ritueel uit en kwam evenals alle anderen tot de bevinding dat de jonge ledematen koel en stevig aanvoelden met pezen als vioolsnaren op de goede plaatsen. Hij bezat ook een goede, sterke hals, een goed gevormde achterhand en, wat nog het belangrijkste was, een goede borstdiepte. Nog helemaal afgezien van zijn stamboom, die wemelde van de winnaars van klassiekers, kon men zich, meende ik, ook maar geen dier voorstellen dat er beter uitzag; wat alles bij elkaar inhield dat het bieden tijdens de verkoping van woensdag sneller de pan uit zou rijzen dan Bananas Frisby.

We vlogen vol zorgelijke gedachten terug naar Engeland en ik stuurde Luke een telex: 'Er zal tot astronomische hoogte geboden worden op het Hansel-hengstveulen. Ik heb hem gezien. Hij is volmaakt. Hoe hoog moet ik gaan?'

Waarop ik, in de loop van de nacht, ten antwoord kreeg: 'Dat is jouw werk, makker. Beslis jij maar.'

Oef, dacht ik. Wat is de uiterste prijs? Hoe hoog ligt het noodlot op de loer?

Newmarket stroomde weer vol voor de nieuwe week van de verkopingen, het belangrijkste verkoopprogramma van jaarlingen in het hele seizoen. Iedereen in de rensportwereld die geld had te besteden bracht zijn vastbeslotenheid en dromen mee, en de vierbenige baby's kwamen per veeauto van even verderop aan de weg, van Kent en de Cotswolds, van Devonshire en Schotland, en van de overkant van de Ierse Zee.

Het Hansel-hengstveulen uit Wexford zou 's woensdagsavonds om half acht als eerste onder de hamer komen en om zeven uur waren de steil oplopende rijen stoelen van de verkooparena niet meer te zien onder de zee van lichamen, met Cassie ergens tussen hen in. Helemaal beneden in de voor eventuele kopers afgeperkte ruimte haalde Donavan vlak naast mij zwaar adem, zoals hij de hele middag al gedaan had, vastbesloten nuchter gebleven en daardoor eens zo somber gestemd.

'En bezorg me die jonge hengst, hoor je, koop hem voor me.' Hij had het wel honderd keer tegen me gezegd, alsof het herhaald uitspreken van zijn verlangen de koop op de een of andere manier zekerder zou maken.

Toen ze de jonge hengst de arena binnenleidden viel er opeens een stilte doordat allen tegelijk hun adem inhielden, het licht viel op het lopende juweel en hij zag er werkelijk uit als een prins die in staat was een dynastie te grondvesten.

Het bieden op hem vloog in een paar seconden omhoog naar het kwart miljoen en snelde daar ver voorbij. Ik wachtte tot de eerste pauze inviel en verhoogde de prijs met de fabelachtige som van vijfentwintigduizend, die onmiddellijk werd overtroffen door een vastbesloten knikje van een makelaar ergens rechts van mij. Ik verhoogde nog eens met vijfentwintigduizend en was het bod alweer even vlug kwijt, en nog eens, en nog eens; ik kon bieden wat ik wilde, dacht ik, tot mijn hoofd eraf viel. Niets ter wereld gemakkelijker dan andermans geld uitgeven, even vlug als de nulletjes door de meter van een benzinepomp draaiden.

Bij achthonderdduizend guinea's stopte ik ermee. De veilingmeester keek mij vragend aan. Ik knipperde niet met mijn ogen. 'U bent aan bod, mijnheer,' zei hij.

'Ga door,' zei Donavan, die dacht dat ik gewoon niet in de gaten had dat het mijn beurt was. 'Ga door, ga door.'

Ik schudde mijn hoofd. Donavan draaide zich om en stompte mij letterlijk tegen mijn arm uit doodsangst dat de jonge hengst hem door mijn getreuzel zou ontgaan. 'Ga door, het is jouw beurt. Bieden, kluns die je bent, bieden.'

'Verhoogt u nog, mijnheer?' vroeg de veilingmeester.

Weer schudde ik mijn hoofd. Donavan schopte mij tegen mijn been. De veilingmeester keek de doodstille arena rond. 'Niemand meer?' vroeg hij; en na een stilte die een eeuwigheid duurde kwam zijn hamer met een scherpe klap neer, de klap van een voorgoed voorbije kans. 'Verkocht aan de heer O'Flaherty. Volgend kavel, alstublieft.'

Onder het geroezemoes van opmerkingen waarmee de super-hengst uit de arena werd geleid duwde Donavan een van woede hoogrood gezicht onder mijn neus en schreeuwde onbeheerst: 'Jij klunzende *zak*. Weet je wie dat hengstveulen gekocht heeft?'

'Ja, dat weet ik.'

'Ik vermoord je, zowaar ik leef.'

Een echo van Angelo...

'Er is geen enkele reden,' zei ik, 'waarom Luke zou moeten opdraaien voor de vete die er tussen jou en Mick O'Flaherty bestaat.'

'Die hengst gaat de Derby winnen.'

Ik schudde mijn hoofd. 'Je bent *bang* dat dat zal gebeuren.'

'Ik schrijf naar Luke, verdomd als ik het niet doe. Ik zal hem vertellen dat jij degene bent die bang bent. Verdomde Engelsen. Ik vermoord jullie allemaal.'

Hij ging er met grote stappen vandoor terwijl de woede zichtbaar uit al zijn poriën stroomde, en ik keek hem spijtig na, omdat ik inderdaad graag deze kleine knaap voor hem gekocht had en hem zachtjes pratend met hem bezig had willen zien om een kampioen van hem te maken.

'Waarom stopte je?' vroeg Cassie, terwijl ze mij een arm gaf.

'Kan het je veel schelen?'

Ze knipperde met haar ogen. 'Weet je wat ze zeggen?'

'Dat mij het lef ontbrak om door te gaan?'

'Ik hoorde alleen maar zeggen...'

Ik glimlachte als een boer die kiespijn heeft. 'Mijn eerste grote strijd, en ik trek mij terug. Iets dergelijks.'

'Zo iets.'

'O'Flaherty en Donavan hebben zo de pest aan elkaar dat ze niet meer tot verstandige overwegingen in staat zijn. Ik was van plan tot zevenhonderdvijftigduizend guinea's te gaan en dacht dat die hengst voor mij zou zijn, dat dacht ik echt, omdat dat een verschrikkelijk hoge prijs is voor een jaarling. Toch ging ik nog één bod hoger, maar dat was niet voldoende. O'Flaherty stond achter zijn makelaar en porde hem in zijn rug om hem door te laten gaan. Ik kon hem zien. O'Flaherty was er absoluut op gebeten dat hengstveulen te kopen. Om Donavan de pest in te jagen, denk ik. Het is gekkenwerk om door te blijven bieden tegen iemand die door grove emoties meegesleept wordt, en daarom stopte ik.'

'Maar als hij nu écht de Derby wint?'

'Er zijn vorig jaar alleen al op de Britse eilanden zo ongeveer tienduizend jonge volbloedhengsten geboren. En dan heb je Frankrijk en Amerika nog. Uit die enorme oogst zal er één hengst over twee jaar, wanneer hij drie jaar oud is, de Derby winnen. Alle kansen zijn ertegen dat het deze wordt.'

'Je bent er zo koel onder.'

'Nee,' zei ik naar waarheid. 'Geslagen en uit mijn humeur.'

We reden naar huis en ik stuurde het telexbericht naar Luke: 'Tot mijn spijt op een na hoogste bieder met achthonderdveertigduizend pond exclusief belasting voor het Hansel-hengstveulen. Donavans dodelijke rivaal Mick O'Flaherty koper voor achthonderdzesenzestigduizend tweehonderdvijftig. Donavan des duivels. Ontsla me maar. Groeten, William.'

Binnen een uur kwam er antwoord. 'Als de hengst de Derby wint ben je mij tien miljoen pond schuldig, overigens blijf je in dienst. Groeten aan Cassie.'

'God zij gedankt,' zei ze. 'Laten we naar bed gaan.'

Twee drukke dagen later zette ik haar af bij haar werk en reed zelf in zuidwestelijke richting verder naar Berkshire om 's ochtends een bezoek te brengen aan de andere trainers van Luke en door te rijden naar Newbury om daar 's middags drie van hun paarden in de koersen te zien lopen; en weer was Angelo daar op de renbaan.

Ditmaal zag hij me onmiddellijk, voor ik tijd had om weg te duiken – hij kwam over een stuk grasveld op mij toe gestormd, greep mij ruw bij mijn revers en vertelde me dat het wedsysteem niet deugde.

'Je hebt me erin laten lopen. Dat zal je berouwen.' Hij keek vlug om zich heen, alsof hij hoopte een verlaten heideveld te zien, maar daar er slechts dicht bevolkt beton rondom was, onderdrukte hij zijn kennelijk verlangen mij ter plaatse af te maken. Hij was er lichamelijk op vooruit gegaan, vond ik. Minder bleek, minder opgeblazen; de gevolgen van langdurige gevangenschap hadden plaats gemaakt voor een gezonde bruine kleur en steviger spieren, wat het stierachtige van zijn lichaam nog versterkte. Zijn zwarte ogen... koud als immer. Ik keek naar zijn weer naar boven komende kwaadaardigheid en moest er niets van hebben.

Ik trok zijn hand van mijn revers en liet hem los. 'Er mankeert niets aan dat systeem,' zei ik. 'Het is niet mijn schuld dat je er op hebt lopen rondstampen als een kudde olifanten.'

Zijn stem kwam terug in het bekende basregister. 'Als ik morgen om vijf uur nog op verlies sta, dan wéét ik dat je me belazerd hebt. En dan zal ik je weten te vinden. Dat beloof ik je.'

Hij draaide zich abrupt om en liep met grote passen in de richting van de tribune, en ikzelf ging even later tussen de bookmakers op zoek naar Taff.

'Het laatste nieuws over Angelo Gilbert?' Hij keek op mij neer vanaf zijn verhoogde standpunt op een omgekeerde bierkrat. 'Hij is werkelijk geschift.'

'Geef je hem nog steeds een belazerde wedkoers?'

'Hoor eens, mijnheer Derry, ik heb het te druk om nou met je te praten.' Hij stond inderdaad met een heel stel ongeduldige klanten om zich heen, die hem hun geld toestaken. 'Als je wat wilt weten, trakteer me dan na de laatste koers maar op een biertje.'

'Goed,' zei ik. 'Afgesproken,' en aan het eind van de middag ging hij met mij mee naar de overvolle bar en schreeuwde het onverwachte nieuws in mijn aandachtige oren.

'Die Angelo is helemaal knetter geworden. Hij heeft een smak geld gewonnen in York, zoals ik je al zei, en een aardig sommetje in Doncaster, maar het schijnt dat hij vóór York flink wat verloren heeft in Epsom, afgelopen maandag heeft hij in Goodwood een fortuin verspeeld en vandaag heeft hij grof op twee paarden gegokt die ergens achteraan gefinisht zijn. Daarom geven we hem weer allemaal de normale wedkoers. Lancer, die voor Joe Glickstein werkt, Honest Joe, je moet zijn stalletjes op alle renbanen gezien hebben?' Ik knikte. 'Nou dan, Lancer heeft Angelo vanmiddag bij vooruitbetaling zo'n duizendje lichter gemaakt op Pocket Handbook, die nog niet had kunnen winnen al was-ie gisteren gestart. Ik bedoel maar, die man is helemaal lijp. Als hij volgens het systeem van Liam O'Rorke speelt, ben ik een toverfee.'

Ik keek naar hem terwijl hij zijn bier dronk en voelde mij diep verslagen dat Angelo nog niet eens in staat was het systeem de juiste paarden voor hem te laten aanwijzen. Hij moest een aantal antwoorden op de veelheid aan vragen gegokt hebben in plaats van ze nauwgezet in de rensportgidsen op te zoeken; uit luiheid het moeizame werk hebben overgeslagen en niettemin vertrouwd hebben op de gegevens die de computer teruggaf. Maar een computer kon hem geen raad geven, kon hem niet vertellen dat hier een weggelaten antwoord en daar nog eentje al die nauwkeurig afgewogen waarderingen overhoop gooide en onvermijdelijk de winstfactoren waar alles om draaide vervalste.

Angelo was suf, dom, stom.

Angelo zou denken dat het mijn schuld was.

'Ze zeggen dat zijn vader er genoeg van begint te krijgen,' zei Taff.

'Wie?'

'De vader van die Angelo. De ouwe Harry Gilbert. Heeft een kapitaal verdiend met bingo-hallen, zegt men, voor hij door die ziekte getroffen werd.'

'Eh, door ziekte getroffen?'

Taff haalde zijn doorploegde, door de buitenlucht gebruinde gezicht uit de bierpul. 'Door artritis, zo heet het geloof ik. Hij kan in elk geval nauwelijks meer lopen. Komt zo af en toe in een rolstoel naar de koersen kijken, en hij is het die de pegels heeft.'

Er ging mij een licht op en ik moest weer denken aan

de week daarvoor in Doncaster, toen ik Angelo een toegangskaartje had zien geven aan een oudere heer in een rolstoel. Angelo's vader, die alles wat zijn dodelijk gevaarlijke zoon van middelbare leeftijd deed vergoelijkte, hem nog steeds de hand boven het hoofd hield, hem nog altijd onderhield.

Ik bedankte Taff voor zijn inlichtingen. 'Wat heb jij met die Angelo van doen?' vroeg hij.

'Ligt al sinds jaren overhoop met mijn broer.'

Hij maakte een gebaar met zijn hoofd dat hij het snapte, keek op zijn horloge en dronk de rest van zijn bier in één teug op, zeggende dat hij zijn bediende had achtergelaten om op de opbrengst van die dag te passen, maar dat hij zich een stuk prettiger zou voelen als hij er zelf een oogje op kon houden. 'We hebben allemaal een goeie dag gehad,' zei hij opgewekt, 'met die twee geheide favorieten die er niks van maakten.'

Ik reed naar huis en haalde onderweg Cassie op die bij het ziekenhuis wachtte na wat ze daar een controleonderzoek noemden.

'Volgende week het gips eraf,' klaagde ze. 'Ik wilde het er vanmiddag al af hebben, maar dat deden ze niet.'

Het gips jeukte intussen verschrikkelijk, het DENK AAN DE TIJGERS was haast niet meer te lezen, Cassie bleef maar volhouden dat haar arm genezen áánvoelde en ze was er bijzonder ongeduldig onder.

We gingen wederom naar de verkoping; het kwam mij voor of ik een half leven om die verkooparena had doorgebracht en Luke was thans de eigenaar van achtentwintig jaarlingen die hij nog nooit gezien had. Ik had namens hem cheques getekend voor bijna twee miljoen pond en begon er 's nachts van te dromen. Er restte alleen nog de zaterdagochtend, naar de catalogus te oordelen een weinig belangrijk programma, de geleidelijke afloop na de langdurige opwinding van die week. Ik ging er gewoontegetrouw vroeg heen en kocht na slechts heel kort overleg met mijzelf heel goedkoop het eerste kavel van die dag, een niet bijzonder opvallend hengstveulen, een leverkleurige vos, wiens afstamming een betere indruk maakte dan zijn spichtige benen. Op die mistige herfstochtend zou je niet voorspeld kunnen hebben dat dít de prins was die een dynastie zou grondvesten, maar dat was wat er uiteindelijk gebeurde. Toen ik voor hem tekende en de afspraak maakte dat hij via de weg naar de stal van Mort gebracht zou worden, was ik met mijn gedachten meer bij het gesprek dat ik de avond tevoren telefonisch met Jonathan had gevoerd.

'Ik wil eens met de vader van Angelo gaan praten,' zei ik. 'Kun jij je nog herinneren waar hij woont?'

'Natuurlijk. In Welwyn Garden City. Als je een minuutje wacht zal ik de straat en het nummer opzoeken.' Er volgde een stilte terwijl hij zocht. 'Hier heb ik het. Pemberton Close zeventien. Hij kan natuurlijk verhuisd zijn en denk erom, William, dat hij je beslist niet vriendelijk zal ontvangen. Ik hoorde dat hij met allerlei verschrikkelijke wraaknemingen tegen mij gedreigd heeft nadat Angelo veroordeeld was, maar ik ben niet lang genoeg meer gebleven om hem daartoe de kans te geven.'

'Angelo schijnt wat geld betreft helemaal van hem afhankelijk te zijn,' zei ik.

'Dat laat zich indenken.'

'Angelo is bezig een puinhoop van het wedsysteem te maken. Hij is bezig het geld van zijn vader te verspelen en geeft mij daarvan de schuld, en is weer een vulkaanuitbarsting aan het aanwakkeren met mij als voorbestemd doel voor de lavastroom.'

'Hij is werkelijk een kwelling.'

'Nou en of. Hoe bevrijd je jezelf van een monster dat niet weg wil gaan? Nee, zeg maar niets. Angelo weer voorgoed in de gevangenis laten belanden is het enige wat ik kan bedenken en zelfs dat zou ik zo moeten doen dat hij niet in de gaten zou hebben wie het hem geflikt had, en zou het eigenlijk wel helemaal eerlijk zijn?'

'Provocatie? Een misdrijf voor zijn neus neerleggen en hem uitlokken het te plegen?'

'Net wat je zegt.'

'Nee, dat zou niet precies eerlijk zijn.'

'Ik was al bang dat je er zo over zou denken,' zei ik.

'Er zou niet veel minder dan een moord voor nodig zijn om hem weer voor de rest van zijn leven in de gevangenis te krijgen. Ook maar iets minder dan dat en hij zou er weer vuurspuwend uit komen, zoals je al zei. En hoe zou je in godsnaam een levend lokaas voor hem neer kunnen leggen?'

'Mm,' zei ik. 'Dat is iets onmogelijks. Daarom blijf ik erbij dat de enige afdoende oplossing is ervoor te zorgen dat het Angelo voor de wind gaat, en daarom zal ik zien of ik zijn ouwe heer kan bewerken om dat te bereiken.'

'Zijn ouwe heer is een ouwe ratelslang, vergeet dat niet.'

'Zijn ouwe heer zit in een rolstoel.'

'Is het echt?' Jonathan leek verbaasd. 'Dat maakt ook geen verschil, vergeet niet dat ratelslangen geen poten hebben.'

Ik rekende erop dat Angelo die zaterdagmiddag nog steeds langs de bookmakers op de renbaan van Newbury zou sjokken en dat zijn vader mogelijk zou zijn thuisgebleven, dus daarom reed ik op dat tijdstip naar Welwyn Garden City en liet Cassie thuis achter, waar ze met een huisvrouwachtig gezicht met een stofdoek aan de gang ging.

Het huis aan de Pemberton Close nummer zeventien bleek niet meer door Harry Gilbert bewoond te zijn, maar door een effectenmakelaar, diens babbelzieke vrouw en vier lawaaiige kinderen op rolschaatsen, die allemaal buiten in de tuin waren.

'Harry Gilbert?' zei de vrouw, die een mand met rozen droeg. 'Die kon geen trappen meer lopen door zijn ziekte. Hij heeft een bungalow voor zichzelf laten bouwen met allemaal op- en afritten.'

'Weet u ook waar?'

'O, ja zeker. Bij de golflinks. Vroeger speelde hij zelf, de arme man. Nu zit hij voor het raam te kijken naar de spelers die langskomen op de veertiende baan. We zwaaien vaak naar hem wanneer we er spelen.'

'Heeft hij artritis?' vroeg ik.

'Lieve help, nee.' Ze trok een gezicht van medeleven. 'Multiple sclerose. Hij heeft het al jaren. We hebben hem langzaam aan slechter zien worden... We woonden vroeger vier deuren bij hem vandaan, maar we waren altijd weg van dat huis van hem. Toen hij het te koop aanbood hebben wij het overgenomen.'

'Kunt u mij ook zeggen hoe ik er kan komen?'

'Zeker.' Ze wees mij kort en duidelijk de weg. 'U weet toch dat u niet over zijn zoon moet praten, hè?'

'Zijn zoon?' zei ik vaag.

'Zijn enige zoon zit in de gevangenis wegens moord. Ontzettend triest voor de arme man. Praat er niet over, daar raakt hij door van streek.'

'Bedankt dat u me gewaarschuwd hebt,' zei ik.

Ze knikte en glimlachte uit een goedig en niet erg snugger gemoed, en liep weer terug om haar leuke tuin op orde te brengen. Zeer zeker zullen goedheid en barmhartigheid u al uw levensdagen volgen, dacht ik jolig, en geen monsters die niet willen weggaan zullen u opslokken. Ik verliet de deugdzamen en ging op zoek naar de zondaar, en ik vond hem, zoals ze gezegd had, in zijn rolstoel voor het grote venster van een erker, terwijl hij naar de met alle ernst aan de gang zijnde putters keek op de golfbaan.

De brede dubbele voordeur van het grote en er nog nieuw uitziende gelijkvloerse huis werden voor me geopend door een man die op het eerste gezicht zo op Angelo leek, dat ik een angstig moment lang meende dat hij tenslotte toch niet naar de paardenrennen was gegaan; ze leken echter alleen maar in grove trekken en kleur op elkaar, de olijfkleurige huid, grijzend haar, onvriendelijke, donkere ogen, de aanleg om overal vetkussentjes te krijgen.

'Eddy,' klonk er een stem. 'Wie is daar? Kom hierheen.'

De stem was even laag en rauw als die van Angelo, de woorden zelf enigszins blubberend uitgesproken. Ik liep over het glimmende hout van de vestibule en toen de weelderige zitkamer door met zijn panoramisch uitzicht, en pas op twee meter afstand van Harry Gilbert bleef ik staan en zei dat ik William Derry was.

Ik kon het beven zowat voelen. Eddy liet achter mij zijn adem sissend ontsnappen. De veel oudere versie van Angelo's gezicht die vanuit de rolstoel naar mij opkeek verstijfde van heftige, maar ondoorgrondelijke emoties, die naar ik dacht woede en verontwaardiging moesten zijn, maar misschien ook niet. Hij bezat dunner wordend grijs haar, een grijze snor, een zwaar lichaam in een vormelijk grijs kostuum met een vest. Alleen aan zijn slappe handen was de ziekte zichtbaar, en alleen nog dan wanneer hij ze bewoog; van zijn glimmende schoenen tot aan de keurige scheiding in zijn haar gaf hij mij de indruk dat hij zijn zwakte trachtte te ontkennen, door een naar buiten toe ongebroken façade te tonen met de bedoeling de mensen om zich heen te laten merken dat er nog altijd autoriteit in hem huisde.

'Je bent niet welkom in mijn huis,' zei hij.

'Als uw zoon zou ophouden mij te bedreigen zou ik hier niet zijn.'

'Volgens hem heb je ons net zo beduveld als je broer.'

'Nee.'

'Het wedsysteem doet het niet.'

'Bij Liam O'Rorke deed het dat wel,' zei ik. 'Liam O'Rorke was bedaagd, pienter, voorzichtig en een cijferaar. Is Angelo een van die dingen?'

Hij wierp me een koude, strakke blik toe. 'Een systeem dient het voor ongeacht wie ook te doen.'

'Een paard loopt ook niet voor ongeacht welke jockey even hard.'

'Dat is heel wat anders.'

'Motoren lopen bij sommige chauffeurs gesmeerd en scheiden er bij andere mee uit. Hardhandigheid is altijd funest. Angelo beent met olifantspoten door dat systeem. Geen wonder dat het geen resultaten oplevert.'

'Het systeem deugt niet,' zei hij koppig.

'Misschien dat het een beetje verouderd is,' zei ik langzaam. 'Toch is het voor Ted Pitts nog altijd lustig aan het spinnen – maar Ted Pitts is dan ook bedaagd, pienter, voorzichtig en een cijferaar.'

Het leek of ik voor het eerst enige indruk op Harry Gilbert had gemaakt. Met een vaag spoortje twijfel zei hij: 'Geen enkele reden waarom het in de loop der jaren veranderd zou zijn. Waarom zou het?'

'Weet ik niet. Waarom zou het niet? Er kunnen een paar factoren geweest zijn waarmee Liam O'Rorke geen rekening heeft kunnen houden omdat ze in zijn tijd niet bestonden.'

Een terneergeslagen grimmigheid maakte zich van hem meester.

Ik zei: 'En als Angelo haastig door de programma's heen is gevlogen, sommige vragen heeft overgeslagen of ze niet nauwkeurig beantwoord heeft, zal hij verkeerde uitkomsten krijgen. Een paar van de antwoorden heeft hij goed gehad. Jullie hebben in York een smak gewonnen, heeft men mij verteld. En jullie zouden bij de St. Leger meer gewonnen hebben als Angelo de bookmakers met zijn gebluf niet in de gordijnen had gejaagd.'

'Ik weet niet waar je het over hebt.' Het blubberende in zijn spraak, de lichte verminking van al zijn woorden kwam, realiseerde ik mij, door zijn ziekte. De articulatie mocht dan zijn aangetast, de kille opmerkzaamheid in zijn ogen vertelde mij echter heel duidelijk dat dat met zijn verstand allerminst het geval was.

'Angelo heeft aan alle bookmakers in York verteld dat hij hen van nu af aan voortdurend het vel over de oren zou halen, omdat hij het was die het onfeilbare systeem van Liam O'Rorke in zijn bezit had.'

Harry Gilbert sloot zijn ogen. Zijn gezicht bleef onbewogen.

Eddy zei strijdlustig: 'Wat mankeert daaraan? Je moet de mensen laten zien wie de baas is.'

'Eddy,' zei Harry Gilbert, 'je hebt nergens enig benul van en dat zul je ook nooit krijgen.' Langzaam deed hij zijn ogen weer open. 'Dat maakt verschil,' zei hij.

'Ze gaven hem een gelijke kans op de winnaar van de St. Leger. De normale prijs was vijf tegen één.'

Ik hoefde geen bedankje te verwachten van Harry Gilbert, al redde ik zijn leven, al hielp ik hem een fortuin winnen, al hield ik zijn dierbare zoon uit de gevangenis. Hij begreep niettemin waar het op neerkwam wat ik zei. Hij was te veel realist, al te lang in zaken om dat niet te begrijpen. Angelo was in te veel opzichten een dwaas, en dat maakte hem niet minder gevaarlijk, maar juist gevaarlijker.

'Wat verwacht je dat ik eraan doe?' vroeg hij.

'Ik verwacht dat u uw zoon vertelt dat als hij me nog een keer aanvalt, dan wel een van mijn vrienden of een van mijn bezittingen, hij weer zo vlug achter de tralies terug is dat hij niet eens in de gaten heeft wat hem overkomen is. Ik verwacht dat u hem zorgvuldig en rustig met het wedsysteem aan de gang laat gaan, zodat hij wint. Ik verwacht dat u hem waarschuwt dat het systeem slechts een op de drie keer winst garandeert en niet elke keer een winnaar aanwijst. Om het systeem goed te laten werken is het nodig dat je je stipt aan de aanwijzingen houdt en voorzichtig blijft volhouden, en niet met gebral en woede begint.'

Hij staarde mij met een uitdrukkingloos gezicht aan.

'Angelo is wat karakter betreft vrijwel het tegenovergestelde van Liam O'Rorke,' zei ik. 'Ik verwacht dat u Angelo dat laat inzien.'

Het waren stuk voor stuk verwachtingen, zag ik in, die waarschijnlijk tevergeefs waren. Harry Gilberts lichamelijke zwakte zou geleidelijk aan toenemen en het beetje macht dat hij nog over Angelo had zou maar net zo lang duren als Angelo geldelijke steun nodig had.

Zijn lichaam werd door een beving bevangen, maar zijn gezicht gaf van geen enkele emotie blijk. Met iets van toegeknepen woede zei hij echter: 'Al onze problemen zijn de schuld van je broer.'

Moedeloos zag ik in dat mijn bezoek totaal nutteloos

was. Harry Gilbert bleek per slot van rekening enkel maar een oude man te zijn die zich evenals zijn zoon blindelings aan een oud waandenkbeeld vastklampte. Harry Gilbert was geen redelijk denkend man meer, als hij dat al ooit geweest was.

Niettemin probeerde ik het nog één keer. Ik zei: 'Als u mevrouw O'Rorke al die jaren geleden betaald had, als u Liams systeem van haar gekocht had zoals u had afgesproken, zou u er de wettige eigenaar van zijn geweest en er al die tijd van geprofiteerd kunnen hebben. Het kwam doordat u weigerde mevrouw O'Rorke te betalen dat mijn broer ervoor gezorgd heeft dat u het systeem niet in handen kreeg.'

'Ze was te oud,' zei hij koud.

Ik staarde hem aan. 'Wilt u beweren dat haar leeftijd de reden was waarom u haar niet betaald heeft?'

Hij gaf geen antwoord.

'Als ik uw auto van u zou stelen,' zei ik, 'zou ik dan vinden dat ik daartoe gerechtigd was op grond van het feit dat u te ziek was om ermee te rijden?'

'Je kletst,' zei hij. 'Je bent helemaal niks.'

'Een uilskuiken,' zei Eddy, knikkend.

Harry Gilbert zei vermoeid: 'Eddy, in koken en het duwen van een rolstoel ben je goed. Hou over alle andere onderwerpen je kop dicht.'

Eddy wierp hem een half opstandige, half angstige blik toe en ik begreep dat ook hij van Harry afhankelijk was voor eten en onderdak, dat het in de grote, ongevoelige wereld voor moordenaarsknechtjes nog niet zo eenvoudig moest zijn om aan een makkelijk leventje te komen en dat voor Harry zorgen geen baantje was dat je lichtvaardig in de waagschaal mocht stellen.

Tegen Harry Gilbert zei ik: 'Waarom doet u niet wat u destijds van plan was? Waarom koopt u geen wedlokaal voor Angelo en laat u het wedsysteem daar voor hem winnen?'

Weer kreeg ik een lange, zwijgende, onbewogen blik toegeworpen. Toen zei hij: 'Zakendoen is een talent. Ik heb het. Het is echter niet iedereen gegeven.'

Ik knikte. Het was het enige antwoord waartoe hij zich liet bewegen. Ik was wel de laatste tegenover wie hij zou toegeven dat het volgens hem slechts een kwestie van weken was of Angelo zou elke gevoelige onderneming om zeep hebben geholpen.

'Houd uw zoon bij me uit de buurt,' zei ik. 'Ik heb meer gedaan om u dat systeem te bezorgen dan u verdient. U hebt er geen recht op. U hebt niet het recht te verlangen dat het u in vijf minuten aan een fortuin helpt. U hebt niet het recht mij de schuld ervan te geven als het dat niet doet. Houd uw zoon bij me uit de buurt. Ik kan net zo keihard zijn als hij. In uw eigen belang, en het zijne, hou hem van mijn lijf.'

Zonder op een antwoord te wachten draaide ik mij om en liep gehaast de kamer uit en de hal door.

Achter mij klonken voetstappen over het glimmende hout.

Eddy.

Ik keek niet om. Hij haalde mij in toen ik de voordeur opende en naar buiten stapte, en hij legde zijn hand op mijn arm om mij tegen te houden. Hij keek over zijn schouder achterom naar het prachtige venster waarachter zijn oom zwijgend zat te kijken, wetende dat de oude man het niet eens was met wat hij deed. Toen hij zag dat Harry weer strak naar buiten zat te kijken naar het golfen, wierp hij mij een gemene, zelfvoldane, honende blik toe.

'Uilskuiken,' zei hij, voorzichtigheidshalve zonder stemverheffing. 'Het zal Angelo niet zinnen dat je hier bent geweest.'

'Dat is dan jammer.' Ik schudde zijn hand van mijn mouw. Met een giftige mengeling van sluwheid, kwaadaardigheid en triomf grijnsde hij spottend terug en beet mij genietend en haast fluisterend zijn afscheidswoorden toe.

'Angelo heeft een pistool gekocht,' zei hij.

18

'Waarom zit je zo te peinzen?' vroeg Cassie.

'Onbehagen.'

We zaten als zo vaak aan een tafel in de eetzaal bij Bananas, die zich lichtvoetig op zijn gympjes heen en weer bewoog, waarbij hij zich ogenschijnlijk nimmer haastte maar toch iedereen gevoed hield. De planten groeiden met gezond glanzende bladeren in het overvloedige halfduister van zijn met opzet intieme verlichting, glazen en tafelzilver glinsterden in het kaarslicht en de schimmel verbreidde zich langzaam in het donker.

'Niets voor jou,' zei Cassie.

Ik glimlachte naar haar magere, door de zon gebruinde, ongecompliceerde gezicht en zei dat het allerlaatste waar ik naar verlangde wel een tegenbezoek van Angelo was.

'Denk je echt dat hij zal komen?'

'Ik weet het niet.'

'Geen denken aan dat we aan nog meer maïspoppetjes zouden kunnen komen,' zei ze. 'Het is te laat in het jaar voor stro van behoorlijke lengte.'

Haar arm in het gips lag onhandig op tafel. Ik raakte het bosje vingers aan dat eruit stak. 'Zou je er wat voor voelen om mij een poosje in de steek te laten?' vroeg ik.

'Nee, beslist niet.'

'En als ik nu eens zei dat ik genoeg van je had?'

'Dat heb je niet.'

'Ben je daar zo zeker van?'

'Beslist,' zei ze voldaan. 'En trouwens, voor hoe lang?'

Ik nam een slokje wijn. Voor hoe lang was absoluut een puzzel. 'Tot ik Angelo tot bedaren heb gekregen,' zei ik. 'En vraag me niet hoe lang dat gaat duren, want dat weet ik niet. Maar ik denk dat ik om te beginnen Luke moet bepraten dat hij hier in Engeland een computer nodig heeft.'

'Zou dat moeite kosten?'

'Misschien wel. Hij heeft er een in Californië staan... hij zou kunnen zeggen dat hij er geen twee nodig heeft.'

'Waar heb je hem voor nodig, voor het wedsysteem?'

Ik knikte. 'Ik denk,' zei ik, 'dat ik ga proberen er een te huren. Of er een op proef te krijgen voor een poosje. Ik wil zien uit te vinden wie er volgens O'Rorke zou moeten winnen en wat Angelo fout doet. Als ik hem op de goede weg kan helpen, misschien dat hij zich dan rustig houdt.'

'Je zou toch gedacht hebben dat het voldoende moest zijn geweest dat je hem de bandjes bezorgd had.'

'Ja, dat wel.'

'Hij is net een distel,' zei ze. 'Als je denkt dat je hem kwijt bent schiet hij toch weer uit de grond op.'

Distels, dacht ik bij mezelf, trokken er niet op uit om een pistool te kopen.

Bananas droeg eerbiedig de soufflé die zijn naam droeg naar de mensen aan de tafel naast ons. De luchtige pieken glansden licht, bleekbruin en walgelijk zoet. Het oude mens, dat hem met vaardige handen had gemaakt, moest het werken volgens de regels hebben opgegeven; toen Bananas ons later de koffie bracht gaf hij dat zelf toe. 'Ze nam een uur de tijd om worteltjes te schrappen. Dat deed ze met de hand. In de keukenmachine duurt het tien seconden. Ze zei dat keukenmachines gevaarlijke apparaten waren en dat ze over een nieuw tarief zou moeten onderhandelen voor alle werkzaamheden waaraan machines te pas kwamen.'

De baard die Bananas sinds kort bezat was gaan krullen, wat gezien de sluike, rechte lokken verder omhoog tamelijk onverwacht was, maar naar mijn idee meer overeenkwam met de tweeslachtigheid van zijn aard.

'Historisch gezien,' zei hij, 'is het maar zelden een goed idee om een tiran te verzoenen.'

'Het oude mens?'

'Nee. Angelo Gilbert.'

'Wat stel jij dan voor?' vroeg ik. 'Een oorlog op grote schaal?'

'Je dient er zeker van te zijn dat je wint. Historisch gezien zijn oorlogen op grote schaal een gok.'

'Misschien dat het oude mens weggaat,' zei Cassie glimlachend.

Bananas knikte. 'Tirannen willen de volgende keer altijd meer hebben. Ik wed dat ze volgend jaar aan motorracen gaat doen.'

'Je weet zeker niet iemand die een computer bezit die je met iedere willekeurige taal kunt voeden?' vroeg ik.

'Turks? Indo-Chinees? Zo iets?'

'Ja. Brabbeltaal, koeterwaals, jargonees en stadhuistaal.'

'Probeer het eens bij sociologen.'

Ik probeerde het echter, de volgende ochtend vroeg, bij Ted Pitts en kreeg niet hem, maar Jane aan de lijn.

'Ted is er niet,' zei ze. 'Ik ben bang dat hij nog steeds in Zwitserland zit. Kan ik je helpen?'

Ik legde haar uit dat ik een goede computer wilde lenen om de rensportprogramma's op proef te draaien en ze zei op spijtige toon dat ze mij die van Ted echt niet kon laten gebruiken nu hij er zelf niet was; ze wist dat hij met een speciaal programma voor zijn colleges bezig was en als iemand op dit moment aan zijn computer zat kon het gebeuren dat zijn werk bedorven werd, en dat mocht ze niet riskeren.

'Nee,' gaf ik toe. Kende ze soms iemand anders van wiens computer ik misschien gebruik zou kunnen maken?

Ze dacht erover na. 'Ruth misschien,' zei ze weifelend. 'Ruth Quigley.'

'Wie?'

'Een vroegere leerling van Ted. Het is zelfs zo dat hij zegt dat hij haar niets meer kan leren, en als ze hier is kan ik geen woord begrijpen van wat ze tegen elkaar zeggen, het is net of je naar wezens uit de ruimte luistert.'

'Heeft zij een eigen computer?'

'Ze heeft alles,' zei Jane zonder afgunst. 'Rijke ouders. Enig kind. Hoeft het maar te vragen en ze heeft het. En alsof dat niet genoeg is heeft ze nog hersens ook. Klinkt toch niet eerlijk, vind je wel?'

'Ook nog knap?'

'O.' Ze aarzelde. 'Niet onaardig. Ik weet het eigenlijk niet. Het is niet iets wat je direct ópvalt aan Ruth.'

'Nu, eh... waar zou ik haar kunnen vinden?'

'In Cambridge. Daarom dacht ik aan haar, omdat ze jouw kant uit woont. Ze schrijft programma's voor onderwijs-apparatuur. Wil ik haar opbellen? Wanneer dacht je erheen te gaan?'

Ik zei: 'Vandaag,' en een half uur later had ik antwoord en was ik op weg naar haar flat in een modern flatgebouw aan de buitenrand van de stad.

Ruth Quigley bleek nog heel jong te zijn – nog maar net in de twintig, schatte ik. Ik begreep ook wat Jane bedoeld had toen ze zei dat het haar nooit was opgevallen hoe ze eruitzag, want de eerste, overweldigende en blijvende indruk die ze gaf was er een van snelheid van begrip. Ze bezat lichte ogen, lichtbruin, extra-krullend haar en een lange, slanke hals, maar bovenal viel je een telkens ongeduldig rukje met haar hoofd op en de wijze waarop ze, over haar woorden struikelend, sprak, alsof haar tong tot haar eigen ergernis niet in staat was haar gedachten snel genoeg uit te spreken.

'Ja. Kom binnen. Hebt u die bandjes bij u?' Ze verspilde geen kostbare woorden aan een verdere begroeting. 'Deze kant op. Oud Grantley-Basic, zei Jane. U hebt de taal bij u. Wilt u hem er zelf mee laden, of zal ik het doen?'

'U zou me een plezier doen als...'

'Geef dan maar hier. Welke kant?'

'Eh, het eerste programma op kant één.'

'Mooi. Kom maar mee.'

Ze bewoog zich met dezelfde aangeboren snelheid en voor ik ook maar een stap had kunnen verzetten verdween ze een kort gangetje in en een deur door. Ze moest altijd met het idee rondlopen, dacht ik, dat de rest van de mensheid zich ontoelaatbaar traag voortbewoog.

De kamer waarheen ik haar volgde moest oorspronkelijk als slaapkamer bedoeld zijn geweest, waar hij nu in de verste verte niet meer op leek. Rustige, op vilt lijkende lichtgroene vloerbedekking, en verder verlichtingsrail met spotjes, voor het raam rolgordijnen, matwitte wanden – en lange tafels waarop vrijwel net zulke apparaten stonden als bij Ted Pitts thuis, alleen twee keer zoveel.

'Werkkamer,' zei Ruth Quigley.

'Eh, jawel.'

Het was daarbinnen koeler dan op straat. Ik herkende een zwak gezoem op de achtergrond als air-conditioning en maakte daar een opmerking over.

Ze knikte zonder haar ogen op te heffen van het al bijna gedane karwei van het Grantley-Basic in een apparaat laden dat in staat was het te lezen. 'Stof is voor computers zo iets als grint. Hitte, vochtigheid, van dat alles gaan ze kuren vertonen. Het zijn natuurlijk volbloeds.'

Rensportprogramma's... volbloed-computers. Uitnemendheid won het. De moeite die je jezelf daarvoor gaf haalde je er weer ruimschoots uit. Ik begon al net als zij te denken, dacht ik.

'Ik verknoei uw tijd,' zei ik verontschuldigend.

'Ben u graag van dienst. Voor Jane en Ted doe ik altijd alles. Dat weten ze. Hebt u de rensportgidsen meegebracht? Die zult u nodig hebben. Simpele programma's, maar de gegevens moeten kloppen. Met de meeste onderwijs-apparaten net zo. Vaak hangen ze me de keel uit. Keuzevragen. Het kind heeft een half uur nodig voor het goede antwoord en daar voeg ik dan een juichende opmerking aan toe, zoals: "Heel goed, knap gedaan." Geen sprake van. Aanmoediging, daar gaat het om, zegt men. Wat vindt u ervan?'

'Zijn het begaafde kinderen?'

Ze wierp me een snelle blik toe. 'Ieder kind is begaafd. Sommigen iets meer dan anderen. Ze verdienen het best mogelijke onderwijs. Vaak krijgen ze dat niet. Onderwijzers zijn jaloers, wist u dat?'

'Mijn broer zei altijd dat het ontzettend opwindend was om een heel knappe jongen in de klas te hebben.'

'Net als Ted, mild in zijn oordeel. Alstublieft, ga uw gang maar. Ik loop in en uit, maar laat u zich door mij niet afleiden. Ik ben bezig met het listen van series stringvariabelen. Ze zeiden dat ze daar achttien minuten voor nodig hadden, nu vraag ik u. Ik heb het tot vijf seconden teruggebracht, maar alleen nog één-dimensionaal. Ik heb het twee-dimensionaal nodig, wil ik de data niet verminken. Ik ben nu bezig om uitgaande van Basic een programma in machinetaal in het geheugen te wurmen, waarna ik de machinecode converteer in economische combinatie-taal. Verveel ik u?'

'Nee,' zei ik. 'Ik snap er alleen geen woord van.'

'Sorry. Dacht er niet aan dat u niet zoals Ted bent. Nu, ga uw gang maar.'

In een grote aktentas had ik de bandjes bij me, de rensportgidsen, allerlei boeken met uitslagen en alle recente nummers van een goed paardesportblad, en met het gevoel dat ik er naar de normen van Ruth Quigley wel een ontzaglijke tijd voor nodig zou hebben begon ik uit te dokteren welke paarden volgens Liam O'Rorke naar alle waarschijnlijkheid gewonnen zouden hebben en vergeleek ze met die welke in werkelijkheid het eerst over de eindstreep waren gegaan. Mij ontbrak alleen nog een lijstje van de paarden waar Angelo op gewed had, maar ik dacht dat ik dat de volgende dag wel van Taff en van Lancer zou kunnen loskrijgen; eerst dáárna zou ik misschien in staat zijn erachter te komen waar Angelo de hele boel door elkaar had gegooid.

NAAM BESTAND?

CLOAD DONCA, typte ik. Ik drukte op de 'Enter'-toets en keek naar de sterretjes, terwijl ik wachtte op READY. Ik drukte weer op 'Enter' en werd beloond.

WELKE RACE IN DONCASTER?

ST. LEGER, typte ik.

DONCASTER: ST LEGER. TYP NAAM VAN PAARD EN DRUK 'ENTER' IN.

GENOTTI, typte ik en drukte 'Enter' in.

DONCASTER: ST LEGER.

GENOTTI.

BEANTWOORD ALLE VRAGEN MET JA OF NEE OF MET EEN GETAL EN DRUK "ENTER" IN.

HEEFT PAARD ALS TWEEJARIGE GEWONNEN?

JA, typte ik. Op het scherm verscheen een nieuwe vraag, waarbij de koppen intact bleven.

HEEFT PAARD ALS DRIEJARIGE GEWONNEN?

JA, typte ik.

HOEVEEL DAGEN SINDS PAARD VOOR HET LAATST GELOPEN HEEFT?

Ik raadpleegde de krant die dergelijke inlichtingen altijd nauwgezet vermeldde en typte het getal in dat daar op de dag van de St. Leger in had gestaan: 23.

HEEFT PAARD GEWONNEN OP DE AFSTAND: EEN MIJL EN ZES FURLONGS?

NEE, typte ik.

HEEFT PAARD GELOPEN OVER DE AFSTAND: EEN MIJL EN ZES FURLONGS?

NEE.

TYP LANGSTE AFSTAND IN FURLONGS WAAROP PAARD GEWONNEN HEEFT.

12

HEEFT PAARD OP RENBAAN GELOPEN?

NEE.

TYP BEDRAG AAN PRIJZENGELD DAT IN LOPEND SEIZOEN GEWONNEN IS.

Ik raadpleegde de rensportgidsen en typte het totaal van Genotti's winsten, wat een aardig, maar geen verbazingwekkend hoog bedrag was.

HEEFT VADER VAN PAARD WINNAARS OP DEZE AFSTAND VOORTGEBRACHT?

Ik keek het na in de fokregisters, wat meer tijd in beslag nam, en het antwoord was JA.

MOEDER dito?

JA.

STAAT PAARD ANTE-POST TWAALF TEGEN EEN
OF MINDER GENOTEERD?

JA.

HEEFT JOCKEY AL EERDER EEN KLASSIEKER
GEWONNEN?

JA.

HEEFT TRAINER AL EERDER EEN KLASSIEKER
GEWONNEN?

JA.

NOG MEER PAARDEN?

JA.

Ik was weer bij het begin terug en werkte het hele programma nogmaals door voor elk paard dat in de koers had
meegelopen. De vragen waren niet altijd precies hetzelfde,
omdat andere antwoorden andere wedervragen opriepen,
en voor sommige paarden waren er veel meer vragen dan
voor andere. Het kostte mij ruim een uur om alles op te
zoeken en ik dacht bij mezelf dat als ik er ooit in alle ernst
aan zou beginnen, ik voor mijzelf een hele bende tabellen
zou maken die makkelijker afleesbaar zouden zijn dan
degene die in de verschillende naslagwerken stonden.
Toen ik eindelijk de slotvraag NOG MEER PAARDEN?
met NEE had beantwoord, kreeg ik het duidelijke antwoord dat geen twijfel liet bestaan aan het genie van Liam
O'Rorke.

Genotti stond boven aan de lijst met winstfactoren. Op
de tweede plaats kwam er een outsider op voor, met als
derde het paard dat als favoriet gestart was; en in de uitslag van de St. Leger hadden die drie paarden in precies
dezelfde volgorde gestaan.

Ik kon het nauwelijks geloven.

Ruth Quigley zei opeens: 'De verkeerde uitslag gekregen? U trekt zo'n overdonderd gezicht.'

'Nee – de juiste.'

'Verontrustend.' Ze grijnsde heel even. 'Als ik de resultaten krijg die ik verwacht, kijk ik alles nog eens drie keer
na. Met zelfvoldaanheid koop je niets. Wilt u koffie?'

'Graag,' zei ik en ze maakte het al even vlug klaar **als** ze al het overige deed.

'Hoe oud bent u?' vroeg ik.

'Eenentwintig. Waarom?'

'Ik had de indruk dat u op de universiteit was geweest.'

'Mijn kandidaats op mijn twintigste plus een maand. Niets bijzonders. Heb moeten liegen om er op te komen natuurlijk. Alles gaat tegenwoordig zo langzaam. Veertig jaar geleden was het mogelijk op je negentiende of nog jonger een graad te halen. Nu houden ze aan kalenderleeftijd vast. Waarom? Waarom moet je mensen afremmen? Het leven is toch al zo verschrikkelijk kort. Mijn doctoraal op mijn twintigste plus zes maanden. Deed de twee opleidingen gelijktijdig. Niemand die het wist. Vertel het niet verder. Ben nu met mijn proefschrift bezig. Stelt u er belang in?'

'Ja,' zei ik naar waarheid.

Ze toonde een glimlach als een zomerdag, stralend en meteen weer voorbij. 'Mijn vader zegt dat ik een saaipiet ben.'

'Dat meent hij niet.'

'Hij is arts,' zei ze, alsof dat veel verklaarde. 'Mijn moeder ook. Schuldcomplex, allebei. De mensheid meer geven dan je neemt. Zo iets. Ze kunnen er niets aan doen.'

'En u?'

'Ik weet het nog niet. Ik kan niet veel geven. Ik kan geen behoorlijke baan krijgen. Ze kijken naar mijn leeftijd en beoordelen me daarnaar. Tijd heeft praktisch nergens iets mee uitstaande. Als ik dertig ben geven ze me de banen die ik beter nu kan doen. Dichters en wiskundigen zijn vóór hun vijfentwintigste op hun best. Wat voor kans krijgen ze?'

'Om in hun eentje te werken.'

'Goeie god. Begrijpt u het? U verspilt uw tijd, ga maar door met die programma's van u. Vertel me niet wat ik zou moeten doen. Ik heb een aanstelling aan de universiteit voor onderzoekswerk. Wat moet ik onderzoeken? Wat valt er te onderzoeken? Waar ligt het onbekende, wat is er niet bekend, hoe luidt de vraag?'

Ik schudde hulpeloos mijn hoofd. 'Wachten tot de appel op je hoofd valt.'

'Het is waar wat ik zeg. Ik ben niet beschouwelijk van aard. Onder appelbomen zitten. Figuurlijke appelbomen. Heb ik geprobeerd. Ga maar verder met die knollen van u.'

Wijsgerig stopte ik YORK in het apparaat en werkte mij door de drie koersen waarvoor er programma's aanwezig waren, waarbij ik tot de ontdekking kwam dat bij twee daarvan de hoogst genoteerde paarden inderdaad gewonnen hadden. Drie winnaars op de vier koersen die ik had doorgewerkt. Ongelooflijk.

Met een onwezenlijk gevoel stopte ik EPSOM erin en werkte mij onverdroten door de vier koersen waarvoor er programma's bestonden; dit keer kwamen er helemaal geen winnaars uit de bus. Enigszins fronsend stopte ik er NEWBU in, wat Newbury was, en kreeg na een hele hoop hard en nauwgezet werk de winstfactoren op het scherm van de koers waarbij Angelo op de absoluut kansloze Pocket Handbook had gewed.

Pocket Handbook, die uitgeput en met minstens dertig lengten geklopt over de eindstreep was gegaan, stond boven aan de lijst van winstfactoren met een duidelijke voorsprong op nummer twee.

Wantrouwend staarde ik naar de rest van het rijtje, waarop de werkelijke winnaar met een te verwaarlozen puntenaantal als tweede van onderen vermeld stond.

'Wat mankeert eraan?' vroeg Ruth Quigley, die aan haar eigen apparaat bezig was en zelfs niet mijn richting uit keek.

'Hele stukken van het systeem liggen in de war.'

'O ja?'

Ik laadde het apparaat met GOODW en werkte vijf koersen door. Alle topscorers waren paarden die in werkelijkheid niet hoger dan als tweede geëindigd waren.

'Hebt u honger?' vroeg Ruth. 'Half vier. Een sandwich?'

Graag, zei ik en liep met haar mee naar het keukentje, waar ik tot mijn interesse zag dat haar snelheid bij het in plakjes snijden van tomaten door gebrek aan vaardigheid plotseling een stuk minder was. Voor haar doen bijzonder langzaam maakte ze vette, druipende gevallen van kaas, chutney, tomaten en corned beef klaar, die elk moment van het bord dreigden te tuimelen en bij het eten met beide handen vastgehouden dienden te worden.

'Er moeten logische verklaringen voor zijn,' zei ze, mijn verstrooide gelaat ziende. 'Menselijke logica kan fouten vertonen. Absolute logica niet.'

'Mm,' zei ik. 'Ted heeft mij laten zien hoe makkelijk het is om wachtwoorden tussen te voegen en te verwijderen.'

'Ja, en?'

'Het moet dus ook heel makkelijk zijn om daarnaast andere dingen te wijzigen?'

'Tenzij het in ROM staat. Dan valt het niet mee.'

'ROM?'

'Read Only Memory. Sorry.'

'Hij heeft mij laten zien hoe je door middel van LIST dingen kon afdraaien.'

'In dat geval hebt u RAM. Random Acces Memory. Daarbij kun je wijzigen wat je maar wilt. Kinderspul.'

We aten onze sandwiches op en keerden terug naar de toetsenborden. Ik stopte het Newbury-bestand in het apparaat, koos de koers van Pocket Handbook en draaide het programma stukje bij beetje af.

LIST 1200 – 1240, typte ik en zat voor het daardoor opgeroepen schermbeeld vol letters, getallen en symbolen uit te kienen wat de oorzaken van het probleem konden zijn.

1200 PRINT 'TYP PRIJZENGELD IN LOPEND SEIZOEN'.

1210 INPUT W; IF W < 1000 THEN T = T + 20.

1220 IF W > 1000 THEN T = T; IF W > 5000 T = T.

1230 IF W > 10000 THEN T = T; IF W > 15000 THEN T = T.

Zelfs voor mijn onwetende en ongetrainde ogen was het onzin. Dit kon Liam O'Rorke niet bedoeld hebben, dit kon Peter Keithly niet geschreven hebben, dit zou Ted Pitts nooit gebruikt hebben. Wat er in gewone taal stond, was dat indien die winsten van een paard over een seizoen mínder dan duizend pond bedroegen, het cijfer dat de winstfactor aangaf met 20 verhoogd moest worden, en dat als ze méér bedroegen dan duizend pond, en hoeveel meer deed er niet toe, het cijfer van de winstfactor in het geheel niet verhoogd werd. De minst succesvolle paarden zouden daardoor op dit punt het hoogst uit de bus komen. De waardering was precies omgekeerd en de antwoorden moesten daarom wel fout uitkomen.

Terwijl de lugubere zekerheid van wat er gebeurd was mij daar aanstaarde deed ik het Epsom-bestand in het apparaat en zocht de programma's na naar de vier koersen waarbij Angelo verloren had. In twee gevallen was de puntenwaardering voor prijzengeld omgekeerd.

Ik probeerde Goodwood. Bij drie van de vijf vermelde koersen idem dito.

Onnoemelijk terneergeslagen laadde ik het apparaat met de bestanden voor Leicester en Ascot, waar in de komende week koersen gehouden zouden worden. Ik typte de namen van alle koersen die er gelopen werden en kwam tot de bevinding dat er voor acht daarvan programma's aanwezig waren – één in Leicester en zeven in Ascot. Ik draaide elk van de acht programma's bij gedeelten af en ontdekte dat bij vier ervan het aantal punten voor het vergaren van veel prijzengeld nul was, terwijl het puntenaantal voor minder dan duizend pond aan prijzengeld tot 20 kon oplopen.

De programma's van alle renbanen vermeldden enkele koersen waarvan ik met zekerheid wist dat ze nog geen veertien jaar bestonden. Moderne koersen, ingevoerd sinds Liam O'Rorke gestorven was.

De programma's waren niet langer zuiver O'Rorke, maar O'Rorke volgens Pitts. Een bijgewerkte, uitgebreide, vernieuwde O'Rorke. Een, althans op deze bandjes, aangetaste, vervalste, verminkte O'Rorke. Ted Pitts – het moest onder ogen worden gezien – had het systeem verknoeid voor hij het mij had gegeven... en had mij weerloos overgeleverd aan de toorn van Angelo Gilbert.

Ik bedankte de teleurgestelde en briljante juffrouw Quigley voor haar gedurende een hele dag getoonde geduld en reed huiswaarts naar Cassie.

'Wat is er aan de hand?' vroeg ze onmiddellijk.

Vermoeid zei ik: 'Stront aan de knikker.'

'Hoe bedoel je?'

'Angelo denkt dat ik hem beduveld heb. Dat het wedsysteem dat ik hem gegeven heb niet deugt. Dat er te veel verliezers uit de bus komen. Nou, dat klopt ook. Normaal gesproken moet het goed zijn, maar op deze bandjes zijn er dingen veranderd. Ted Pitts heeft in zoveel programma's zitten knoeien, dat iedereen die ze gebruikt plat op zijn inhalige snuit valt.' Ik legde het haar uit van de omgekeerde puntenaantallen voor prijzengeld, waardoor er idiote resultaten uit de bus kwamen. 'Best mogelijk dat hij met dezelfde bedoeling ook een paar van de andere puntenwaarderingen veranderd heeft. Daar kan ik niet achter komen.'

Ze keek even verbluft als ik mij voelde. 'Wil je zeggen dat Ted Pitts dat met ópzet gedaan heeft?'

'Dat is wel zeker.' Ik dacht weer aan de tijd die hij ervoor nodig had gehad om mijn 'kopieën' te maken; aan het uur dat ik bij zijn zwembad met Jane had zitten praten, terwijl hij, op eigen verzoek, alleen aan het werk was geweest.

'Maar waarom?' vroeg Cassie.

'Weet ik niet.'

'Je hebt hem zeker niet verteld waar je de bandjes voor nodig had?'

'Nee.'

Weifelend zei ze: 'Misschien zou het beter geweest zijn indien je gezegd had van hoe groot belang ze waren.'

'En misschien zou hij ze me dan helemaal niet gegeven hebben, als hij geweten had dat ik Angelo in de kelder opgesloten had. Ik bedoel, ik had het idee dat hij er misschien niet bij betrokken wilde raken. De meeste mensen zouden daar in zo'n geval niets voor voelen. Daar komt nog bij dat hij, als hij net als Jonathan was, de puntenwaardering desondanks veranderd zou kunnen hebben, alleen maar om te voorkomen dat Angelo er voordeel uit zou trekken. Dat valt niet te zeggen. Jonathan zelf zou Angelo op de een of andere manier toch weer een streek hebben geleverd. Dat weet ik wel zeker.'

'Je denkt niet dat Ted Pitts aan Jonathan gevraagd heeft wat hij moest doen?'

Ik ging mijn geheugen na en schudde mijn hoofd. 'Het was nog vóór negen uur 's ochtends dat ik bij Pitts ben geweest. Dan is het omstreeks één uur 's nachts in Californië. Zelfs al had hij zijn nummer gehad, wat ik betwijfel, dan geloof ik nog niet dat hij Jonathan in het holst van de nacht zou hebben opgebeld... en Jonathans stem klonk werkelijk teleurgesteld toen ik hem vertelde dat ik Angelo de bandjes gegeven had. Nee, Ted moet hier zijn eigen redenen voor hebben gehad en het op eigen houtje gedaan hebben.'

'Waarmee je niet veel opschiet.'

Ik schudde mijn hoofd.

Ik moest eraan denken met hoeveel zekerheid ik de dag tevoren naar het huis van Harry Gilbert was gegaan. Lieve genade, wat kon iemand zich vergissen, hoe naïef kon iemand toch zijn.

Als ik Angelo waarschuwde dat hij de bandjes de komende week niet moest gebruiken, zou hij ervan overtuigd zijn dat ik hem beduveld had en als de dood was dat hij wraak zou nemen. Als ik hem níét waarschuwde dat hij de bandjes niet moest gebruiken, zou hij naar alle waarschijnlijkheid weer verliezen en er meer dan ooit van overtuigd zijn dat ik hem beduveld had...

Als ik Ted Pitts de juiste antwoorden ontwrong en ze aan Angelo doorgaf, zou hij nog steeds denken dat ik hem opzettelijk waardeloze bandjes had gegeven – waarmee hij al geld verloren had.

Ted Pitts was in Zwitserland in de bergen aan het wandelen.

'Voel je iets voor een lange, langzame boottocht naar Australië?' vroeg ik aan Cassie.

19

'Nee, het spijt me verschrikkelijk,' zei Jane Pitts aan de telefoon, 'hij trekt rond en blijft iedere dag ergens anders overnachten. Heel vaak slaapt hij in zijn tent. Is het belangrijk?'

'Ontzettend,' zei ik.

'O, lieve help. Kan ik niet helpen?'

'Er zit iets fout in die bandjes die hij voor me gemaakt heeft. Zou het mogelijk zijn dat je me de zijne leende?'

'Nee, dat kan ik echt niet doen. Het spijt me verschrikkelijk, maar ik weet niet waar hij alles bewaart in die kamer en hij heeft er een besliste hekel aan dat er iemand aan zijn spullen komt.' Ze dacht enkele minuten na, er niets van snappend, maar niet onwelwillend, vriendelijk, gaarne bereid me te helpen. 'Luister, ik weet zeker dat hij me een dezer dagen zal opbellen om te zeggen wanneer hij thuiskomt. Zal ik hem vragen of hij jou wil opbellen?'

'Ja, alsjeblieft,' zei ik hartstochtelijk. 'Of vraag hem waar ik hem kan bereiken, dan bel ik hem zelf. Zeg hem alsjeblieft dat het echt dringend is, smeek hem erom, wil je dat voor mij doen? Vertel hem dat het nog meer omwille van Jonathan is dan voor mij.'

'Ik zal het hem zeggen,' beloofde ze. 'Zodra hij belt.'

'Je bent gewetenloos,' zei Cassie toen ik de hoorn neerlegde. 'Het is omwille van jezelf en niet voor Jonathan.'

'Hij zou niet graag tranen plengen op het graf van zijn broer.'

'*William!*'

'Een grapje,' zei ik haastig. 'Zo maar een grapje.'

Cassie huiverde echter. 'Wat ben je van plan te gaan doen?'

'Nadenken.'

De gedachte waarvan ik uitging was dat hoe meer Angelo verloor, des te kwader hij zou worden en dat mijn eerste doelstelling daarom moest zijn hem te laten ophouden met wedden. Ik mocht van Taff en de anderen nauwelijks verwachten dat ze zich dergelijke voordeeltjes zouden laten ontglippen, waardoor alleen de geldbron, Harry Gilbert zelf, overbleef. Wat precies zou ik tegen Harry Gilbert kunnen zeggen, vroeg ik mij af, om ervoor te zorgen dat Angelo geen geld meer kreeg voor de inzetten, zonder dat hij meteen naar mij toe kwam om zijn woede te koelen?

Ik zou hem kunnen vertellen dat het systeem van Liam O'Rorke niet meer bestond; dat ik de bandjes in goed vertrouwen had gekregen, maar zelf beduveld was. Ik kon hem een hele hoop halve waarheden vertellen, maar of hij me zou geloven en of hij Angelo in bedwang zou kunnen houden, ook indien hij zichzelf al had laten overtuigen, omtrent die imponderabilia durfde ik geen voorspelling te wagen.

Er was werkelijk niets anders dat ik kon doen.

Ik had er zeer zeker geen behoefte aan een val voor Angelo op te stellen zodat hij weer naar de gevangenis gestuurd zou worden; veertien jaar was voor iedereen meer dan zat. Ik wilde alleen maar wat ik vanaf het begin gewild had – dat hij mij met rust zou laten. Ik wilde dat hij een kopje kleiner, onschadelijk, handelbaar gemaakt werd. Ik verwachtte wel heel wat.

Een nacht die ik met mijn gedachten bij plezieriger dingen doorbracht leverde geen verstandiger plan op. Een paar regels in *Sporting Life*, die ik bij een vlug ontbijt nadat ik een uur bij de paarden op de Heath had doorgebracht las, deed mij wensen dat Angelo mijn probleem zelf zou oplossen door iemand anders een klap op zijn hoofd te geven; ongeveer even onwaarschijnlijk als de kans dat hij met behulp van het systeem een goede week zou maken. De krant schreef dat Lancer, de bookmaker, op zijn eigen stoep was overvallen toen hij vrijdagavond was thuisgekomen van de koersen in Newbury. Zijn portefeuille, waarin ongeveer drieënvijftig pond had gezeten, was gestolen. Met Lancer was alles goed, de politie had geen enkele aanwijzing; arme Lancer, beroerd voor hem.

Ik zuchtte. Wie, vroeg ik mij af, kon ik door Angelo een klap op zijn hoofd laten geven?

Afgezien van mijzelf natuurlijk.

Vanwege de knieëngrabbelaar bracht ik Cassie wanneer het maar even kon zelf met de auto naar haar werk en die ochtend ging ik, nadat ik haar had afgezet, regelrecht door naar Welwyn Garden City, zonder dat het vooruitzicht van wat ik ging doen mij bijzonder toelachte, maar veel keus had ik niet. Ik hoopte zowel Harry Gilbert als Angelo aan zijn verstand te kunnen brengen dat de vernielingen die het systeem van O'Rorke in de loop der jaren had ondergaan niet ongedaan konden worden gemaakt, dat het naar de maan was, niet langer bestond, niet hersteld kon worden. Ik was van plan hun nogmaals te vertellen dat iedere gewelddaad van de kant van Angelo hem opnieuw in de cel zou doen belanden; te proberen hen ervan te overtuigen... hun schrik in te boezemen.

Ik was langer dan Angelo en torende hoog boven een man in een rolstoel uit. Ik was van plan hen lichamelijk af te bluffen, enigszins te intimideren, in elk geval de fysieke indruk achter te laten dat het voor hen tijd was om in te binden. Zelfs op Angelo, die toch van kindsaf moest weten hoe je iemand angst kon aanjagen, zou het misschien enig effect hebben.

Eddy deed de voordeur open en probeerde hem meteen weer dicht te doen toen hij zag wie er gebeld had. Ik duwde hem met kracht ter zijde.

'Harry is niet aangekleed,' zei hij angstig, maar het was niet duidelijk of hij bang was voor mij, dan wel voor Harry.

'Hij ontvangt me wel,' zei ik.

'Nee. Dat gaat niet.' Hij probeerde mij de doorgang te versperren naar een van de wijd openstaande deuren aan de zijkant van de vestibule, waardoor hij me wees waar ik moest zijn, en ik liep erheen terwijl Eddy mij van richting probeerde te laten veranderen door zich tegen mij aan te dringen.

Weer duwde ik hem opzij en opende de deur, waarop ik mij in een gangetje bevond dat naar een grote slaapkamer liep waarvan het eerste dat opviel weer zo'n groot raam was dat uitkeek op de golfbaan.

Harry lag in een groot bed met zijn gezicht naar het raam, ziek en oud aan het worden, maar nog altijd op een ondefinieerbare wijze niet weerloos, zelfs niet in pyjama.

'Ik heb geprobeerd hem tegen te houden,' zei Eddy vruchteloos.

'Neem dit blad weg en verdwijn,' zei Harry Gilbert en Eddy pakte het half opgegeten ontbijt dat door mijn komst was onderbroken van de dekens. 'Doe de deur dicht.' Hij wachtte tot Eddy verdwenen was en zei toen op ijzige toon tegen mij: 'En?'

'Ik heb ontdekt,' zei ik met veel nadruk, 'dat het wedsysteem van Liam O'Rorke gelijk staat aan de pokken. Er dient mee omgegaan te worden als met de pest. Het brengt ongeluk aan al degenen die het aanraken. Het oude systeem is door te veel handen gegaan, is door de tand des tijds aangetast. Het deugt niet meer. Als u uw geld wilt redden, laat Angelo dan ophouden het te gebruiken, en het heeft in elk geval geen zin kwaad op mij te worden. Ik heb het systeem in goed vertrouwen voor u te pakken gekregen en ik was razend toen ik ontdekte dat het waardeloos was. Laat Angelo hier komen, zodat ik het hem kan vertellen.'

Harry Gilbert staarde mij als gewoonlijk aan met zijn gezicht waarop niets te lezen viel en gaf van geen enkele ontsteltenis blijk toen hij op zijn half blubberende wijze zei: 'Angelo is er niet. Hij is naar de bank om mijn cheque te verzilveren. Hij gaat naar de koersen in Leicester.'

'Hij gaat verliezen,' zei ik. 'Ik had ook niets kunnen zeggen. Toch kom ik u waarschuwen. U zult uw geld kwijt zijn.'

Er moesten allerlei gedachten door het hoofd achter de koude ogen zijn gegaan, maar daar was nauwelijks iets van te merken. Ten slotte, en dat moest hem innerlijk heel veel moeite gekost hebben, zei hij: 'Kun jij hem tegenhouden?'

'Houd de cheque tegen,' zei ik. 'Bel de bank op.'

Hij keek even op de klok naast zich. 'Te laat.'

'Ik kan naar Leicester gaan,' zei ik. 'Ik zal hem zien te vinden.'

Na een kort stilzwijgen zei hij: 'Goed.'

Ik knikte kortaf, liet hem alleen en reed naar Leicester, met het gevoel dat, zelfs al was het mij gelukt Harry te overtuigen, wat nog helemaal niet zeker was, ik met Angelo tegenover een onmogelijke opgave stond. Het onmogelijke moest niettemin geprobeerd worden; in elk geval zou hij mij, meende ik, op een drukke renbaan niet zo maar aanvallen.

Op de renbaan van Leicester bleek het op die koude herfstdag even druk te zijn als in een goed doorrookte bijenkorf, met slechts hier en daar plukjes vasthoudende, in zwarte jassen rondsjokkende figuren, met hun hoofd omlaag tegen de snerpende wind. Zoals soms wel op doordeweekse dagen gebeurt op renbanen die vlak bij een grote stad liggen, was het hele gebeuren doortrokken van de nonchalante en oppervlakkige sfeer van een zonder bezieling uitgevoerd ritueel.

Taff liep bij zijn bierkrat heen en weer te stampen, op zijn vingers te blazen en te klagen dat hij betere zaken zou hebben gedaan indien hij naar de andere koersen van die dag was gegaan, die in Bath.

'Maar tenslotte werd hier de Midlands Cup gelopen,' zei hij. 'Dat wordt een goede koers. Ik had gedacht dat het wel mensen zou trekken – en bekijk ze eens, niet genoeg gokkers om vinger-in-de-roet rond een kaarsje te dansen.' Zijn Welsh accent borrelde over van walging.

'Wie maak jij favoriet?' vroeg ik glimlachend.

'Pink Flowers.'

'En Terrybow dan?'

'Wie?'

'Loopt mee in de Midlands Cup,' zei ik geduldig. Terrybow, de keuze van de computer, boven aan de lijst van winstfactoren. Terrybow, die de gewoonte had als tiende of twaalfde te eindigen, of als zevende of achtste, of als vijftiende of twintigste – nooit als allerlaatste, maar een heel eind van de overwinning vandaan.

'O, Terrybow.' Hij raadpleegde een notitieboekje. 'Twintig, zo je wilt.'

'Twintig tegen één?'

'Vijfentwintig dan. Beter dan vijfentwintig kan ik je niet geven. Hoeveel wil je inzetten?'

'Hoeveel neem je aan?'

'Zoveel je maar wilt,' zei hij opgewekt. 'Geen limiet. Tenzij je iets weet dat ik niet weet, dat hij tot zijn oogballen vol zit met raketstof, bij voorbeeld.'

Ik schudde mijn hoofd en keek het rijtje verkleumde, mopperende bookmakers langs, die maar een fractie van hun normale handel te doen hadden. Als Angelo bij hen had gestaan had ik hem gemakkelijk moeten zien, maar er was geen spoor van hem te bekennen. De Midlands Cup was de vierde koers die op het programma stond, het duurde nog een uur voor hij begon, en als Angelo zich door dik en dun aan het onzalige systeem hield zou Terrybow het enige paard zijn waarop hij wedde.

'Heb je Angelo Gilbert hier vandaag nog gezien, Taff?' vroeg ik.

'Nee.' Hij nam een weddenschap aan van een man in een regenjas die nogal geheimzinnig deed en gaf hem een briefje. 'Een tientje tegen drie, Walkie-Talkie,' zei hij tegen zijn bediende.

'Hoe gaat het met Lancer?' vroeg ik. 'Ik zie hem nergens.'

'Die ligt met een buil op zijn kop te vloeken op het tuig dat hem overvallen heeft.' Hij pakte nogmaals een tientje aan van een doelbewuste vrouw met een bril op. 'Een tientje tegen acht. Engineer. Een stel blagen rolt de zakken van Lancer op zijn eigen stoep. Nou vraag ik je, hij verdient duizenden op de renbaan, levert het aan het eind van de dag bij zijn firma in, gaat dan naar huis en wordt neergeslagen voor vijftig piek.'

'Heeft hij gezien wie hem beroofd heeft?'

'Een van de andere jongens van Joe Glick die hier is zegt dat het een ploeg opgeschoten jongens was.'

Angelo dus niet, dacht ik. Nu, dat zou ook haast onmogelijk geweest zijn. Maar *als* hij...

Ik keek hoopvol naar Taff, die voor zichzelf werkte en aan het eind van de dag met al zijn verdiensten naar huis ging. Jammer dat Angelo niet op heterdaad te betrappen zou zijn wanneer hij zijn inzetgeld terug zou pakken nadat Terrybow verloren had... jammer dat het niet zo viel te regelen dat de politie bij de hand was wanneer Angelo zou proberen Taff op weg naar huis te overvallen.

Ik begin mij al allerlei fantasieën in mijn hoofd te halen, dacht ik; het werkt op je humeur.

Er ging enige tijd voorbij en Angelo, die alomtegenwoordig was geweest toen ik hem probeerde te ontlopen, viel nergens te bekennen. Ik liep tussen de bookmakers door en vroeg het behalve aan Taff nog aan anderen, maar geen van hen had Angelo die hele middag gezien en tijdens het gereedmaken voor de Midlands Cup was er nog altijd geen spoor van hem. Als hij tenslotte toch naar Bath was gegaan, dacht ik, verknoeide ik mijn tijd – maar de enige koers van die dag op de bandjes van O'Rorke was de Midlands Cup; en het enige aangewezen paard Terrybow.

Toen er niet meer dan vijf minuten over waren en de paarden al naar de start galoppeerden ontstond er onder de mannen met witte handschoenen op de tribune die met gebaren de zich wijzigende wedkoersen doorseinden plotseling een enorme activiteit. Doordat ze niet over rechtstreekse verbindingen als telefoon en radio beschikten waren de bookmakers geheel afhankelijk van hun seinende helpers om hen ervan op de hoogte te houden indien er bij hun firma grote bedragen op een bepaald paard werden gezet, zodat ze de geboden prijs omlaag konden brengen. Taff zag zijn man als een bezetene staan seinen, veegde de 20 op zijn schoolbord naast de naam Terrybow weg en schreef met zijn krijtje 14 op. De hele rij langs waren alle andere bookmakers op soortgelijke wijze bezig. Terrybow zakte nog verder naar 12.

'Wat is er gaande?' drong ik bij Taff aan.

Hij wierp een verstrooide blik in mijn richting. 'Iemand in het goedkope vak zet een smak geld op Terrybow.'

'Verdómme,' zei ik verbitterd. Ik had er niet aan gedacht Angelo ergens anders te zoeken dat in de buurt van de plaatsen waar hij zich gewoonlijk ophield; zeker niet in het van alle gemakken verstoken vak verderop langs de baan waar de toegangsprijs gering was, het uitzicht op de koers matig en de verwachtingen van de enkele bookmakers die daar zaken deden karig tot aan het punt van niet de moeite waard om er de hele middag voor in de kou te staan. Zelfs al had ik eraan gedacht, dan nog zou ik er niet heen zijn gegaan, omdat ik daardoor het risico zou hebben gelopen dat ik Angelo in de paddock misliep. Verdomme en nog eens verdomme, dacht ik. Vervloekt zij Angelo, vandaag en alle andere dagen en al zijn verdere levensdagen.

'Jij wist iets van die Terrybow af,' zei Taff op verwijtende toon tegen mij.

'Ik heb niet op hem gewed,' zei ik.

'Nee, da's waar, dat heb je niet gedaan. Maar wat is ermee aan de hand?'

'Angelo Gilbert,' zei ik. 'Hij sluit zijn weddenschappen af waar ze hem niet kennen, voor het geval jullie hem hier geen goede prijs geven.'

'Wat? Echt?' Hij lachte, veegde de 12 naast Terrybow weg en schreef er weer 20 voor in de plaats. Een kleine toeloop van gokkers was er het gevolg van en hij pakte hun geld vergenoegd aan.

Ik ging de tribune op en moest woedend toezien hoe Terrybow liep zoals hij gewend was en als twaalfde of vijftiende over de eindstreep sukkelde. Ted Pitts had me net zo goed onder de wielen van een vrachtauto kunnen duwen, dacht ik met een akelig gevoel.

Toch kreeg ik Angelo die middag nog te zien, evenals trouwens praktisch iedereen die voor de aanvang van de zesde koers nog niet naar huis was gegaan.

Angelo was het woedend schreeuwende epicentrum van een opstootje dat in de buurt van de weegkamer gaande was; een ruzie waarbij verschillende bookmakers, een menigte wedstrijdbezoekers en een paar bezorgd kijkende officials betrokken waren. Verschillen van mening tussen bookmakers en cliënten werden traditiegetrouw op die plek behandeld door één bepaalde official van de Jockey Club, de baaninspecteur. Angelo bleek hem een stomp in zijn gezicht te hebben gegeven.

De samengedromde menigte week een klein stukje uiteen en verwisselde van plaats, en even later stond ik vlak vooraan tussen de toeschouwers met een vrij uitzicht op de vertoning. De baaninspecteur hield zijn hand tegen zijn kaak gedrukt en probeerde met een van pijn vertrokken gezicht mee te doen aan de discussie, zes bookmakers verklaarden hartstochtelijk dat je je eenmaal vergokte geld onherroepelijk kwijt was, terwijl Angelo er met gebald zwaaiende vuist op stond dat ze het hem terug zouden geven.

'Jullie hebben me belazerd,' riep hij. 'Het hele stel van jullie bij mekaar, jullie hebben mijn geld gestolen.'

'Je hebt het heel eerlijk vergokt,' gilde een bookmaker, terwijl hij Angelo een fel zwaaiende vinger onder zijn neus duwde.

Angelo beet in de vinger. De bookmaker gilde nog eens zo hard.

Een man die naast mij stond lachte, maar de meeste toeschouwers hadden minder objectief partij gekozen en het had er alle schijn van dat er maar een vonkje nodig was om een algehele vechtpartij te ontketenen. In deze dreigende situatie en tussen de kwaad gebarende handen en felle stemmen door kwamen twee politieagenten aangelopen, beiden nog heel jong, beiden tenger van gestalte, beiden wat omvang en lichaamskracht betrof zo op het oog geen partij voor de in de gevangenis gepokte en gemazelde

Angelo. De baaninspecteur zei iets tegen een van hen dat voor mij in het geharrewar onverstaanbaar was, en tot zijn immense verbazing had Angelo opeens om de pols die hij op dat moment toevallig net even niet in de lucht heen en weer zwaaide een handboei zitten.

Hij zette het op zo'n gebrul van woede dat de duiven op het dak van de weegkamer opvlogen. Hij rukte met zijn volle gewicht en de jeugdige politieagent, wiens ene pols door de andere handboei stak, werd omver getrokken en kwam op zijn knieën terecht. Het leek niet onmogelijk dat Angelo hem onder zijn arm zou nemen en doodleuk met hem wegrennen, maar de tweede agent kwam de eerste te hulp, beet Angelo iets toe en haalde zijn portofoon uit zijn borstzak om versterking te laten aanrukken.

Angelo keek naar de kring van toeschouwers, zonder veel hoop dat hij zich daar doorheen zou kunnen wringen, naar de onverwacht handige agent die hem had overmeesterd en die net weer overeind krabbelde, naar de ziedende bookmakers die tekenen van voldoening vertoonden, en ten slotte recht naar mij.

Hij deed met zoveel kracht een stap in mijn richting, dat de half overeind gekomen politieagent opnieuw zijn evenwicht verloor en op zijn rug viel, met zijn in de handboei uitgestrekte arm onhandig boven zijn hoofd gestrengeld. De dreigende houding van Angelo zwol opeens tot zulk een ontzaglijke omvang aan, zo iets vreemds voor een gewone ruzie op een renbaan, dat het geroezemoes verstomde en iedereen hem angstig aankeek. Zijn hele lichaam leek op te zwellen van monsterachtige vermetelheid en al waren de woorden die hij uitstootte dan ook laag bij de gronds, in zijn knarsende stem trilde een duistere dreiging die regelrecht uit een mythe afkomstig leek.

'Jij,' zei hij, ieder woord benadrukkend. 'Jij en dat schijthuis van een broer van je.'

Aan zijn gezicht was te zien dat hij zich bewust was van het feit dat aller ogen om ons heen op hem gericht waren en hij sprak niet hardop uit wat hij dacht, maar ik kon het even duidelijk horen alsof hij de slapende heuvels had wakker geschreeuwd.

Ik vermoord je. *Ik vermoord je.*

Het was niet zozeer een nieuw voornemen, dan wel een belofte. Meer dan ooit onverzoenlijk.

Ik staarde terug alsof ik het niet gehoord had, alsof het daar niet uit zijn ogen sprak. Hij knikte echter, als van woeste voldoening, en draaide zich met een gelaten schouderophalen om naar de op de been krabbelende politieagent, hem de laatste paar centimeters overeind trekkend; daarna liep hij, zonder zich te verzetten, tussen de beide agenten in naar een politieauto die door het hek naar binnen kwam gereden. De auto hield stil. Ze zetten hem op de achterbank tussen zich in en reden vervolgens weg, en de nu merkwaardig stil geworden menigte week uiteen en verspreidde zich.

Vlak naast mij zei een stem, de Welshe stem van Taff: 'Weet je waardoor dat alles begonnen is?'

'Waardoor dan?' vroeg ik.

'De bookmakers in het goedkope vak zeiden tegen Angelo dat hij een groot uilskuiken was. Het schijnt dat ze hem uitgelachen hebben. Hem een beetje gesard, weet je, maar aanvankelijk heel gemoedelijk. Ze zeiden dat ze zijn geld met plezier zouden blijven aanpakken, want als hij dacht dat hij het oude systeem van Liam O'Rorke gekocht had, nou dan was hij opgelicht, getild, vernacheld, in de boot genomen, in grove trekken belazerd van hier tot Kerstmis.'

Lieve god.

'Nou, daarop knapte Angelo zowat uit elkaar en begon te proberen zijn inzetten terug te krijgen.'

'Ja,' zei ik.

'Nou,' zei Taff vrolijk. 'Dat maakt wel enig verschil, hoewel ik vond dat die stommerds in het goedkope vak beter hun kop hadden kunnen houden. Die Angelo was zo'n beetje de gouden kip en na dit gevalletje zal hij geen gouden eieren meer leggen.'

Ik reed naar huis met het gevoel dat de golven zich boven

mijn hoofd sloten. Wat ik ook deed om mij uit de vang-armen van Angelo los te maken, het leek wel of ik steeds verder in de kronkelingen terecht kwam.

Hij zou hierna geen moment meer geloven dat ik hem niet met opzet beduveld had. Zelfs als ik hem eindelijk het echte, goede systeem zou kunnen bezorgen, zou hij me nog niet de verloren weddenschappen vergeven, het hoon-gelach van de bookmakers, de klik van die handboeien.

Misschien dat de politie hem een nacht vasthield, dacht ik, maar niet veel langer; ik betwijfelde of een stomp en een paar schreeuwen zijn voorwaardelijke invrijheidstel-ling in gevaar zouden brengen. Bij de rekening die hij in zijn hoofd had zou echter een nacht in de cel worden opge-teld, die hem samen met die welke hij bij mij in de kelder had doorgebracht dwars zou blijven zitten – en als hij kwaad genoeg uit de gevangenis was gekomen om mij te overvallen zonder dat hij iets anders tegen mij had dan dat ik Jonathans broer was, met hoeveel meer woede zou hij zich dan nu niet uitleven.

Toen ik eindelijk thuiskwam was Cassie daar al een hele tijd opgewekt en blij bij het vooruitzicht dat de vol-gende middag haar arm uit het gips zou gaan. Ze had er een hele dag voor vrij genomen van haar werk en had de grabbelaar voor het laatst bedankt, erop rekenend dat ze meteen alweer zo'n beetje zou kunnen rijden. Ze zat in de keuken te neuriën terwijl ik spaghetti kookte voor het avondeten, en ik kuste haar verstrooid en dacht aan An-gelo en wenste hem van ganser harte dood.

We waren nog niet met eten klaar of de telefoon rin-kelde en het was, totaal onverwacht, Ted Pitts die uit Zwitserland opbelde. Zijn stem klonk in het geheel geno-men even koel als de Alpen.

'Vond dat ik maar beter even mijn verontschuldigingen kon aanbieden,' zei hij.

'Heel aardig van je.'

'Jane vindt het misselijk van me. Ze zei me dat ik jou meteen moest opbellen. Ze zei dat het dringend was. Hier ben ik dus. Sorry hoor.'

'Ik vroeg me alleen af waarom je het gedaan hebt,' zei ik hulpeloos.

'De puntenwaardering overhoop gegooid?'

'Ja.'

'Je vindt het waarschijnlijk gemeen van me. Jane zegt dat het zo gemeen van me is dat ze zich voor me schaamt. Ze is des duivels. Ze zegt dat we al onze voorspoed aan Jonathan te danken hebben, en dat ik de broer van Jonathan nu een ontzettend vuile streek heb geleverd. Ze is zo kwaad dat ze haast geen woord tegen me wil zeggen.'

'Nu dan... waaróm?' vroeg ik.

In elk geval scheen hij te willen dat ik het begreep. Hij sprak ernstig, het mij uitleggend, zich verontschuldigend, mij de vernietigende waarheid vertellend. 'Ik weet het niet. Het gebeurde in een impuls. Ik was met die kopieën bezig en opeens ging het door mij heen dat ik geen afstand wilde doen van het systeem. Ik wilde niet dat iemand anders het bezat. Het was van mij. Niet van Jonathan, enkel van mij. Hij had het zelfs niet willen hebben en ik had het al die jaren voor mijzelf gehad, en ik had er dingen aan toegevoegd en er mijn eigen stempel op gedrukt. Het hoorde mij toe. Het was van *mij*. En daar kwam jij er gewoon om vragen alsof je er recht op had, en opeens dacht ik bij mezelf, waarom zou ik? Ik heb daarom vlug een heleboel van die puntenwaarderingen veranderd. Ik had geen tijd ze uit te proberen. Ik moest het op de gok doen. Ik dacht dat ik net genoeg veranderd had, maar het schijnt dat ik het te veel heb gedaan. Anders zou je het nooit gecontroleerd hebben... Het was mijn bedoeling dat je het systeem zou gebruiken en niet genoeg winst maken om het al het werk ervoor waard te vinden, en er al gauw genoeg van zou krijgen.' Hij zweeg. 'Ik gunde het je niet, als je het werkelijk wilt weten.'

'Had je me maar verteld...'

'Als ik je verteld had dat ik het je niet wilde geven zou Jane me er wel toe gedwongen hebben. Ze wil dat ik het je nu geef. Ze is wel zo kwaad.'

'Als je zo vriendelijk zou willen zijn,' zei ik, 'zou je me

een hoop ellende besparen.'

'Je een fortuin bezorgen, bedoel je.' Zijn verontschuldiging leek niet uit zijn hart gekomen te zijn – hij leek nog steeds verbolgen over het feit dat ik zijn geheimen zou leren kennen.

Ik dacht er weer over hem over Angelo te vertellen, maar ik had nog altijd het idee dat hij dat misschien als een goede reden zou kunnen opvatten om mij het systeem níét te geven, en daarom zei ik alleen maar: 'Het zou toch ook voor twee mensen kunnen werken, of niet? Als iemand anders het had zou jij zelf toch even veel winst blijven maken als tevoren?'

'Dat zal denk ik wel,' zei hij met tegenzin.

'Nu dan... wanneer kom je thuis?'

'Over twee weken.'

Ik was met stomheid geslagen. Ontzet. God mocht weten wat Angelo over twee weken al gedaan had.

Met slechts half onderdrukt misnoegen zei Ted Pitts: 'Ik veronderstel dat je zwaar op de verkeerde paarden aan het wedden bent geweest en te veel verloren hebt, en nu een stuk eerder dan over twee weken uit de puree geholpen moet worden, hè?'

Ik betwistte het niet.

'Jane is des duivels. Ze is bang dat ik je meer geld heb gekost dan je je kunt veroorloven. Nou, dat spijt me dan.' Aan zijn stem was het niet te merken.

'Zou zij de bandjes kunnen vinden om ze aan mij te geven?' vroeg ik nederig.

'Hoe vlug heb je ze nodig?'

'Min of meer terstond. Zo mogelijk vanavond nog.'

'Oempf.' Hij dacht enkele tellen na. 'Goed dan. Goed. Maar je kunt jezelf de reis besparen, als je dat wilt.'

'Eh, hoe dan?'

'Heb je een bandrecorder?'

'Ja.'

'Jane kan de bandjes door de telefoon voor je afspelen. Het klinkt als een hoop gesnerp. Maar als je een beetje behoorlijke recorder hebt zullen de programma's het op een computer heel goed doen.'

'Goeie hemel.'

'Een hoop computerprogramma's gonzen dagelijks per telefoon de hele wereld rond,' zei hij. 'En naar satellieten en weer terug. Niets buitengewoons aan.'

Mij kwam het heel buitengewoon voor, maar ik was Ted Pitts niet. Ik bedankte hem dieper gemeend dan hij wel wist voor de moeite die hij zich getroost had om mij op te bellen.

'Bedank Jane maar,' zei hij.

Vijf minuten later bedankte ik haar inderdaad heel hartelijk.

'Ik kreeg de indruk dat je diep in de zorgen zat,' zei ze. 'Ik vertelde Ted dat ik je naar Ruth had gestuurd omdat je de bandjes wilde controleren, en toen kréúnde hij gewoon, en ik vroeg hem dus waarom... en toen hij me vertelde wat hij gedaan had was ik werkelijk des dúívels. Als ik eraan dacht hoe jij je dure geld wegsmeet, terwijl wij alles wat we bezitten aan Jonathan te danken hebben.'

Haar vriendelijkheid gaf me een schuldig gevoel. Ik zei : 'Ted zei dat je de echte bandjes over de telefoon voor me kon afspelen – als je het niet erg vindt.'

'O ja, natuurlijk. Ik heb het Ted vaak zien doen. Hij en Ruth zijn altijd bezig op die manier programma's uit te wisselen. Ik heb de bandjes hier naast mij liggen. Ik heb Ted gedwongen mij te vertellen waar ik ze kon vinden. Als je even aan de lijn blijft, dan ga ik de recorder halen en daarna speel ik ze meteen voor je af.'

Ik had haar vanuit het kantoor gebeld omdat de berichtenrecorder daar al rechtstreeks op de telefoon stond aangesloten, en toen ze terugkwam nam ik de kostbare programma's op Lukes voorraadje aan nieuwe, ongebruikte bandjes op, die misschien niet van eersteklas computerkwaliteit waren, maar niettemin minder risico zouden opleveren, dacht ik zo, dan wanneer ik zou trachten nieuwe computertaal boven op oude op te nemen.

Cassie kwam het kantoor binnen en luisterde naar het snerpende gejank dat almaar bleef doorgaan.

'Afgrijselijk,' zei ze; voor mij was het echter lieflijke muziek. Een losgeld voor de toekomst. Een paspoort voor een vreedzaam leven. In een plotselinge opwelling van optimisme, geheel in afwijking van mijn somberheid tijdens de terugrit uit Leicester, maakte ik mijzelf wijs dat onze moeilijkheden dit keer, nu we de echte bandjes hadden, voorbij zouden zijn. De oplossing was, zoals het steeds geweest was, Angelo rijk te maken, en dat was nu eindelijk mogelijk.

'Ik geef deze bandjes aan Angelo,' zei ik, 'en daarna gaan we een tijdje uit huis weg, een paar weken, alleen maar tot hij genoeg gewonnen heeft om zijn wraak te vergeten. En dan zijn we god zij dank eindelijk van hem af.'

'Waar gaan we heen?'

'Niet ver. Dat zullen we morgen wel zien.'

Toen er drie bandjes vol waren en het gejank ophield schakelde ik het recordergedeelte van het apparaat uit en praatte nog even met Jane.

'Ik ben je heel dankbaar,' zei ik. 'Meer dan ik kan zeggen.'

'Beste William, het spijt me zo...'

'Hoeft niet,' zei ik. 'Je hebt mijn leven gered.' Waarschijnlijk letterlijk waar, dacht ik. 'Alles komt in orde,' zei ik.

Zulke dingen moet je niet zeggen. Dat moet je echt niet doen.

20

Cassie ging 's ochtends vroeg met mij mee om de paarden op de Heath aan het werk te zien, enigszins huiverend in haar gevoerde eskimo-jak, broek en laarzen, maar volgens haar eigen zeggen blij dat ze in leven was, de vrije lucht kon inademen en de wijde ruimte zien. Haar adem kwam, net als de mijne en die van alle paarden, in longvormige pluimen gecondenseerde waterdamp naar buiten, in een seconde afgekoeld en verdwenen, maar terstond weer door andere vervangen, in warmte omgezette kou binnen in het wonder dat lichaam heet.

We hadden al bij wijze van voorbereiding het huis verlaten, kleren en noodzakelijke dingen ingepakt en de koffers bij mij in de auto gezet. Ik had ook een aktentas meegenomen waarin de kostbare bandjes en een hoop paperassen van Luke zaten, en ik had mijn telefoongesprekken door middel van een boodschap op het antwoordapparaat laten omleiden, zodat we alleen nog maar vlug even behoefden terug te komen om de post van die dag op te halen en in het café een regeling te treffen voor de postbestellingen in de komende tijd.

We hadden nog niet precies beslist waar we die nacht of de vele komende nachten zouden slapen, maar we bezaten samen een heleboel kennissen waar we voor onderdak zouden kunnen aankloppen en als we teleurgesteld zouden worden in de traditioneel gastvrije zoete-inval-mentaliteit van de rensportwereld, konden we gedurende korte tijd nog wel een hotel bekostigen. Ik voelde mij vrijer en opgeruimder dan ik in weken geweest was.

Sim begroette ons op de galoppeerplaats beslist hartelijk en Mort vroeg ons mee te gaan ontbijten. Dankbaar gingen we huiverend zijn huis binnen en warmden ons met toast en koffie, terwijl hij met een briefopener zijn post openmaakte en commentaar leverde bij wat hij tege-lijkertijd in de *Sporting Life* las. Mort deed nooit één ding tegelijk als hij er drie kon doen.

'Ik heb mijn telefoongesprekken hierheen laten omlei-den,' zei ik tegen hem. 'Vind je het erg?'

'O ja? Nee, allicht niet. Waarom?'

'Het huis is momenteel onbewoonbaar,' zei ik.

'Schilders?' Er klonk medeleven in zijn stem en het leek het simpelste om maar ja te zeggen.

'Er zal niet vaak gebeld worden,' beloofde ik. 'Alleen maar zakelijke aangelegenheden voor Luke.'

'Goed hoor,' zei hij. In twee scheppen slurpte hij een gekookt ei naar binnen. 'Nog wat koffie?'

'Beginnen de jaarlingen zich al thuis te voelen?' vroeg ik.

'Kom maar kijken. Kom vanmiddag, dan longeren we ze in de paddock.'

'Wat is longeren?' vroeg Cassie.

Mort wierp haar even een toegeeflijk glimlachje toe en knipte een paar keer met zijn vingers. 'Ze aan het eind van een lange teugel in een grote kring laten rondlopen. Om ze beweging te geven. Niemand rijdt er nog op. Ze zijn nog nooit gezadeld geweest. Te jong.'

'Dat zou ik graag willen zien,' zei Cassie, terwijl ze peinzend naar het plafond staarde en zich kennelijk af-vroeg of we er de tijd voor hadden.

'Waar woon je zolang?' vroeg Mort aan mij. 'Waar kan ik je vinden?'

'Weet ik nog niet,' zei ik.

'Echt niet? Waarom hier dan niet? Als je wilt heb ik wel een bed voor je.' Hij sloeg zijn tanden in een halve snee toast en slikte het in één hap door. 'Dan kun je je eigen telefoongesprekken beantwoorden. Wel zo handig.'

'Och,' zei ik. 'Voor één of twee nachten... heel erg be-dankt.'

'Afgesproken dan.' Hij grijnsde vrolijk naar Cassie. 'Mijn dochter zal het leuk vinden. Ik heb geen vrouw, moet je weten. Is er vandoor gegaan. Miranda, dat is mijn dochter, verveelt zich hier. Zestien, heeft gezelschap nodig van een meisje. Blijf een week. Voor hoe lang is het nodig?'

'Weten we niet,' zei Cassie.

Hij knikte heftig. 'De dingen nemen zoals ze vallen. Heel verstandig.' Hij pakte achteloos de briefopener op en begon zijn nagels ermee schoon te maken, wat mij onweerstaanbaar aan Jonathan deed denken, die zolang ik hem gekend had hetzelfde had gedaan met de punt van een geweerkogel.

'Ik dacht erover dit weekeinde naar Ierland te gaan,' zei ik, 'om te proberen weer vrede te sluiten met Donavan.'

Mort wierp me een verblindende grijnslach toe. 'Ik heb gehoord dat je een stuk stront bent en een onnozele hals, en dat je zes keer aan je hielen om de Curragh gesleept zou moeten worden. Op zijn minst.'

De telefoon die vlak naast hem op tafel stond had nog pas één keer fel gerinkeld, of Mort schreeuwde al 'Hallo?' in de hoorn. 'O,' zei hij. 'Hallo, Luke.' Met zijn wenkbrauwen gaf hij seintjes naar mij. 'Ja, die is hier net, aan het ontbijt.' Hij overhandigde mij de hoorn, terwijl hij zei: 'Luke heeft eerst jouw eigen nummer gebeld, zegt hij.'

'William,' zei Luke, met een ontspannen en onautoritaire klank in zijn stem. 'Hoe gaat het met de nieuwe jaarlingen?'

'Prima. Geen slechte berichten.'

'Ik denk dat ik ze eens kom bekijken. Om te zien wat je voor me gekocht hebt. Ik heb wel zin in een reisje. Hoor eens, kerel, doe me een plezier en reserveer voor me in de Bedford Arms voor twee nachten, de veertiende en vijftiende oktober.'

'Oké,' zei ik.

'Groeten aan Cassie,' zei hij. 'Kom de veertiende met haar dineren in de Bedford Arms, oké? Ik wil haar graag eens ontmoeten. En ik reis door naar Dublin, kerel. Was je van plan naar de openbare verkoping in Ballsbridge te gaan?'

'Ja, daar dacht ik wel over. Ralph Finnigan is gestorven... al zijn paarden worden verkocht.'

Lukes stem klonk voorzichtig zakelijk. 'Welke zou jij eruitpikken, kerel? Welke is het best?'

'Oxidise. Twee jaar oud, goede stamboom, snel, biedt vooruitzichten voor de Derby van volgend jaar juni en zal wel flink duur zijn.'

Luke liet een soort rommelend gegrom horen. 'Zou je hem naar Donavan sturen?'

'Dat zou ik zeker.'

Het gegrom ging over in een gegrinnik. 'Dan zie ik je de veertiende wel, kerel.'

Er klonk een klik en hij was weg. Mort vroeg: 'Komt hij?' en ik knikte en vertelde wanneer. 'Hij komt vrijwel ieder jaar in oktober over,' zei Mort.

Hij vroeg of we zin hadden om het tweede stel paarden aan het werk te zien, maar ik had het liefst thuis alles geregeld, en daarom reden Cassie en ik de tien kilometer terug naar het dorp en hielden eerst bij het café stil. De waard, die op de heenweg niet te zien was geweest, stond nu in hemdsmouwen buiten de dode bladeren van zijn stoep te vegen.

'Heb je het niet koud?' vroeg Cassie.

Bananas, die in fel contrast tot onze eskimo-jakken stond te transpireren, zei dat hij in de kelder biervaten aan het versjouwen was geweest.

We legden uit dat we een poosje weggingen en waarom.

'Kom binnen,' zei hij, de laatste bladeren wegvegend. 'Trek in koffie?'

We dronken koffie met hem in de bar, maar zonder het roomijs en de cognac die hij door die van hemzelf roerde. 'Natuurlijk,' zei hij grootmoedig. 'Ik haal jullie post wel binnen. En ook de kranten, de melk, wat je maar wilt. Nog iets anders?'

'Hoe absoluut buitensporig edelmoedig voel je je?' vroeg Cassie.

Hij keek haar schuin over zijn schuimend volle beker

scheel aan. 'Kom er maar mee voor de dag,' zei hij.

'Mijn gele autootje zou vandaag een servicebeurt en een testrit krijgen, en ik vroeg mij af...'

'Of ik hem voor je naar die grote garage zou willen rijden?'

'William rijdt je terug,' zei ze overredend.

'Voor jou doe ik alles, Cassie,' zei hij. 'Meteen.'

'Vanmiddag het gips eraf,' zei ze blij, en ik keek naar haar heldere, grijze ogen en bedacht dat ik zoveel van haar hield dat het gewoon belachelijk was. Laat me nooit in de steek, dacht ik. Blijf altijd bij me. Het zou nu eenzaam zijn zonder jou... Het zou een hel zijn.

We reden allemaal samen in mijn auto naar het huis en ik liet hem op de weg staan omdat Cassie graag had dat Bananas haar kleine gele gevaar achteruit uit de garage op de oprit zou zetten. Ze liepen naar de garagedeuren om ze te openen en ik ging, ze half nakijkend, de voordeur open doen en de brieven oprapen die op de mat achter de deur moesten zijn gevallen.

Het huis lag er zo stil en roerloos bij dat onze voorzorgen overbodig leken, als dranghekken op de maan.

Angelo is onvoorspelbaar, hield ik mijzelf voor. Even onbetrouwbaar als de vulkaan de St. Helens. Je zou net zo goed van een aardbeving kunnen verwachten dat hij zich redelijk gedroeg, ook al wenste je uiteindelijk dat het hem voorspoedig zou gaan.

DENK AAN DE TIJGERS.

Vanuit de richting van de garage klonk er een lichte bons. Niet iets om van te schrikken. Ik schonk er weinig aandacht aan.

Er lagen zes enveloppen op de mat. Ik bukte mij, raapte ze op en bekeek ze. Drie rekeningen voor Luke, een aanmaning van de huurbelasting, een reclameblaadje voor boeken en een brief voor Cassie van haar moeder in Sydney. Gewone alledaagse post, niet iets om voor te sterven.

Ik keek nog even voor het laatst de gezellige huiskamer in, zag de rood geruite biesjes aan de gordijnen en de maïspoppetjes zachtjes in de tocht van de deur heen en weer zwaaien. Het zou heus niet zo lang duren, meende ik, voor we weer terug waren.

De keukendeur stond open, het door het keukenraam vallende licht lag als een spiegelende glans op de witte verf – en in de glans bewoog zich een schaduw.

Bananas en Cassie, ging het automatisch door mij heen, die door de keukendeur naar binnen kwamen. Maar dat kon niet. Die zat op slot.

Er was nauwelijks tijd om zelfs maar te schrikken, zelfs maar voor oerinstincten, zelfs maar voor te berge rijzende haren. Eerst kwam er een geluiddemper van een pistool de kamer in, een donker silhouet tegen de witte verf, en toen Angelo, in het zwart gekleed, in de wolken van triomf, ontzettend kwaadaardig, eruitziend als een zwarte duivel.

Woorden hadden geen zin. Ik wist heel beslist dat hij me ging neerschieten, dat ik de dood in de ogen keek. Er ging zo'n vastbeslotenheid om handelend op te treden van hem uit, hij had zich zo overgegeven aan vermetelheid, was zo vergiftigd door de zucht tot vernietiging, dat niets en niemand hem dat uit zijn hoofd gepraat zou kunnen hebben.

Met een zo flitsend vlug idee in mijn hoofd dat ik mij er niet eens van bewust was stak ik mijn hand uit naar de honkbalknuppel die nog altijd in de vensterbank lag. Met door wanhoop ingegeven behendigheid greep ik het handvat beet en haalde in één vloeiende beweging vanuit mijn verdraaide voeten via benen, romp, arm en hand naar de knuppel, naar Angelo uit, waarbij ik met alle kracht die in mij was het volle gewicht van het hout liet neerkomen op de hand die het pistool vasthield.

Angelo vuurde van twee meter afstand recht op mijn borst. Ik voelde een ruk en verder niets, ik voelde mij zelfs niet verbaasd en mijn zwaaiende arm veranderde zelfs geen millimeter van richting. Een fractie van een seconde later kwam de knuppel met een vermorzelende klap neer op Angelo's pols en hand, die even gedegen braken als hij Cassies arm gebroken had.

Ik wankelde door de kracht van die klap en tolde de kamer door, Angelo liet zijn pistool op het kleed vallen en drukte zijn rechterarm tegen zijn lichaam, terwijl hij één enkele ontzaglijke schreeuw van pijn uitstootte, dubbel boog en strompelend de voordeur uit holde en het pad af naar de weg.

Ik keek hem door het venster na. Ik stond daar merkwaardig bewegingloos, wetende dat er iets in het verschiet lag dat nog moest komen, een gevolg dat ik nog niet voelde maar dat onverbiddelijk was, het feit van een kogel door mijn vlees.

Ik dacht: Angelo heeft zijn Derry toch eindelijk te pakken gekregen. Angelo heeft zoals beloofd wraak genomen. Angelo weet dat zijn schot mij recht in het doel geraakt heeft. Angelo zal ervan overtuigd zijn dat hij juist gehandeld heeft, ook al kost het hem levenslang. Ondanks dit vooruitzicht, ondanks zijn gebroken pols, moest er op dat moment een overweldigend, juichend, ontoombaar delirium van vreugde door Angelo heen gaan.

De strijd was gestreden, de oorlog voorbij. Angelo zou voldaan zijn dat hij in elk fysiek, zichtbaar opzicht gewonnen had.

Bananas en Cassie kwamen door de voordeur aangehold en keken enorm opgelucht toen ze mij daar zagen staan, enigszins tegen een kast geleund maar blijkbaar ongedeerd.

'Dat was Angelo!' zei Cassie.

'Ja.'

Bananas keek naar de honkbalknuppel die op de vloer lag en zei: 'Je hebt hem een klap verkocht.'

'Mooi zo,' zei Cassie voldaan. 'Zijn beurt om in dat vervloekte gips te lopen.'

Bananas zag het pistool van Angelo en bukte zich om het op te rapen.

'Niet aanraken,' zei ik.

Half gebukt keek hij mij vragend aan.

'Vingerafdrukken,' zei ik. 'Gaat hem levenslang kosten.'

'Maar...'

'Hij heeft me geraakt,' zei ik.

Ik zag hoe het ongeloof op hun gezicht plaats begon te maken voor ongerustheid.

'Waar?' vroeg Cassie.

Ik maakte met mijn linkerhand een wapperende beweging naar mijn borst. Mijn rechterarm voelde zwaar en krachteloos aan, en ongeëmotioneerd dacht ik bij mezelf dat dat kwam doordat een paar van de spieren die nodig waren om hem op te tillen gescheurd waren.

'Zal ik een ziekenauto laten komen?' vroeg Bananas.

'Ja.'

Ze hadden, dacht ik, niet in de gaten hoe ernstig het was. Ze konden geen enkel letsel zien en ik brak mij er hoofdzakelijk het hoofd over hoe ik het ze moest vertellen zonder dat Cassie zich doodschrok.

Niet dat ik mij op dat moment zo afschuwelijk voelde, maar ik wist toch op een objectieve manier dat dat spoedig het geval zou zijn. Er was een inwendige ineenstorting aan de gang als een aardbeving, als funderingen die wegzakten. Nu nog heel langzaam, maar geleidelijk aan sneller toenemend.

Ik zei: 'Bel het ziekenhuis in Cambridge op.'

Het klonk allemaal zo kalm.

Ik gleed, zonder dat ik het wilde, op mijn knieën en zag de ongerustheid op hun gezicht omslaan in afgrijzen.

'Je bent echt gewond,' zei Cassie in plotselinge doodsschrik.

'Het is... eh... eh...' Ik wist niet wat ik moest zeggen.

Ze zat opeens op haar knieën naast me en ontdekte met verschrikte, rode vingers dat de wond waar de kogel mij geraakt had en die door de voorzijde van mijn gevoerde eskimo-jak niet te zien was geweest naar een grotere, bloedende wond op mijn rug liep op de plaats waar hij was uitgetreden.

'O, mijn *god*,' zei ze, absoluut verstijfd van schrik.

Bananas kwam met grote passen aangelopen om te kijken en aan het gezicht van hen beiden kon ik zien dat ze het nu begrepen, dat ik niet meer naar de woorden ervoor hoefde te zoeken.

Hij draaide zich met een grimmig gezicht om en pakte de telefoon op, bladerde haastig door de gids en draaide het nummer.

'Ja,' hoorde ik hem zeggen. 'Ja, het is een spoedgeval. Er is iemand neergeschoten. Ja, neergeschoten, zei ik... door zijn borst... Ja, hij leeft... Ja, hij is bij bewustzijn... Nee, de kogel kan er niet meer in zitten.' Hij gaf het adres op en korte aanwijzingen hoe er te komen. 'Luister, hou op met van die stomme vragen stellen... laat ze als de sode-mieterij komen... Ja, het ziet er *verdomd* ernstig uit, hou in godsnaam op met die tijdverspilling... *Mijn* naam? God bewaar me, John Frisby.' Hij kwakte de hoorn kwaad neer en zei: 'Ze willen weten of we het aan de politie hebben gemeld. Wat doet dat er nou in jezusnaam toe?'

Het was me te veel moeite om hem te vertellen dat alle door vuurwapens veroorzaakte verwondingen aan de po-litie gemeld moesten worden. Ademhalen werd in feite steeds moeilijker. Alleen woorden die noodzakelijk gezegd moesten worden waren de inspanning waard.

'Dat pistool,' zei ik. 'Stop het niet... in een plastic zak. Door condensatie... verdwijnen... de vingerafdrukken.'

Bananas keek verbaasd en ik dacht dat hij niet begreep dat ik hem dat vertelde omdat ik daar wellicht heel gauw niet meer toe in staat zou zijn. Ik begon mij afschuwelijk ziek te voelen, er kroop een klamheid over mijn huid die op mijn voorhoofd in zweet uitbrak. Ik stootte een licht kuchje uit en veegde een rode streep van mijn mond op de rug van mijn hand. Er ging een alomvattende golf van slapheid door mij heen, ik zakte nog redelijk bij kennis tegen de kast aan en lag daarna opeens half op de vloer.

'O, William,' zei Cassie. 'O, *nee*.'

Als ik er al ooit aan getwijfeld mocht hebben of ze van mij hield, dan had ik nu het antwoord. Niemand zou de opperste wanhoop in haar stem en haar houding hebben kunnen spelen of veinzen.

'Maak je... geen zorgen,' zei ik. Ik trachtte te glimlachen. Ik geloof niet dat het me lukte. Weer hoestte ik, met nog erger gevolg.

Ik probeerde, had ik het gevoel, door een meer heen adem te halen. Een meer dat steeds sneller volliep, door vele bronnen gevoed. Het ging nu vlugger. Veel vlugger. Veel te vlug. Ik was nog niet klaar. Wie was er ooit klaar?

Ik kon Bananas iets met klem horen zeggen, maar ik wist niet helemaal wat. Mijn verstandelijke vermogens begonnen op drift te raken. Het bestaan hield op iets te zijn dat zich van buiten afspeelde. Ik ben dood aan het gaan, dacht ik, ik ben echt dood aan het gaan. Te vlug dood aan het gaan.

Mijn ogen waren gesloten en toen weer open. Het daglicht maakte een gekke indruk. Te fel. Ik kon het gezicht van Cassie zien, dat nat was van de tranen.

Ik probeerde te zeggen: 'Niet huilen,' maar ik kon er geen adem voor krijgen. Ademhalen begon iets moeizaams en bijna onmogelijks te worden.

Bananas was nog steeds in de verte aan het praten.

Ik kreeg het gevoel of alles vloeibaar werd, of mijn lichaam oploste, of een diepe, onderaardse rivier buiten zijn oevers trad en mij met zich mee voerde.

Een schemerige, laatste, nuchtere gedachte... ik verdrink. In mijn eigen bloed, god nog toe.

21

Het volgende dat ik zag, maar niet eerder dan een dag later, was het gezicht van Cassie, en het huilde niet langer, maar was in slaap en van een serene kalmte. Ze zat naast een bed waarin ik lag, omgeven door witte voorwerpen en glas en chroom en een heleboel lampen. Intensive care, en dat gedoe.

Ik ontwaakte bij horten en stoten over een periode van verscheidene uren door de pijn die ik niet gevoeld had toen het schot mij trof, en van slangetjes waarmee vloeistoffen naar en van mijn kleiklomp werden aan- en afgevoerd en van stemmen die mij telkens en telkens weer vertelden dat ik geboft had dat ik er nog was; dat ik gestorven was en nu weer in leven.

Ik bedankte hen allemaal en ik meende het.

Ik bedankte Bananas, die mij naar het bleek had opgetild en in mijn eigen wagen gezet, waarna hij me met zo'n honderd zestig kilometer per uur naar Cambridge had gebracht, omdat dat vlugger ging dan op de ziekenauto wachten.

Ik bedankte twee dokters die naar het scheen de hele dag en toen nog de halve nacht bezig waren geweest om de ravage in mijn rechterlong op te ruimen en te hechten, en het bloed te stelpen dat even snel uit de draineerslangetjes druppelde als de transfusies in mijn arm vloeiden.

Ik bedankte de verpleegsters die met vaardige handen en lawaaiige apparatuur rondstommelden, en ik bedankte in absentia de bloeddonors, groep O, die mijn aderen opnieuw gevuld hadden.

Ik bedankte Cassie voor haar liefde en voor het bij mij komen zitten wanneer men haar dat maar toestond.

Ik dankte het lot dat het verwoestende klompje metaal

mijn hart gemist had. Ik bedankte iedereen die ik maar kon voor alles wat ik maar kon bedenken, uit dankbaarheid dat ik het er levend had afgebracht.

De lange, telkens weerkerende dromen waardoor ik tijdens mijn bewusteloosheid bezocht was vervaagden, verdwenen, leken niet langer levendige werkelijkheid te zijn. Ik zag de duivel niet meer naast mij ijsberen, zwijgend maar onverzoenlijk, de heer die op mijn ziel wachtte. Ik zag hem niet meer, de gevallen engel, de duivel met het gezicht van Angelo, het gele gezicht met vergrijsde haren en zwarte, lege kassen waar zijn ogen hadden moeten zitten. De verschijning was verdwenen. Ik was terug in de gekke, echte, plezierige wereld waarin slangetjes de dingen waren waar het op aankwam en niet de verschillende verschijningsvormen van het kwaad.

Ik zei maar niet hoe dicht ik bij de dood was geweest, omdat zij dat al voor mij deden, zo ongeveer elke vijf minuten. Ik zei maar niet dat ik in de eeuwige ruimte had gekeken en de eeuwige duisternis had gezien, en begrepen dat het een betekenis en een gezicht had gehad. De visioenen van stervenden en van hen die op het nippertje uit de klauwen van de dood waren gehaald waren verdacht. Angelo was een levend mens en niet de duivel, niet een incarnatie of een gebouw of een woonhuis. Het was geijl geweest, door de war geraakte hersencircuits, waardoor ik de een voor de ander, de ander voor die Ene had aangezien. Ik zei maar niets, uit angst mij belachelijk te maken; later zei ik niets omdat ik het gevoel had dat ik mij echt vergist had en dat de dromen in werkelijkheid... niets dan dromen waren geweest.

'Waar is Angelo?' vroeg ik.

'Ze zeiden dat ik je niet mocht vermoeien.'

Ik keek naar de uitvlucht op Cassies gezicht. 'Ik lig plat op mijn rug,' wees ik haar. 'Vertel dus maar.'

Schoorvoetend zei ze: 'Nu... hij is hier.'

'*Hier?* In dit ziekenhuis?'

Ze knikte. 'In de kamer hiernaast.'

Ik was verbijsterd. 'Maar waarom?'

'Hij heeft een auto-ongeluk gehad.' Ze keek me bezorgd aan of ik soms tekenen van ineenstorting vertoonde, maar was kennelijk gerustgesteld. 'Hij is ongeveer tien kilometer hiervandaan tegen een bus gereden.'

'Nadat hij bij ons was weggegaan?'

Ze knikte. 'Ze hebben hem hierheen gebracht. Terwijl Bananas en ik op de ongevallenafdeling zaten te wachten brachten ze hem binnen. We konden onze ogen niet geloven.'

Het was nog niet voorbij. Ik sloot mijn ogen. Het zou nooit ofte nimmer voorbij zijn. Waarheen ik ook ging, Angelo leek mij overal te volgen, tot op de ontleedtafel toe.

'William?' zei Cassie ongerust.

'Mm?'

'O. Ik dacht...'

'Er is niets.'

'Hij was bijna dood,' zei ze. 'Net als jij. Hij ligt nog altijd in een coma.'

'Wat?'

'Hoofdletsel,' zei ze.

Gedurende de paar eerstvolgende dagen hoorde ik stukje bij beetje dat het ziekenhuispersoneel Bananas en Cassie niet had willen geloven toen ze zeiden dat het Angelo was geweest die mij had neergeschoten. Ze hadden even lang en ingespannen voor zijn leven gevochten als voor het mijne en het bleek dat men ons zij aan zij op de intensive care-afdeling had gelegd, totdat Cassie tegen hen had gezegd dat ik een hartverlamming zou krijgen als ik bijkwam en hem naast mij zou zien liggen.

De politie had in gematigder termen erop gewezen dat indien het Angelo was die het eerst zou bijkomen, de kans bestond dat hij zijn karwei van mij te vermoorden zou afmaken, en Angelo lag nu verderop in de gang in zijn ononderbroken slaap, dag en nacht bewaakt door een politieagent.

Het was iets heel geks als ik eraan dacht dat hij daar ook lag, zo vlak bij me. Ik was er tot in de grond van mijn gestel door geschokt. Ik had niet gedacht dat ik er zo door van streek zou raken, maar iedere keer wanneer iemand de deur open deed vloog mijn polsslag omhoog. Mijn verstand zei me dat hij het niet kon zijn. Mijn onderbewustzijn was er toch bang voor.

Een lichaam heelt verbazend vlug. Binnen een week was ik vrij van slangetjes, verhuisde ik te voet naar een zijzaaltje en wandelde ik rond; nog een beetje kruipend, dat wel, en stijf en pijnlijk, maar beslist, onweerlegbaar, in leven. Ook Angelo ging vooruit, naar het scheen. Omhoogstijgend uit de diepten. Ogen openend die niets zagen, reagerend.

Ik hoorde het van de verpleegsters, van de werksters, van de vrouw die met een wagentje met etenswaren rondging, en allemaal keken ze me nieuwsgierig aan om te zien hoe ik het opnam. Het pikante van de situatie haalde eerst een plaatselijke krant en daarna de landelijke, en de agenten die Angelo bewaakten begonnen aan te wippen voor een babbeltje.

Van een van hen hoorde ik hoe Angelo de macht over het stuur was kwijtgeraakt toen hij om een rotonde heen reed, hoe een hele rij mensen bij een bushalte hem in de richting van de bus had zien zwenken, net alsof hij het stuur niet om kon krijgen, dat hij in elk geval te hard gereden had en dat het aanvankelijk net geleken had of hij zat te lachen.

Toen Bananas het hoorde zei hij scherp: 'Hij heeft dat ongeluk gehad doordat je zijn pols gebroken had.'

'Ja,' zei ik.

Hij zuchtte diep. 'Dat weet de politie waarschijnlijk.'

'Ik denk het wel.'

'Hebben ze je lastiggevallen?'

Ik schudde mijn hoofd. 'Ik heb ze verteld wat er gebeurd is. Ze hebben het opgeschreven. Ze zeiden geen van allen veel.'

'Ze zijn het pistool op wezen halen.' Hij glimlachte. 'Ze stopten het in een papieren zak.'

Na twaalf dagen verliet ik het ziekenhuis, waarbij ik langzaam lopend langs de kamer van Angelo kwam, zonder naar binnen te gaan. Mijn weerzin was te groot, ook al wist ik dat hij nog altijd enigszins buiten kennis was en er zich niet van bewust zou zijn dat ik er was. De schade die hij aan mijn leven en dat van Cassie had toegebracht mocht dan voorbij zijn, mijn lichaam droeg er nog de littekens van, vurig en nog steeds pijnlijk, waar ik mij niet overheen kon zetten omdat ik er elk moment aan werd herinnerd.

Ik denk wel dat ik hem haatte. Misschien was ik bang voor hem. In elk geval wenste ik hem niet te zien, toen niet en nooit meer.

Gedurende de volgende drie weken lummelde ik in huis rond, terwijl ik wat schrijfwerk deed, dagelijks meer opknapte en in het begin Bananas overhaalde mij naar de Heath te rijden zodat ik naar de galoppeerplaats kon kijken. Cassie ging weer aan het werk, met nog slechts de herinnering aan haar arm in het gips. Mijn bloed was vrijwel geheel uit het vloerkleed in de huiskamer verwijderd en de honkbalknuppel lag in de kelder. Het leven hernam min of meer zijn normale gang.

Luke kwam uit Californië over, luisterde naar Sim en Mort en de trainers in Berkshire, ging op bezoek bij Warrington Marsh, inspecteerde de jaarlingen, maakte kennis met Cassie en vertrok naar Ierland. Hij was het en niet ik die in Ballsbridge op Oxidise bood en de jonge hengst naar Donavan stuurde, en hij was het die op de een of andere manier de gevoelens van de Ierse trainer wist glad te strijken.

Hij kwam nog even in Newmarket terug voor hij weer naar Amerika ging, bracht ons thuis een bezoekje en dronk er laat in de ochtend een whisky.

'Je jaar is bijna om,' zei hij.

'Ja.'

'Heb je het leuk gevonden?'

'Bijzonder.'

'Wil je er nog een?'

Ik hief mijn hoofd op. Hij keek mij een hele minuut

zwijgend aan. Hij sprak het niet uit, en ik evenmin, dat Warrington Marsh nooit meer sterk genoeg zou zijn om de baan te vervullen. Daar ging het niet om; waar het om ging was de vaste betrekking... de gevangenschap.

'Eén jaar,' zei Luke. 'Dat is niet voor eeuwig.'

Na weer een stilzwijgen zei ik: 'Eén jaar dan. Nog één.'

Hij knikte en dronk zijn whisky, en het kwam mij voor dat hij enigerwijze glimlachte. Ik had er zo'n voorgevoel van dat hij het jaar daarop weer zou overkomen en mij hetzelfde aanbod doen. Eén jaar. Telkens een contract voor maar één jaar, waardoor hij de deur van de kooi open hield, maar zijn vogel gevangen bleef; en zolang ik de kans had weg te gaan, dacht ik bij mezelf, zou ik best kunnen blijven.

Toen Cassie thuis kwam was ze blij: 'Mort heeft hem verteld dat hij niet zou weten wat hij zonder jou zou moeten beginnen.'

'Echt?'

'Mort mag je graag.'

'Donavan niet.'

'Je kunt niet alles hebben,' zei ze.

Ik had al heel wat, dat was waar; toen belde op een gegeven moment de politie op om te vragen of ik naar Angelo toe wilde gaan.

'Nee,' zei ik.

'Dat is hartgrondig geantwoord,' zei de stem kalm. 'Maar ik had graag dat u luisterde.'

Hij sprak lange tijd overredend, mij telkens bepratend wanneer ik tegenwerpingen maakte, mijn verzet afzwakkend tot ik uiteindelijk met tegenzin toestemde te doen wat hij wilde.

'Mooi,' zei hij ten slotte. 'Woensdagmiddag.'

'Dat is al over twee dagen...'

'We zullen een auto sturen. We verwachten niet dat u zelf alweer rijdt.'

Ik sprak hem niet tegen. Ik kon korte eindjes rijden, maar werd vlug moe. Over een maand holde ik weer rond, zeiden ze.

'We zijn u zeer erkentelijk,' zei de stem.

'Jawel...'

's Avonds vertelde ik het aan Cassie en Bananas.

'Afschuwelijk,' zei Cassie. 'Hoe kunnen ze zo iets nu vragen?'

We zaten met zijn drieën alleen te dineren in de eetzaal, daar het restaurant sinds kort 's maandags niet meer voor het publiek geopend was; het oude mens had 's maandags vrijaf bedongen. Bananas had zelf gekookt en een soufflé uitgedacht met blanke vis, kruiden, sinaasappel en noten om op Cassie en mij uit te proberen – een eigenaardige en onbeschrijflijke creatie, iets totaal anders, een nieuwe horizon in smaak.

'Je had kunnen zeggen dat je het niet deed,' zei Bananas, terwijl hij zijn bord net zo vol schepte als die van ons.

'Met wat voor excuus?'

'Eigenbelang,' zei Cassie. 'De beste reden ter wereld om iets niet te doen.'

'Geen moment aan gedacht.'

Bananas zei: 'Ik hoop dat je erop gestaan hebt dat ze je een kogelvrij vest, een vijftien centimeter dikke plaat staalglas en een paar rollen prikkeldraad verschaffen.'

'Ze hebben me verzekerd,' zei ik vriendelijk, 'dat ze zouden voorkomen dat hij me naar mijn keel zou vliegen.'

'Ontzettend aardig,' mompelde Cassie.

We goten de exquisiete saus van Bananas over zijn soufflé en zeiden dat we, wanneer we uit ons huis moesten, onze tent in zijn tuin kwamen opslaan.

'En ga je wedden?' vroeg hij.

'Hoe bedoel je?'

'Met het systeem.'

Ik bedacht stomverbaasd dat ik geen moment meer aan die mogelijkheid had gedacht; maar we hadden inderdaad de bandjes. We hadden de keus.

'We hebben geen computer,' zei ik.

'We zouden er al gauw een kunnen bekostigen,' zei Cassie.

We keken elkaar allemaal aan. We waren best tevreden

met ons eigen werk; met wat we hadden. Haakte men altijd onvermijdelijk naar meer?

Ja, dat deed men.

'Jij bedient de computer,' zei Bananas, 'en ik verzorg het wedden. Zo nu en dan. Wanneer we krap zitten.'

'Zo lang we er niet door verstikt raken.'

'Ik hoef geen diamanten te hebben,' zei Cassie op verstandige toon, 'of bontmantels, of een jacht... maar hoe gauw kunnen we een zwembad in onze huiskamer hebben?'

Wat Luke aan mijn broer vertelde toen hij weer in Californië terug was ben ik nooit te weten gekomen, maar het gevolg was dat Jonathan 's avonds opbelde om te zeggen dat hij die woensdagmorgen op Heathrow zou aankomen.

'En je studenten dan?'

'Laat de studenten maar barsten. Ik heb een keelontsteking.' Zijn stem denderde krachtig en gezond over de afstand. 'Tot kijk.'

Hij kwam met een huurauto aanzetten, biscuitkleurig door de zon en bezorgd om wat hij zou aantreffen, en hoewel ik mij inmiddels weer uitstekend voelde leek hij er niet door gerustgesteld.

'Ik leef nog,' verduidelijkte ik. 'Eén ding tegelijk. Kom volgende maand maar terug.'

'Wat is je precies overkomen?'

'Angelo is me overkomen.'

'Waarom heb je me dat niet verteld?' wilde hij weten.

'Als ik was doodgegaan zou ik het je gezegd hebben. Of iemand anders.'

Hij ging in een van de schommelstoelen zitten en keek mij vorsend aan.

'Het was allemaal mijn schuld,' zei hij.

'O, dat is wel zeker,' zei ik ironisch.

'En daarom heb je niets tegen me gezegd.'

'Ik had het je waarschijnlijk wel op een goeie keer verteld.'

'Vertel het me nu dan maar.'

Ik vertelde hem echter waar ik die middag heen ging en waarom, en hij zei op zijn kalme, besliste wijze dat hij met mij meeging. Daar had ik al op gerekend; was blij geweest dat hij mee zou gaan. Gedurende de paar volgende uren vertelde ik hem vrijwel alles wat er tussen Angelo en mij was voorgevallen, net zoals hij al die jaren geleden in Cornwall gedaan had.

'Het spijt me,' zei hij toen ik klaar was.

'Hoeft niet.'

'Ga je het systeem gebruiken?'

Ik knikte. 'Al heel gauw.'

'Ik denk dat de oude mevrouw O'Rorke er blij om geweest zou zijn. Ze was trots op het werk van Liam. Ze zou niet graag gezien hebben dat het verloren was gegaan.' Hij zat heel even te denken en zei toen: 'Wat voor pistool was het, weet je dat ook?'

'Ik geloof... dat de politie zei... dat het een Walther .22 was, kan dat?'

Hij glimlachte flauwtjes. 'Dat was te verwachten. Je mag van geluk spreken. Als het een .38 of zo iets geweest was had je het niet naverteld.'

'Aha,' zei ik droog. 'Ik mag inderdaad van geluk spreken.'

De auto waarmee gedreigd was kwam ons ophalen en bracht ons naar een groot gebouw in Buckinghamshire. Ik ben nooit precies aan de weet gekomen wat het was – een kruising tussen een ziekenhuis en een overheidsgebouw, vol lange, brede gangen, gesloten deuren en gedempte geluiden.

We liepen zonder haast over de parketvloeren, terwijl onze hakken de stilte nog onderstreepten. Helemaal aan het eind was een hoog venster, van vloer tot plafond, waardoor net niet genoeg daglicht naar binnen viel; en als silhouetten tegen het venster afgetekend zagen we twee gedaanten, een man in een rolstoel en een andere man die hem voortduwde.

De twee en Jonathan en ik moesten op een gegeven moment wel naar elkaar toe komen, en terwijl we elkaar naderden zag ik met een onwelkome schok dat de man in de rolstoel Harry Gilbert was. Een oude, grijze, gebogen, zieke Harry Gilbert, die alle medelijden nog steeds bewust afwees.

Eddy, die hem duwde, bleef aarzelend staan en ook Jonathan en ik stonden stil, terwijl wij Harry en Harry ons over een paar passen afstand aanstaarden. Hij keek van mij naar Jonathan, waarbij hij hem aanvankelijk slechts een korte blik gunde, maar toen langer en aandachtiger keek, en zijn ogen niet kon geloven.

Hij wendde zich naar mij. 'Je zei dat hij dood was,' zei hij.

Ik knikte heel even.

Zijn stem klonk koud, droog, verbitterd, er klonk geen hartstocht meer in, geen hoop meer, geen kracht meer om wraak te nemen. 'Jullie beiden,' zei hij. 'Jullie hebben de ondergang van mijn zoon op je geweten.'

Jonathan noch ik gaf antwoord. Ik stond te peinzen over de erfelijkheidsleer van het kwaad, de voortplantingskansen van moord, de alreeds bij de geboorte aanwezige aanleg. Het bijbelse scheppingsverhaal, bedacht ik, bevatte ook de waarheid over de evolutie. Kaïn bestond echt, en bij iedere soort hadden de meest meedogenlozen de beste overlevingskansen.

Het was slechts aan geluk te danken geweest dat ik nog leefde; aan Bananas' snelheid van handelen en aan de toewijding van dokters. Abel was dood, en met hem vele generaties van slachtoffers; en in iedere generatie, bij tal van rassen, schoven de genen steeds weer de moordenaar naar voren. De Gilberts brachten ten eeuwige dage hun Angelo's voort.

Harry Gilbert gaf een ruk met zijn hoofd, voor Eddy bedoeld, ten teken dat hij weg wilde; en Eddy, het evenbeeld, Eddy, de volgzame, Eddy, het schaap uit dezelfde kudde, reed zijn oom rustig weg.

'Arrogante ouwe kerel,' zei Jonathan zacht, terwijl hij hem nakeek.

'Het fokken van renpaarden is iets heel interessants,' zei ik.

Jonathan draaide zijn verbaasde blik heel langzaam mijn richting uit. 'En brengen schurken ook schurken voort?' vroeg hij.

'Heel vaak.'

Hij knikte en we liepen verder de gang door, de kant uit van het raam, naar de laatste deur rechts.

De kamer die we binnengingen moest eenmaal prachtig van afmetingen zijn geweest, maar was met de ongevoeligheid van overheidsdepartementen uit praktische overweging in tweeën gehakt. Het resultaat was een lang, smal vertrek met een raam en nog een lang, smal vertrek, maar zonder raam.

In het vertrek met het raam, dat slechts gemeubileerd was met een strook leemkleurig tapijt dat over het parket naar een functioneel schrijfbureau met twee rechte stoelen liep, waren twee mannen zo te zien bezig met nietsdoen de tijd te doden. De een zat achter het bureau en de ander er bovenop, beiden in de veertig, klein van stuk, glad, verveeld kijkend en met een gezicht of ze net zo lief ergens anders waren.

Ze keken bij onze binnenkomst vragend op.

'Ik ben William Derry,' zei ik.

'Ah.'

De man die op het bureau zat stond op, kwam naar mij toe, gaf mij een hand en keek vragend naar Jonathan.

'Mijn broer, Jonathan Derry,' zei ik.

'Ah.'

Ook Jonathan kreeg een hand van hem. 'Ik geloof niet,' zei hij neutraal, 'dat we uw broer zullen hoeven lastig te vallen.'

Ik zei: 'De kans is groot dat Angelo eerder heftig zal reageren op Jonathans aanwezigheid dan op de mijne.'

'Maar hij heeft ú proberen te vermoorden.'

'Jonathan heeft hem in de gevangenis doen belanden... veertien jaar geleden.'

'Ah.'

Hij keek ons beiden om beurten aan, met zijn hoofd enigszins achterover vanwege onze lengte. Op de een of andere wijze schenen we niet aan zijn verwachtingen te voldoen, hoewel ik niet wist waarom. Jonathan zag er beslist heel gedistingeerd uit, zeker nu hij door zijn leeftijd zo'n air van autoriteit had gekregen, en hij had van ons beiden altijd al de meest uitgesproken gelaatstrekken gehad; ikzelf had, veronderstel ik, ook minder weg van een slachtoffer dan mogelijk het geval geweest had kunnen zijn. Ik vroeg mij heel even af of hij misschien een gedrongen, schuifelende figuur in een kamerjas verwacht had en niet gedacht dat we net als hij gekleed zouden gaan.

'Ik zal maar even vooruit lopen en uitleggen dat uw broer meekomt,' zei hij ten slotte. 'Wilt u even wachten?'

We knikten en hij opende de deur naar het binnenste vertrek op een uiterst klein kiertje en wrong zich erdoor, waarna hij hem achter zich sloot. De man achter het bureau vatte zijn verveelde gezicht weer op en leverde geen enkel commentaar, maar na korte tijd kwam zijn collega weer teruggegleden door de even grote kier en vertelde dat ze voor ons gereed waren en of we maar naar binnen wilden gaan.

In het binnenste vertrek dat tot in alle hoeken helder met kunstlicht verlicht was bevonden zich vier personen en een heleboel elektrische apparatuur met ontelbare knoppen en een wirwar van draden. Ik zag dat Jonathan zijn blik er even over liet gaan en veronderstelde dat hij wel wist wat het allemaal was – na afloop zei hij tegen me dat het allemaal vrij normale apparaten hadden geleken om lichaamsfuncties te registreren – cardiografische en encefalografische apparatuur, toestellen om temperatuur, ademhaling en huidvochtigheid te meten, en dat er van elk op zijn minst twee waren geweest.

Een van de vier mensen droeg een onmiskenbare witte jas en stelde zich rustig voor als dokter Tom Course. Een vrouw in gelijksoortig wit bewoog zich tussen de apparatuur door om de frontpanelen na te lopen. Een derde, een man, leek mij daar in het bijzonder als waarnemer aanwezig te zijn, want dat was wat hij, zonder een woord te zeggen, gedurende de volgende, merkwaardige, tien minuten deed.

De vierde persoon, die in een soort tandartsenstoel zat met zijn rug naar ons toe, was Angelo.

We konden alleen maar de bovenkant van zijn in verband gewikkeld hoofd zien, en ook zijn armen, die met de polsen aan de armleuningen van de stoel zaten vastgebonden.

Er viel niets van gips te bekennen aan de arm die ik gebroken had – ongetwijfeld genezen. Zijn blote armen waren schaars bedekt met donkere haren, zijn handen lagen losjes, ontspannen. Het leek of er van elk deel van zijn lichaam draden naar de apparatuur liepen die achter hem stond opgesteld. Voor zich uit had hij niets anders dan een stuk leeg, helder verlicht vertrek.

Dr. Course, jong, pezig, gesteund door zekerheden, keek mij even vragend aan en zei op dezelfde rustige toon: 'Bent u klaar?'

Zo klaar, veronderstelde ik, als ik ooit zijn zou.

'Gaat u gewoon voor hem staan. Zeg iets tegen hem. Wat u maar wilt. Blijf daar staan tot wij u zeggen dat het genoeg is.'

Ik slikte. Ik had van mijn leven nog nooit ergens minder zin in gehad. Ik kon ze allemaal zien wachten, beleefd, vastberaden, zakelijk... en vol begrip, verdomme. Zelfs Jonathan. merkte ik, keek mij met iets van medelijden aan.

Onverdraaglijk.

Ik liep langzaam om de apparaten en de stoel heen, bleef voor Angelo stilstaan en keek hem aan.

Hij was tot zijn middel ontbloot. Op zijn hoofd, onder een muts van geelbruin crêpe verband, had hij als een kroon een band van zilverachtig metaal. Zijn hele huid glom van het vet en aan zijn gezicht, zijn hals, zijn borst, armen en buik waren een hele zwik elektroden aangebracht. Ik kon me niet voorstellen dat iemand nog hechter verstrikt kon zitten; zelfs de allergeringste reactie werd door de monitoren opgevangen.

Hij leek vleziger en gezonder dan ooit, ondanks het feit dat hij twee weken in een coma had gelegen. Zijn spieren zagen er nog even sterk uit, zijn romp nog net zo als een tank, zijn mond nog even verbeten. De keiharde jongen. De verschrikker. De man die uilskuikens verachtte. Afgezien van zijn hoofdbedekking en de draden zag hij er nog net hetzelfde uit. Ik haalde even diep adem en keek recht in zijn zwarte ogen, en daarin was het verschil te zien. Er lag niets in die ogen, in het geheel niets. Het was iets heel geks, alsof je een onbekende zag in een sinds jaar en dag bekend gezicht. Het huis was hetzelfde... maar het monster sliep.

Het was op een dag na vijf weken geleden dat we het laatst tegenover elkaar hadden gestaan; sinds we elkaar, ieder op zijn wijze, op het randje van de dood hadden gebracht. Ook al was ik erop voorbereid geweest, het weerzien greep mij ontzaglijk aan. Ik kon mijn hart voelen bonzen – ik kon het in het afwachtende vertrek zelfs horen.

'Angelo,' zei ik. Mijn tong voelde kleverig aan in mijn droge mond. 'Angelo, je hebt mij neergeschoten.'

In Angelo had helemaal niets plaats.

Hij keek mij in volmaakte kalmte aan. Toen ik een stap ter zijde deed volgden zijn ogen mij. Toen ik terugstapte bleef hij mij aankijken.

'Ik ben... William Derry,' zei ik. 'Ik heb je... het wedsysteem van Liam O'Rorke gegeven.' Ik sprak de woorden langzaam, duidelijk, met nadruk uit, terwijl ik moeite had mijn eigen ongelijkmatige ademhaling in bedwang te houden.

Van de kant van Angelo was er geen enkele reactie.

'Als je me niet had neergeschoten... was je nu vrij geweest... en rijk.'

Niets. Totaal niets.

Ik merkte dat Jonathan naast mij was komen staan en na korte tijd dwaalde Angelo's blik van mij naar hem.

'Hallo, Angelo,' zei Jonathan. 'Ik ben Jonathan, ken je

me nog? William heeft je verteld dat ik dood was. Dat was niet waar.'

Angelo zei niets.

'Weet je nog?' zei Jonathan. 'Ik heb je min of meer beduveld.'

Stilte. Versuftheid was alles wat er was overgebleven van wat we zo lang hadden moeten doorstaan. Geen woede. Geen spottende grijns, geen dreigementen, geen overweldigende orkaan van haat.

Stilte, kwam het mij voor, was het enige wat hier op zijn plaats was. Jonathan en ik stonden daar bij elkaar voor het omhulsel van onze vijand en er viel totaal niets meer te zeggen.

'Dank u,' zei Tom Course, terwijl hij om de stoel liep en bij ons kwam staan. 'Dat moet wel voldoende zijn.'

Angelo keek naar hem.

'Wie ben jij?' vroeg hij.

'Dokter Course. We hebben daarstraks met elkaar gepraat, toen we de elektroden aan het vastmaken waren.'

Angelo ging er niet op in, maar keek in plaats daarvan mij recht aan.

'Je zei iets,' zei hij. 'Wie ben je?'

'William Derry.'

'Ik ken je niet.'

'Nee.'

Zijn stem klonk nog altijd even zwaar en raspend, het enige, leek het, wat er van de oude vijand over was.

Dr. Course zei hartelijk: 'We zullen al die draden nu bij je wegnemen. Je zult wel blij zijn als je ze kwijt bent.'

'Wie zei je dat je was?' vroeg Angelo met een lichte frons.

'Dokter Course.'

'Wie?'

'Doet er niet toe. Ik ben hier om de draden weg te nemen.'

'Kan ik thee krijgen?' zei Angelo.

Dr. Course liet het wegnemen van de draden aan zijn vrouwelijke collega over en liep met ons mee om de resultaten op de apparatuur te bekijken. Ook de waarnemer had er levendige belangstelling voor, merkte ik, maar dr. Course schonk hem nauwelijks enige aandacht.

'Alsjeblieft,' zei hij, terwijl hij een strook papier van een meter omhoog hield. 'Geen enkele reactie. We hebben hem een uurlang tot rust laten komen, voor zijn bezoekers kwamen. Ademhaling, polsslag, alles zo gelijkmatig als wat. Doodstil hierbinnen, zoals u gemerkt hebt. Geen onderbrekingen, niemand die binnenkwam, geen geluiden. Dat merkteken, dat is het moment waarop hij ú zag,' knikte hij naar mij, 'en zoals u kunt zien veranderde er niets. Dit is de registratie van de huidtemperatuur. Gaat altijd omhoog indien iemand liegt. En hier...' hij stapte op een ander apparaat toe, 'hartslag onveranderd. En hier...' naar weer een ander, 'hersenactiviteit, een heel zwakke verandering. Het zou onmogelijk zijn dat hij u, zijn gehate slachtoffer, plotseling en onverwacht voor zich zag staan zonder krachtige lichaams- of hersenreacties te tonen, tenminste niet als hij u herkende. Absoluut onmogelijk.'

Ik dacht aan mijn eigen niet geregistreerde, maar behoorlijk felle reacties en wist dat het waar was.

'Is deze toestand blijvend?' vroeg Jonathan.

Tom Course wierp hem een vlugge blik toe. 'Ik denk het wel. Volgens míj wel, ja. Ziet u, ze hebben stukjes schedel uit het hersenweefsel gepeuterd. Schitterend stukje reparatiewerk van het schedelbot, dat moet ik ze nageven. Maar dat krijg je ervan, u hebt het zelf kunnen zien, geheugen weg. Een heleboel functies onbeschadigd. Eten, spreken, lopen, dat lukt hem allemaal. Hij beheerst zich. Hij kan er oud mee worden. Maar hij kan zich niets langer dan een kwartier herinneren, soms dat zelfs nog niet. Hij leeft in het absolute heden. Verlies van het geheugen komt niet zó zelden voor, weet u, na ernstig hersenletsel. Maar bij hem hier bestond er twijfel. Niet van míjn kant – officiële twijfel. Ze zeiden dat hij simuleerde, dat hij wist dat hij niet naar de gevangenis, maar naar een ziekenhuis zou gaan als hij iedereen kon blijven wijsmaken dat hij zijn geheugen verloren had.'

Tom Course gebaarde naar de apparaten. 'De resultaten van vandaag had hij niet kunnen simuleren. Doorslaggevend. Maakt voor eens en altijd een einde aan het gekissebis. Daarom zijn we natuurlijk allemaal hier. Daarom hebben ze dit hier tot onze beschikking gesteld.'

Zijn vrouwelijke collega had de zilveren band van Angelo's voorhoofd genomen en de riemen van zijn polsen, en was bezig met proppen watten de vettigheid van zijn huid te vegen.

'Wie ben je?' vroeg hij en ze antwoordde: 'Gewoon een vriendin.'

'Waar gaat hij naartoe?' vroeg ik.

Tom Course haalde zijn schouders op. 'Heb ik niets over te zeggen. Ik zou alleen voorzichtig zijn. Ik ben geen ambtenaar. Naar mijn raad zal, denk ik, niet geluisterd worden.' Zijn opmerking was kennelijk voor de waarnemer bedoeld, die hardnekkig passief bleef.

Langzaam zei ik: 'Zou hij nog steeds gewelddadig kunnen zijn?'

Tom Course wierp me van terzijde een snelle blik toe. 'Niet te zeggen. Zou best kunnen. Jawel, zou best kunnen. Hij ziet er onschuldig uit. Hij zal nooit iemand háten, daarvoor kan hij zich niemand lang genoeg herinneren. Maar in een plotselinge opwelling...' Hij haalde weer zijn schouders op. 'Laten we het zo zeggen, ik zou mijn rug niet naar hem toekeren als we alleen waren.'

'Nooit?'

'Hoe oud is hij? Veertig?' Hij tuitte zijn lippen. 'De komende tien jaar niet. Misschien wel twintig. Niets van te zeggen.'

'In een plotselinge flits?' vroeg ik.

'Zo iets.'

De vrouw was klaar met het wegvegen van de vettigheid en hield een grijs overhemd voor Angelo op zodat hij het kon aantrekken.

'Hebben we al thee gehad?' vroeg hij.

'Nog niet.'

'Ik heb dorst.'

'Je krijgt direct thee.'

'Zijn vader was buiten,' zei ik tegen Tom Course. 'Heeft hij hem gezien?'

Course knikte. 'Geen reactie. Niets op de apparatuur. Doorslaggevende tests, allemaal.' Hij keek schuins naar de waarnemer. 'Ze kunnen met al dat gekissebis ophouden.'

Angelo stond uit de stoel op, strekte zich in zijn volle lengte uit en maakte een lichamelijk krachtige indruk, maar hij stuntelde met de knoopjes van zijn overhemd, bewoog zich zonder zijn bewegingen geheel onder controle te hebben en keek afwezig rond alsof hij niet precies wist wat hij verder moest doen.

Zijn ronddwalende blik bleef op Jonathan en mij rusten.

'Hallo,' zei hij.

De deuren van het buitenste vertrek gingen wijd open en er kwamen twee verplegers in witte jassen plus nog een geüniformeerde politieman binnen.

'Is hij klaar?' vroeg de politieagent.

'Helemaal tot uw beschikking.'

'Laten we dan gaan.'

Hij deed een handboei om de linkerpols van Angelo en maakte hem aan een van de verplegers vast.

Het leek Angelo niet te kunnen schelen. Hij keek mij nog één keer ongeïnteresseerd aan met de zwarte gaten waar zijn ogen hadden moeten zitten en liep als gevraagd naar de deur.

Een kopje kleiner, onschadelijk... misschien zelfs handelbaar.

'Waar is mijn thee?' vroeg hij.

Leverbare titels in Crime de la crime:

Michael Dibdin *De rattenkoning*
  Vendetta
James Ellroy *De Zwarte Dahlia*
  Bloed op de maan
Dick Francis *Het gevaar**
  Bankier
  Moord-race*
  Grote gok
  Onderzoek
  Vuurproef
  Inbreuk
  Op hol
  Nachtmerries
  Op scherp
  Rookgordijn
  Eindspurt
  In de rats*
  Reflex*
  Testrit in Moskou*
  Bloedgeld*
  Brekebeen
  Doodklap*
  Doelwit
  Een gewaarschuwd man*
  Alles tegen*
  Kille come-back
Frances Fyfield *Vuurdood*
  Diepe slaap
George V. Higgins *Cogans handel*
  De vrienden van Eddie Coyle
Patricia Highsmith *De roep van de uil**
  Spel voor de levenden
  Ripley, een man van talent
  Vreemden in de trein*
  De torpedowalvis en andere verhalen
  De glazen cel*

*Crime de la crime pocketeditie

Andere auteurs in Crime de la crime:

In eigen land is de in Chicago woonachtige Sara Paretsky inmiddels uitgegroeid tot een mega-ster. Ooit een big shot in de Amerikaanse zakenwereld houdt zij nu het land al zeven boeken lang in de greep van haar even elegante als doortastende heldin, V. I. – Vic – Warshawski *p.i.*
Sara Paretsky's boeken zijn inmiddels vertaald in vijftien landen, waaronder Duitsland, Frankrijk, Italië en Japan, en natuurlijk Nederland.

Over *Brandmerk*:

*Een Amerikaanse, vrouwelijke privé-detective gaat uit nieuwsgierigheid op zoek naar de oorzaak van een myste-rieuze brand in Chicago, waardoor haar oude, alcoholi-sche tante dakloos werd. [...] Een uitstekende speurdersro-man met een knap geconstrueerd plot dat naar een verras-sende ontknoping leidt. – *Nederlands Bibliotheek en Lek-tuur Centrum*

Over *Bloed is dikker dan goud*:

Paretsky's debuut waarmee zij zich, aldus *Der Spiegel*, in één keer ontpopte tot een topauteur in het misdaadgenre. Corruptie in het verzekeringswezen, een misdadig opere-rende vakbeweging, moord en doodslag vormen de voor-naamste ingrediënten van dit Warshawski-avontuur. De climax is ronduit verbijsterend.
*Winnares van de Silver Dagger Award! Het kan ons niet verwonderen dat Sara Paretsky deze trofee greep. – *The Sunday Times*

Tevens verschenen van haar in Nederlandse vertaling *Gif-tig bloed* en *Wraakengel*.

James Ellroy werd in 1948 in Los Angeles geboren. Op dit moment woont hij in Connecticut. Ellroy begon vrij laat in zijn leven met het schrijven van thrillers.

Zijn jeugd werd getoonzet door de moord op zijn moeder toen hij tien was en de dood van zijn vader op zijn zeventiende. Dat leidde tot zijn totale psychische en fysieke instorting op zijn zevenentwintigste. Het roer moest om, en dat lukte: hij trok weg uit het verderfelijke Westen en schreef: *The Black Dahlia, The Big Nowhere* en *L.A. Confidential*. Internationale bestsellers in de voetsporen van Dashiell Hammett en Raymond Chandler, die de auteur bovendien de hoogste lof van pers én collega's bezorgden.

Over *De Zwarte Dahlia*:

Gebaseerd op de waar gebeurde, onopgeloste moord op een jong meisje, bijgenaamd De Zwarte Dahlia, in het Los Angeles van 1947.

De Zwarte Dahlia is een absoluut meesterwerk. – *Over the edge*

*Een uitstekende schrijver. – *de Volkskrant*

*Intens, van spanning trillend proza. – Elmore Leonard

Over *Bloed op de maan*:

Jacht op een vrouwenmoordenaar waarbij het onderscheid tussen jager en prooi soms moeilijk te maken is.

*Als die laatste [James Ellroy] een chroniqueur van de Amerikaanse samenleving is, dan is daar een hoop mis. Ellroy gaat verder dan Raymond Chandler die ook Los Angeles als thuishaven had. Zijn Los Angeles is een ware hel, die beschreven wordt in een rauwe, afgemeten taal [...] – *de Volkskrant*

FRANCES FYFIELD

Nadat van haar in Engeland *A question of guilt* en *Shadows on the mirror* verschenen zijn (die eveneens in vertaling bij De Arbeiderspers zullen uitkomen), is Frances Fyfields ster snel rijzende. Frances Fyfield (ps. van Frances Hegarty) is een in Londen praktizerend juriste met als specialisatie: strafrecht. Uit haar thrillers wordt de lezer al snel duidelijk dat het Britse rechtssysteem voor deze auteur geen geheimen heeft. Fyfield schrijft bovendien razend spannend en intelligent proza, en wordt voortdurend in een adem genoemd met de 'koninginnen van de misdaad' Ruth Rendell en natuurlijk P. D. James. Het feit dat haar vorig jaar de Silver Dagger Award werd toegekend laat zien dat deze vergelijking met recht gemaakt mag worden.

Over *Vuurdood*:

Het slaperige dorpje Branston in Essex wordt opgeschrikt door de vondst van het naakte lichaam van een vermoorde vrouw. Juriste Helen West vindt dat het officiële onderzoek wel heel geruisloos verloopt.
*Schitterend, snijdend meesterwerkje. – VN 's *Detective en Thrillergids*

Over *Diepe slaap*:

Een apothekersvrouw slaapt vredig in om nooit meer wakker te worden en een junkie overlijdt aan een overdosis. Het is allemaal zo weinig verdacht dat Helen Wests speurzin onweerstaanbaar geprikkeld wordt:
*Fyfield's meest ingehouden maar ook psychologisch meest trefzekere boek van dit moment. – *The Times*

GEORGE V. HIGGINS

George V. Higgins werd geboren in Brockton, Massachusetts in 1939. Na enkele jaren als journalist werkzaam te zijn geweest begon hij met een rechtenstudie die hij in 1967 met goed gevolg afsloot. Hij werd in Boston aangesteld als hulpofficier van justitie, maar koos later toch voor een eigen juridische praktijk.

Op een gegeven moment besloot hij een punt te zetten achter zijn juridische carrière en zich helemaal op zijn schrijverschap te concentreren. Inmiddels heeft hij twintig misdaadromans gepubliceerd en is hij benoemd tot hoogleraar *creative writing*.

Higgins heeft met zijn misdaadromans een niet onbelangrijke bijdrage geleverd aan de opwaardering van het genre. Zijn talent deed onder andere Norman Mailer verzuchten: 'Wat een dialogen! Ik kan het gewoon niet hebben dat zo'n misdaadroman als *De vrienden van Eddie Coyle* geschreven is in zo'n formidabele stijl.'

WILLIAM X. KIENZLE

Kienzle is een kenner van zowel de rooms-katholieke kerk als de criminaliteit. Een ongewone combinatie, maar voor een priester die vanaf 1954 twintig jaar lang als kapelaan werkzaam was in Detroit, heel wel mogelijk. Daarnaast was hij hoofdredacteur van de *Michigan Catholic* en verzorgde hij de misdaadverslaggeving van dat blad. In 1974 legde hij zijn werk als actief priester neer en in 1979 verscheen zijn eerste roman, *De rozenkransmoorden*. Een bestseller van de eerste orde, niet in de laatste plaats door de film die ervan gemaakt werd met Donald Sutherland als Father Koesler.

*Humor, een solide plot en schitterend verbaal geweld [...].
– Publishers Weekly